EVEREST
1808

AYŞE KULİN

ESERLER

1. *Güneşe Dön Yüzünü* (Öykü)
2. *Bir Tatlı Huzur* (Biyografi)
3. *Foto Sabah Resimleri* (Öykü)
4. *Adı: Aylin* (Biyografik Roman)
5. *Geniş Zamanlar* (Öykü)
6. *Sevdalinka* (Roman)
7. *Füreya* (Biyografik Roman)
8. *Köprü* (Roman)
9. *İçimde Kızıl Bir Gül Gibi* (Deneme)
10. *Babama* (Şiir)
11. *Nefes Nefese* (Roman)
12. *Kardelenler* (Araştırma)
13. *Gece Sesleri* (Roman)
14. *Bir Gün* (Roman)
15. *Bir Varmış Bir Yokmuş* (Öykü)
16. *Veda* (Roman), *Veda* (Çizgi Roman)
17. *Sit Nene'nin Masalları* (Çocuk Kitabı)
18. *Umut* (Roman)
19. *Taş Duvar Açık Pencere* (Derleme)
20. *Türkan-Tek ve Tek Başına* (Anı-Roman)
21. *Hayat-Dürbünümde Kırk Sene* (Anı-Roman)
22. *Hüzün-Dürbünümde Kırk Sene* (Anı-Roman)
23. *Gizli Anların Yolcusu* (Roman)
24. *Saklı Şiirler* (Şiir)
25. *Sessiz Öyküler* (Öykü Derlemesi)
26. *Bora'nın Kitabı* (Roman)
27. *Dönüş* (Roman)
28. *Hayal* (Anı)
29. *Handan* (Roman)
30. *Tutsak Güneş* (Roman)
31. *Kanadı Kırık Kuşlar* (Roman)
32. *Kördüğüm* (Roman)

ÖDÜLLER

1988-89 / Tiyatro ve TV Yazarları Derneği, En İyi Çevre Düzeni Dalında Televizyon Başarı Ödülü
1995 / Haldun Taner Öykü Ödülü Birincisi
1996 / Sait Faik Hikâye Armağanı Ödülü
1996 / 3. UAT En Başarılı Yazar Ödülü
1997 / Oriflame Roman Dalında Yılın En Başarılı Kadın Yazarı Ödülü
1997 / Nokta Dergisi *Doruktakiler* Edebiyat Ödülü
1997 / İ.Ü. İletişim Fakültesi, Roman Dalında Yılın En Başarılı Yazarı Ödülü
1998 / Oriflame Edebiyat Dalında Yılın En Başarılı Kadın Yazarı Ödülü
1998 / İ.Ü. İletişim Fakültesi Roman Dalında Yılın En Başarılı Yazarı Ödülü
1999 / Oriflame Edebiyat Dalında En Başarılı Kadın Yazarı Ödülü
1999 / İ.Ü. İletişim Fakültesi Roman Dalında Yılın En Başarılı Yazarı Ödülü
2000 / Rotaract Yılın Yazarı Ödülü
2001 / Ankara Fen Lisesi Özel Bilim Okulları Yılın Yazarı Ödülü
2002 / Tepe Özel İletişim Kurumları Yılın En İyi Edebiyatçısı Ödülü
2003 / AVON Yılın En Başarılı Kadın Yazarı Ödülü
2003 / Best FM Yılın En Başarılı Yazarı Ödülü
2004 / İstanbul Kültür Üniversitesi Yürekli Kadın Ödülü
2004 / Pertevniyal Lisesi Yılın En İyi Yazarı Ödülü
2007 / Bağcılar Atatürk İ.Ö. Ok. & Esenler-İsveç Kardeşlik İ.Ö. Ok. Yılın Edebiyat Yazarı Ödülü
2007 / Türkiye Yazarlar Birliği *Veda* isimli romanı ile Yılın En Başarılı Yazarı
2008 / European Council of Jewish Communities Roman Ödülü
2009 / TED Bilim Kurulu Eğitim Hizmet Ödülü
2009 / Kocaeli, 2. Altın Çınar Dostluk ve Barış Ödülü
2009 / Kabataşlılar Derneği Yılın En İyi Yazarı Ödülü
2010 / Best FM 1998-2008, 10 Yılın En Başarılı Kitabı
2010 / Kabataşlılar Derneği Yılın En İyi Yazarı Ödülü
2011 / İTÜ EMÖS Yaşam Boyu Başarı Ödülü
2011 / Orkunoğlu Eğitim Kurumları, Yılın En Başarılı Yazarı Ödülü
2011 / ESKADER Kültür & Sanat Ödülleri, Hatırat Dalında *Hayat & Hüzün*
2011 / *Farewell* (*Veda*) ile Dublin IMPAC Edebiyat Ödülü Ön Adayı
2012 / Medya ve Yeni Medya En İyi Yazar Ödülü
2013 / Kültür ve Turizm Bakanlığı, Toplumsal Duyarlılığa Katkı Ödülü
2013 / Lions Başarı Ödülü
2014 / 22. İTÜ EMÖS Ödülü; Yılın En Başarılı Kitabı - *Handan*
2015: Eryetiş & Balkanlar Eğitim Kurumları / Yılın En İyi Romanı: *Tutsak Güneş*
2016: *Permio Roma Ödülü* / Çeviri Dalında En İyi Roman / *Nefes Nefese.*
2016 İstinye Rotary Kulübü Meslekte Üstün Hizmet Ödülü
2016 İTÜ İşletme Mühendisliği Yazarlar Kategorisinde Sosyal Medya Ödülü
2017 İzmir Rotary Kulübü Meslekte Üstün Hizmet Ödülü

Sevdalinka'nın Bosna-Hersek telif geliri savaş mağduru çocuklara, *Kardelenler*'in telif geliri Kardelen Projesi'ne, *Sit Nene'nin Masalları*'nın telif geliri UNICEF Anaokulu Projesi'ne, *Türkan-Tek ve Tek Başına*'nın özel baskısının ve *Türkan* tiyatro oyununun telif gelirleri ise ÇYDD eğitim projelerine bağışlanmıştır.

AYŞE KULİN

Ben seni hiç unutmayacağım,
sen beni hiç hatırlamayacaksın...

Yayın No **1808**
Türkçe Edebiyat **715**

Son

Ayşe Kulin

Editör: Mehmet Said Aydın, Eyüp Tosun
Kapak tasarımı: Füsun Turcan Elmasoğlu
Sayfa tasarımı: M. Aslıhan Özçelik

1. Basım: Kasım 2018 (150.000 adet)

ISBN: 978 - 605 - 185 - 315 - 4
Sertifika No: 10905

Baskı ve Cilt: Melisa Matbaacılık
Matbaa Sertifika No: 12088
Çiftehavuzlar Yolu Acar Sanayi Sitesi No: 8
Bayrampaşa/İstanbul
Tel: (0212) 674 97 23 Faks: (0212) 674 97 29

EVEREST YAYINLARI
Ticarethane Sokak No: 15 Cağaloğlu/İSTANBUL
Tel: (0212) 513 34 20-21 Faks: (0212) 512 33 76
e-posta: info@everestyayinlari.com
www.everestyayinlari.com
www.twitter.com/everestkitap
www.facebook.com/everestyayinlari
www.instagram.com/everestyayinlari

AYŞE KULİN

Son

§

Derya

Olduğum yere demir atıp limanımda kalmak istiyorum.

Mesaj bildirimini duyunca Hakan'ın başucunda duran telefonuna yan gözle baktım. Başvuru yaptığı işlerin birinden yine bir ret yanıtı gelmişti herhalde. Duştaydı, seslendim ama duymadı. Açıp baksam mı?

Telefona uzanıp ekrana dokundum. İngilizce bir şeyler yazıyordu, tam okumaya hazırlanırken, büyük havluyu beline dolamış küçüğüyle de saçlarını kurutan Hakan odaya girdi.

"Sana bir mesaj geldi," dedim.

Hiç oralı olmadı. Tekrar ettim.

"Bakarım sonra," dedi ve odada biraz dolandıktan sonra telefonu alıp dışarı çıktı.

Mesajda her ne yazıyorsa, benim yanımda bakmak istemiyor, diye düşündüm. Yanaklarım yanmaya başladı. Mememi emen bebeğim tedirginliğimi sezmiş olmalı, çırpındı, tuhaf bir ses çıkarttı. Onu mememden çekip omzuma dayadım, gazını çıkartsın diye sırtına vurdum. Aslında artık memeden kesilmesi gereken yaşa geldi ama yaşadığımız köyde çocuğunu iki yaşına gelene kadar emzirenler çoğunlukta olduğundan, bana bencil demesinler diye sütü kesmek için yaşını doldurmasını bekliyordum. Bu kasabada komşularımdan başka arkadaşım yok ve onlara muhtacım. Ada gazlandığında, yemek pişirirken ya da bahçeyle uğraşırken her dara düştüğümde danışmanlarım onlar benim. Diğerleri, yani Avrupa kıtasının çeşitli şehirlerine saçılmış olanlar da, internetten ulaşıp, ne işime yarayacaksa artık, sanat dünyasında neler oluyor öğrenmek, günümü doldurmak için öylesine mesajlaştığım geçmişte kalmış arkadaşlarım.

Hakan geri döndü, telefonu eski yerine, belindeki havluyu yatağa bıraktı, oysa aynı şeyi ben yapsam hemen itiraz eder, ıslak havluyu yatağa koymasana, der. Ağır hareketlerle giyinmeye başladı. Çorabının teki konsolun üzerinde duruyorken eğildi, yatağın altına baktı. Gözünün önündekini görmüyor! Kafası karışık bu adamın!

"Ben çıkıyorum, marketten bir isteğin var mı?" diye sordu, başucu masasındaki telefonuna uzanırken. Kolunu yakaladım.

"Benden bir şey mi saklıyorsun sen?"

"Senden ne saklayacağım ki?" Gözlerime bakmıyor.

"Mesaj kimdendi?"

"Şey... başvurduğum işle ilgili..."

"E, neden söylemiyorsun o halde. Kabul mü, yine ret mi?"

"Şimdi acelem var Derya, dönüşte konuşuruz."

Yalanını güzelce kurguladıktan sonra mı, diye geçti içimden.

"Evet ya da hayır... tek bir sözcük bu kadar zor mu?"

"Değil de... bu biraz açıklama gerektiren bir durum. Bak, vakit kaybettiriyorsun bana. Dönünce anlatacağım."

"Benden ne gizliyorsun Hakan? Hani ne olursa olsun, dürüst olacaktık birbirimize."

"Elbette, her zaman! Dönüşte konuşacağız."

Yok, dönüşü bekleyemem ben. Yataktan kalktım, Ada'yı usulca halıya bıraktım.

"Hayatında biri mi var?" dedim.
"Haydaa! Nerden çıktı bu şimdi?"
"Niye telefonuna dışarda baktın? İş konuşmasıysa benimle niye paylaşmıyorsun?"
"Saçmalama Derya! Madem inanmıyorsun..." Uzattı telefonu bana, "Al bak, gözlerinle gör!"
Birden utandım yaptığımdan. Çok utandım.
"Bakmayacağım elbette. Senin telefonunu niye kurcalayayım ki... ama bu esrarengiz tavırların... son zamanlarda çok değiştin, biliyor musun?"
"Nasıl değiştim?"
"Düşüncelisin, endişelisin, asık suratlısın. Bir derdin olduğu kesin de, neden paylaşmak yerine gizliyorsun benden?"
"Gizlemiyorum sadece sana söylemek için... olgunlaşmasını bekliyordum."
Yapıştığım kolunu bıraktım.
"Ah elbette! Nasıl düşünemedim, hayatının odak noktası doğa olan kişinin olgunlaşma sürecine dikkat etmesi gerekir! Artık bir meyve ağacı dikimi mi, bir sebze mi aklındaki, her neyse, yılların içinde olgunlaşacak, mahsulünü verecek, ben ancak o zaman öğreneceğim. Zeytin meyve grubuna mı giriyordu? Şu yeni budadığın zeytinin bir başka daldan sürgün vermesini mi bekliyoruz, yoksa?"
"Derya, beklediğim şey başvurduğum bir mimarlık bürosundan yanıttı! Ne zamandır bekliyordum, sonunda geldi işte!"
Hangisinden acaba? O kadar çok başvurusu var ki!
Ada tuhaf sesler çıkardı ve geğirdi, ağzının kenarından süt akıttı halıya. Başka zaman olsa fırlar temizlerdim, oysa şimdi, sesim titreyerek, "İş mi buldun?" dedim, "Nihayet olumlu yanıt mı geldi?"
"Anlaşıldı, açıklama dönüşe ertelenemiyor. Aceleci karıma hemen tekmil vermek zorundayım. Bari izin ver de laptopu açayım... telefon ekranındaki yazı çok ufak, iyi göremiyorum."

Çıktı odadan. O çıkınca, kızımı halının üzerinden alıp yatağına koydum ve onun itiraz seslerine hiç aldırmadan üzerimde geceliğimle, oturma odamıza koştum.

Hakan yazı masası olarak da kullandığımız yemek masamızdaki laptopa eğilmiş, dikkatle ekrana bakıyordu. Ben içeri girince doğruldu, "Evet, sana söyleme vakti gelmiş," dedi, "sorularımı da yanıtlamışlar, iş pişmiş!"

Sağ elimle kalbimin üzerine bastırıyordum, bu muhteşem doğayı ve babamı bırakıp gideceksek bari İstanbul olsun. Hatta Tanrım ne olur illa İstanbul olsun!

"Demek iş başvurularından biri kabul edildi! Bu harika bir haber! Hangisi, İstanbul mu, İzmir mi?" diye sordum.

"Şansıma inanamıyorum Derya! Yapı şirketine özgeçmişimi gönderdiğimde hiç umudum yoktu, öylesine yollamıştım... O kadar alışmışım ki reddedilmeye, olumsuz yanıta iyice şartlanmışım." Soluklandı. "Başvurumu kabul etmişler!"

Benim elim hâlâ yüreğimin üzerindeydi.

"İstanbul'daki Yapı Tasarım mı?"

"Yok yahu! Oradan hiç yanıt gelmedi ama artık kim takar! Bu beni kabul eden yerde, tüm aileye sağlık sigortası var, oturacağımız evin kirası da onlardan vee işte en büyük müjde! Maaşım dolarla ödenecek!"

"Dolarla mı? Hangi şehirde bu iş?"

"Şangay'da."

"Pardon?" dedim ben, "Nerede?"

"Şangay'da... Çin'de yani," dedi. Yanlış duymuş olmalıyım.

"Çin'de?"

"Evet. Şangay biliyorsun Çin'in en önemli şehri."

Uzak Doğu denince ağzımın içine ekşi bir tat yayılır benim.

"Çin'e gitmeyi düşünmüyorsun herhalde!"

"Niye düşünmeyecekmişim?"

"Çok uzak!"

"Artık dünyada her yer bir uçuş mesafesinde."

"Her şeyimizi geride bırakıp Çin'e mi gideceğiz?"

"Bırakamayacağımız ne var ki? Bir baban var senin, o da canı ne zaman isterse kalkar gelir yanımıza. Tatillerde de biz geliriz."

"Bizim bir bebeğimiz var, Hakan."

"E, onu burada bırakacak halimiz yok elbette. Hatta mutfak kapımıza dadanmış kediyi de alırız çok istersen." Güldü, "Yok alamayız, Çin'de kedileri köpekleri pişirip yiyorlar, evden kaçacağı tutarsa Allah korusun, mahalledeki lokantada yahnisi önümüze gelebilir... Niye öyle hortlak görmüş gibi bakıyorsun yüzüme, Derya? İki yıldır başvurmadığım mimarlık bürosu kalmadı, bu hükümet iktidarda kaldıkça burada sana iş yok, kısmetini yurt dışında arasan iyi edersin diyen, sen değil miydin?"

Yüreğimin üzerindeki elim çoktan yanıma sarkmış, omuzlarım çökmüştü.

"Ben İngiltere'yi, Fransa'yı, İtalya'yı kast etmiştim, Çin'i değil!"

"O söylediğin ülkelerde kriz var, kızım! Tüm Avrupa'da kriz var Derya. Ben de bu yüzden gelişmekte olan ülkelere yöneldim. Çin yükselen bir yıldız. Hele Şangay, hayalleri olan bir mimar için bulunmaz nimet! Nitekim, bak işte..."

Kestim sözünü, "Doğa âşığı olan sen değil miydin?"

"Hâlâ öyleyim. Doğayı koruma sevdam yüzünden kara listeye alınmadım mı ben?"

"Günaydın! Sana, o derneğin başına geçersen, ormanlar mahvediliyor, bitkiler kesiliyor, börtü böcek eksiliyor diye protestolar düzenlersen işsiz kalırsın demekten dilimde tüy bitti. Sende jeton yeni düşmüş! Ona da şükür de, çevre kirliliğine duyarsız bir ülkeye gitmek, neyin nesi?"

"Bıçak kemiğe dayandı çünkü. Tek başıma olsam bana yine vız gelirdi işsizlik filan. Ama şimdi bir ailem var. Karıma ve çocuğuma kayınpederimin bakması daha nereye kadar..." Konuşturmadım Hakan'ı.

"Babam bize yaptığı yardımı yüzüne mi vurdu? Senin bildiğinden bile yemin ederim ki haberi yok! Bu baba–kız, ikimizin arasında bir şey. Ben seninle arama yalan sokmamak için söyledim sana."

"Ailemi kendim geçindirmek istiyorum, anlamıyor musun?"

"Hakan, ben onun tek evladıyım. Elbette kollayacak beni. Ne var bunda?"

"Mesele sadece bu da değil. Aldığım eğitimin, yeteneğimin hakkını verememek, boş oturup çürümek..." Lafını bitirtmedim.

"O zaman o derneğin kurucuları arasında olmayacaktın! Zaten oldun da ne fark etti, sizi dinleyen mi var? Don Kişot gibi yel değirmenleriyle savaşıyorsunuz!"

"Derneği kurduğumuzda ben çoktan mimlenmiştim Derya! Önce Çamlıca'ya yapılmak üzere seçilen caminin estetiğini eleştiren yazılar yazdığım, daha sonra da Gezi'ye destek verenlerin arasında da sivrildiğim için. Yandaş olmayan sade vatandaş dahi kendine iş bulamazken, benim bir muhalif olarak bu ülkede hiç şansım yok! Gör bunu artık!"

"Ama villa yaptırmak isteyen birileri hâlâ var bu ülkede."

"Yaptım işte iki villa. Gerisi gelmedi çünkü sıradan insanlar villa filan yaptıramıyorlar bu devirde. Ekonomik kriz sürdükçe villaları ancak eli bal tutan yandaşlar yaptırabilir, onlar da bana iş vermezler."

Yüzümü iki elinin arasına aldı ve gözlerimin içine baktı, "Bu durum düzelene kadar, senin de söylediğin gibi, yurt dışına gitmek zorundayız ve önüme böyle bir teklif gelmişken, ben bunu geri çeviremem!" Yatak odasından yükselen viyaklamayı duyunca, "Bak, kız dahi itiraz ediyor, istemiyor Çin'e gitmek," dedim.

"Bilemedin, o annesinin tutumuna itiraz ediyor," dedi Hakan, koşar adım Ada'nın yanına giderken.

Ben mutfak masasının önündeki sandalyeye çöktüm, Hakan'ın bilgisayarında Şangay'ı tuşlayıp, açılan fotoğraflara bakmaya başladım. Ada'nın sesi kesilmişti, demek kucak istiyormuş küçük canavar çünkü odamızda kucağında kızıyla bir aşağı bir yukarı yürüyen kocamın tempolu adımlarının sesi geliyordu kulağıma. Ne kadar zaman geçtiğinin farkında değildim, burnuma mandalina kolonyasının kokusu çarpınca ancak, dönüp baktım, Hakan üzerine montunu geçirmiş, mutfak kapısında dikiliyordu.

"Ada mışıl mışıl uyuyor, ben de çıkıyorum, birkaç işim var, iki saate dönerim," dedi.

"Ne gibi işler?"

"Bürokratik işler... bilirsin, nüfus cüzdanı örneği, ikametgâh belgesi gibi boktan işler işte... kasabaya ineceğim."

Benden ses çıkmayınca yanıma geldi, saçlarıma bir öpücük kondurdu. Benim Şangay'ı incelediğimi görüp fikir değiştirdiğimi zannetmesin diye hemen kapattım bilgisayarı ama o, "İnan bana hepimiz için çok iyi olacak bu Şangay işi! Bambaşka bir dünya, değişik bir kültür aslında ikimizin de ihtiyacı olan şey. Döndüğümde uzun uzun konuşuruz, tamam mı?" demesin mi!

Çin'in lideri kendini daha yeni ömür boyu diktatör ilan etmişken, ihtiyacımız olan kültüre bak hele!

"Biraz sabırlı olsan en güzel işler gelip bulacak seni, nah buraya yazıyorum."

Masaya güya yazı yazan işaret parmağımı tuttu, dudaklarına götürüp öptü, "Boş hayalleri bırak da sen bu işin artılarını düşün Derya'm," dedi ve çıktı odadan.

Sokak kapısının kapandığını duyunca, pencereden dışarı baktım. Mutlu bir tay gibi nerdeyse zıplayarak, ağaçların arasında zigzaglar çizerek, koşar adım geçti bahçeyi, görüş alanımdan kayboldu Hakan ve madem bana düşünmemi buyurdu, düşündüm ben de!

Çocuğumuzu sağlıklı büyütmek için en doğru yerdeydik. Cennetin ortasındaydık adeta. Zeytin ağaçları penceremin hemen yanındaydı. Bahçemin sınırını da zakkumlar belirliyordu. Komşumun evi gözükmüyordu ama iki dakikalık mesafedeydi. Arabama atladım mı, bir saate varmadan babamın evindeydim. Medeniyeti özleyince bir yarım saat daha koy üstüne, İzmir'deydim.

Oysa Çin, Uzak Doğu! Dünyanın öte ucu! Şangay resimlerinden anladığım kadarıyla bir gökdelenler ormanı! Üstelik annemin yaşamına doyamadan ölümüne sebep olan coğrafya! Ah hayır, ben bebeğimi götüremem Uzak Doğu'ya! Hayır!

Düşündükçe daha çok kızıyordum.

Bugüne kadar hep ben birilerine göre yaşamıştım. Hep başkaları planlamıştı benim hayatımı. On yaşındaki kardeşim öldüğünde, beni evdeki matem havasından kurtarmak için İngiltere'ye yatılı okula yollamışlardı. Kimse fikrimi sormamıştı. Neden? Çünkü kendi kararlarımı verecek yaşta ve başta değilmişim, benim iyiliğim için yapmışlar! Oysa bana sorsalardı, beni yanınızda tutun, yaşıtım kızlarla kikirdeşip acımı unutmak değil ben de sizinle birlikte acımı yaşamak istiyorum, derdim. Kardeşimin yasını tutamayışım hayat boyu içimde ukde kalmazdı.

Annemle babam ayrıldığında ise, artık fikrim sorulacak yaşta ve baştaydım ama annem benden gerçekleri saklamayı, beni yalanlarla oyalamayı tercih etmiş, kendi sürgününe zoraki yoldaş yapmıştı beni. Babamın kendisiyle birlikte beni de terk ettiğine inandırmıştı.

İçimdeki isyanı, çektiğim acıyı hiç bilmeden öldü annem. Çünkü babam tarafından aldatılan zavallı anneciğimin, ki bir de evlat acısı çekmişti yıllarca, derdine dert katmamak için ben saklamıştım ondan duygularımı. Başkasına âşık oldu diye karısını bırakmasını anladım da, benden niye vazgeçti diye yüreğim yanarken, hiç oralı olmayan bir vurdumduymaz gibi davranmayı seçmiştim. Madem annemle birlikte beni de terk etmişti babam, yolu açık olsun! Sildim gitti, babamı!

Neden sonra, babamın aslında beni hiç terk etmediğini, annemin kumpasları yüzünden izimi kaybettiğini öğrendiğimde, babam kayıptı artık ve annem de tedavi edilemeyen hastalığından dolayı ölüm döşeğindeydi... ta dünyanın öbür ucunda... Uzak Doğu'da!

Uzak Doğu dendi miydi, gözlerimin önüne annemin bu dünyadaki son saniyeleri ve benim "Gitme anne!" diye bağıran canhıraş sesim gelir... bir de o günlerdeki bitmek bilmeyen çilem! Babamı bulduktan sonra onun annemi terk ediş nedeniyle yüzleşmem... çok az insanın başına gelecek haller... acılar... utançlar!

Annemle babamın yüzünden neler yaşamadım ki ben!

Ne duygu girdaplarında boğuştum, ayakta kalabilmek için!

Şimdi geçmiş karşıma Çin'e gidelim diyor Hakan!

Oysa ben çocukluğumdan beri, dışa vuramadığım duygularımla cebelleşmekten çok yorgunum. Hayatımı hep başkalarının tasarlamasından, zamansız ölümlerin kederinden, evimden, sevdiklerimden, ülkemden ayrı düşmekten bıkkınım. Olduğum yere demir atıp, limanımda kalmak istiyorum.

Zıpır kızdan bugünkü halime dönüşmem hiç kolay olmadı!

Giyim kuşam derdinden uzak, görme, görünme ve marka merakımız olmadan, bahçemizde organik sebzelerimizi yetiştirip huzur içinde yaşarken, internetle dünyanın her ucuna bağlanabiliyor, müziğimizi dinliyor, dizimizi, sinemamızı seyredebiliyorken, babamın bana verdiği aylık her şeyimize yetiyorken paraya mı ihtiyacımız var bizim!

Benim yok ama demek Hakan'ın varmış!

Düşün, dedi bana kocam! Sen iyice düşün, ben eve dönünce konuşuruz, dedi!

Düşünüyordum işte... düşündükçe de hafakanlar basıyordu!

Uzak Doğu'da annemi sokup genç yaşta ölümüne neden olan sinek, bebeğime neler yapmaz! Tamam, onun tatile gittiği yer Çin'de değildi ama işte oralarda bir yerdeydi. Ya bebeğime de bir şey olursa, o sinek değil de benzeri bir başka sinek ya da bir böcek sokarsa onu! Parasız yaşamaya varım, şu kulübemsi evde ömür geçirmeye de varım ama bir Uzak Doğu macerasına asla yokum. Kaybettiğim sandığım babamdan bir kez daha uzağa düşmeye de yokum. Asla! Asla!

Ama Hakan çocuğundan ve karısından uzakta yaşamayı tercih ediyorsa... kendi bilir!

Hakan

Su akar yolunu bulur...

Karşısında oturduğum bakışları endişeli adamla anlıyoruz birbirimizi. Hatta tuhaf bir şekilde birbirimizi seviyoruz da. Ama baş başa kaldığımızda ikimiz de rahat edemiyoruz, doğal olamıyoruz her nedense.

Normal şartlarda tanışmadık onunla.

Kızı, bir Ege kasabasında yarım yamalak bildiği bir adreste kendini terk eden babasını arıyordu. Derya ile tesadüfen aynı otelde konaklamışız, babasını bulacağını umduğu köye nasıl gideceğini soruyordu otelin resepsiyonunda. Ben o yöreyi iyi tanıdığım için, aradığı adresi bulmasına yardımcı olmuştum. Nerdeyse tüm günü dağ yollarında geçirmiş, birlikte öğlen yemeği de yemiş ve arkadaş olmuştuk. Zar zor bulduğumuz gözden uzak bir bağ evinde yaşayan babasını bağışlamasında dahi rolüm vardı.

Belki de bu yüzdendir kayınpederimin benim karşımda azıcık ezik duruşu.

Onun karşısında benim ezikliğimin nedeniyse, bir yılı aşkındır maddi bakımdan ona bağımlı yaşamamdan kaynaklanıyor.

Elbette yardımı kızına yapıyor, bana değil. Bu yardımdan ikimiz de benim hiç haberim yokmuş gibi de davranıyoruz üstelik. Belki de öyledir, kızı söylememiştir bildiğimi ama ben biliyorum ya, işte sıkıntımın esas nedeni bu!

Ben kayınpederime Şangay'dan gelen iş teklifini neden geri çeviremeyeceğimi anlatmış, kızını ikna etmesi için ondan yardım istemiştim. Derya onun da kanına girmiş olmalı ki, "Seçimlere kadar Şangay'a kesin yanıtını bildirmesen olur mu acaba?" demişti.

"Ya yine kazanırlarsa, mis gibi işi boşuna kaçırmış olmaz mıyım?"

"Sen de haklısın ama ya kaybederlerse!" demişti, sanki seçimin ertesi günü tüm yapı firmaları bana iş teklif etmek üzere sıraya gireceklermiş gibi.

"İlhami Bey, bu işi kabul etmeyenin ya aklı yoktur ya da işe ihtiyacı yoktur," demiştim ben, "bakın, bir yıldan fazladır işsizim, şimdi dünyanın en mükemmel mimari projelerinden birinde, çok iyi şartlarla çalışmak üzere bir teklif aldım. Bu işi teper ve sonuçta ortada kalırsam, Derya'nın sırtına zor taşıyacağı bir yük bindirmiş olurum. Elimde olmadan onu suçlarım hep. Evimizin tadı kaçar, aramız açılır. Bunu istemiyorum."

Biraz düşünmüş, sonra "Haklısın. Derya'yı seninle gelmeye ikna etmek için elimden gelen yapacağım oğlum," demişti.

Verdiği sözü tuttu, elinden geleni de yaptı İlhami Bey. Eminim yaptı.

Bir zamanların gözde yayıncısı, bir erkeğin özgüveninin mesleki başarıya bağlı olduğunu bilmez mi! Fakat ne yazık ki ikna edemedi kızını. Araya evinde misafir ettiği arkadaşı David'i, hatta kâhyasını dahi soktu. Haydi, Recep için kâhyası demeyeyim, bir çalışandan öte, derin bir dostlukları vardır kayınpederimin Recep'le. Recep'in köyünde birlikte büyüdüğü kankası bir zamanlar benim kayınpederin ofisinde kitap kapakları çok beğenilen bir tasarımcı mıymış, neymiş... her neyse, tam bilemiyorum ilişkilerini... işte Recep de katılmıştı ikna grubuna, o da kendi açısından bir erkeğin evine ekmek parası getiriyor olmasının öneminden dem vurmuştu Derya'ya.

Sonuç sıfır!

Benim dışımdaki üçlü cepheye karşı da iyi direndi, Şangay'a gidip gitmemeyi karşıt futbol takımları arasındaki maça çevirdi Derya ve maçı kazandı!

Gereksiz inatlarından o kadar bezmiştim ki, bu seferkini anlamaya dahi çalışmadım. Karım inatçı ve huysuzdu; ben ya bu deveyi güdecek ya bu diyardan gidecektim. Ve şu işe bakın ki, bu kez şans benden yanaydı çünkü şartlar hem deveyi gütmeme, hem de bu diyardan gitmeme imkân sağlıyordu!

Üstelik kayınpederim, Şangay işi yüzünden evliliğimizin tehlikeye girebileceğini görünce, bana arka çıkmakla kalmamış, kızını benim yokluğumda hem kendi evine yerleşmeye ikna etmişti, hem de Çin vizesi almaya.

Ben kendi vizem için başvurduğumda, karım ve çocuğum için de oturma vizesi talebinde bulunmak istemiştim. Her işe önce itiraz ederek başlayan Derya, babasının da ısrarıyla sonunda kabul etti, uzun süreli çalışma vizesi için ailecek başvurduk. Ama İlhami Bey, "Bak Derya, sonradan gitmeye kalkar da vizeni alamazsan hiç şikâyet etme, ben buradan ta İzmir'e kadar turizm bürolarına gidip o işlerle uğraşamam," demeseydi, ikna olur muydu bilmiyorum.

Neyse ki artık içim rahattı, Derya yanıma gelmek istediği an, işi sadece Ada'yla kendine Şangay'a iki bilet almaya kalıyordu!

Kira evimizi boşaltıp Derya'yı ve bebeği Urla'ya taşımadan önce, kayınpederim benimle baş başa son bir konuşma yapmak istemişti. İyi olmuştu çünkü ben de yardımlarına ve desteğine teşekkür etmek için fırsat kolluyordum.

Bağ evine vardığımda, Recep'le karısı tembihli olmalılar, ortalıkta yoktular.

David ise zaten başkalarının özeline burnunu sokmayan, aile işlerine karışmayan tipik bir İngiliz'di. O da odasına kapanmış, bizi yalnız bırakmıştı.

Biz kayınpederle baş başa konuşmuştuk.

O bana adeta içini dökercesine, Derya'nın çocukluğundan beri geçirdiği travmalardan dolayı aşırı hassaslaşmış ruh halini anlatmış, annesinin kaybından duyduğu acıdan söz etmişti.

"Şangay konusunda üzerine fazla gidemedim, onu burada istemediğimi sanmasın, aramı bir kez daha bozmak istemiyorum kızımla," demişti, "yaralı ceylanım o benim, tepkileri aşırı oluyor. Onu olduğu gibi kabul etmeliyiz."

Derya'nın kendi haline bırakılırsa, zaman içinde fikir değiştireceğine inanıyordu. Ben Şangay'da bir ev tutup düzenimi kurmalı, karımın gelmesini beklemeliydim.

"Öyle yapacağım zaten," dedim, "elimden başka bir şey gelmediğine göre..."

Yaklaşık bir saattir başında oturduğumuz şöminede, her ikimiz de sessizce alevlerin dansını seyrediyorduk. Söyleyecek lafımız kalmamıştı çünkü.

Saatime baktığımı ve kalkmaya hazırlandığımı görünce kayınpederim de yerinden kalktı, merdivenin başında Hakan gidiyor, diye yukarı seslendi.

David ancak o zaman indi yanımıza.

"Siz aşağıda konuştu, ben odamda düşündü. Bu ayrılık en kısa zamanda bitsin için bir plan var," dedi David, bozuk Türkçesiyle. "Bakalım siz ne diyecek bu plana?"

"Neymiş o?" dedim ben.

Aramızda İngilizce konuşmaya başladık.

"Biz İlhami ile bir yolculuk hayali kurmuştuk. San Francisco'nun kuzeyinde Napa Vadisi vardır bilirsin, şu şarap üreticilerinin vadisi, önce orayı görmek sonra Avrupa'ya geçip Fransa ve İtalya'nın şarap bölgelerini gezmek istiyorduk. Sonbahara gideriz diye düşünmüştük..."

"Ne güzel düşünmüşsünüz. Mutlaka gidin!"

"Bir çeşit bağcılık ve şarap hakkında bilgilenme gezisiydi," dedi kayınpederim, "bu Şangay işi çıktıktan sonra, Derya senin yokluğunda yanımıza yerleşmeye karar verince, gitmekten vazgeçtik."

"İşte şimdi ben diyorum ki İlhami, vazgeçmeyelim," diye heyecanla araya girdi David, "biz burada değilsek, Derya'nın bu koca evde tek başına içi sıkılır ve hemen kocasının yanına gitmek ister."

"Biz olmasak da Derya yalnız kalmayacak ki," dedi kayınpeder, "Recep'le Nebahat ne güne duruyor! Çocuğa da ev işlerine de bakarlar, o yönden sıkıntı çekmez Derya. Boşuna ümitlenmeyelim, derim."

"Ben bakılmaktan söz etmiyorum ki! Sıkılmak bambaşka bir şey İlhami," diye ısrar etti David, "Derya biz buradayken sıkılmaya fırsat bulamaz. Şömine başı sohbetleri, tavla, satranç, şarap tadımları, birlikte film izlemeler, aynı kitapları okuyup fikir yürütmeler, arabayla sağa sola gitmeler, filan... o ancak bu evde bizsiz, tek başına kalırsa bir an önce kocasının yanına gitmek isteyecektir!"

Kayınpederim biraz düşündü. "Haklı olabilirsin," dedi önce. Sonra o da heyecana kapıldı, "Harika bir fikir bu! Yahu ben nasıl düşünemedim bunu!"

Ben karşı çıktım, "Derya'yı bebekle yalnız başına mı bırakacaksınız bu evde? Olmaz beyler!"

"Yalnız kalmayacak ki! Bu evi çekip çevirenler zaten Recep'le Nebahat! Ama iki çift laf edecek kimsesi olmayınca, sıkılır benim kızım." Kayınpederim aynı heyecanla Türkçe devam etti, "Hay aklınla bin yaşa be David!"

"İlhami Bey, Nebahat'la Derya'nın birbirlerinden hoşlandığını pek sanmıyorum," diye ısrar ettim ben, bu kez Türkçe.

"Doğrudur. Benim de gözümden kaçmıyor ama gayet normal bu. Derya gelene kadar Nebahat kendini bu evin hanımı yerine koymuştu. Derya gelince, statüsü elinden alındı haliyle. Bu yüzden kızıma karşı bazen haddini aşıyor belki, ama işini asla ihmal etmez. Fedakârdır, çalışkandır. Yokluğumuzda Derya'ya da Ada'ya da gözü gibi bakar, inan bana."

David de iyi anlasın diye, yine İngilizceye döndüm ben, "Bakın ne diyeceğim, eğer henüz bilet filan almadınızsa, daha sonraya mı bıraksanız sizin yolculuğu? Ben yokum, sizler olmayacaksınız... doğru karar mı, bilemedim!"

"Fakat biz gideceksek eğer, yolculuğumuz Derya'nın buraya gelip yerleşmesine denk düşmeli ki, Nebahat ve Recep'le baş başa kalınca hatasını anlasın Derya. Nebahat'la arasının olmaması da çok isabetli. Bak görürsün, bir aya kalmaz, beni de yanına aldır diye kendi ısrar edecektir sana. Ben bilmez miyim kızımı!"

Kayınpederim bizim iyiliğimiz için çabalıyordu ama planı ters teper mi, bilemiyordum. İçim hiç rahat değildi.

"Siz bunu bir kere daha düşünün, ben de hava kararmadan döneyim eve," dedim, "Ada'nın banyosuna yetişeyim."

"Aman oğlum, sakın ağzından Derya'ya bu geziye dair bir şey kaçırma. Bu artık bizim için bir iş veya keyif gezisi değil, Derya'yı ikna gezisi olacak, bu yüzden kesinlikle aramızda kalmalı," diye tembih etti kayınpederim, "itiraz edecek olursa uçak ve otel ücretlerini peşin yatırmıştık şimdi onca parayı yakamayız, deriz."

"Merak etmeyin," dedim, "dudaklarım mühürlü!"

Dudaklarım mühürlüydü ama yüreğim endişeliydi. Karaburun'a dönerken yol boyunca düşünüp durdum, doğru mu yapıyorduk?

Su akar yolunu bulur sözünü sık tekrar ederdi değer verdiğim bir büyüğüm! Yaşayıp görecektik.

Derya

Nedir bu kendi kendimle bitmeyen kavgam!

Hakan gitti!

Ne ben onu ikna edebildim ne de o beni.

Son haftamızı babamın evinde geçirdik çünkü Karaburun'daki geniş bahçeli köy evimizi toplamış, zaman içinde edindiğimiz kap kacağımızı, ıvır zıvırımızı komşularımıza armağan etmiş, evi kiraladığımız haliyle teslim etmiştik sahibine. Kitaplarımızı, resimlerimizi ve bebeğimizin eşyalarını da babamın Urla sırtlarındaki bağ evine taşımıştık. Babamın evinde arabaya ihtiyacım olmayacağı için Hakan arabasını satmış, eline geçen parayı benimle bölüşmüştü. Babam da bana sürpriz yapmış, küçük boy bir Volkswagen hazır etmişti.

O bir hafta boyunca ev halkı bizi baş başa bırakabilmek için adeta görünmez olmuşlardı evin içinde.

Nebahat, Hakan gidene kadar baş başa kalalım diye, Ada'yı kendi evine almayı bile teklif etmişti ama biz kabul etmemiştik. Üçümüz adeta tek vücut olarak geçirmiştik son günlerimizi. Ben evin kıyı köşesinde gizli gözyaşları dökerken, Adacık sanki babasının hafızasında çok uslu bir bebekmiş gibi kalmak istercesine, hemen hemen hiç ağlamadı. Gülücükler attı durdu. Biz de karı-koca birbirimizle iyi geçinmeye gayret ettik. Bu arada ben de Hakan'a, yaz aylarının bunaltıcı sıcakları geçtikten sonra, Ada ile birlikte bir aylığına Şangay'a gitmeye söz verdim. Neden temelli değil de bir aylığına demiştim, Şangay'la ne alıp veremediğim vardı, ben de bilmiyordum aslında!

Sanırım orada bunalırsam, kendime bir açık kapı bırakmak için... belki biraz da kalma kararını başkasının etkisinde kalmadan tek başıma almak için!

Çünkü yaşamım boyunca hayatıma çok fazla müdahale olmuştu. Memleketimden ailem tarafından iki kez sürgün edilmiştim, babamdan ayrı düşürülmüştüm ve artık nerede nasıl yaşayacağıma dair kararlarımı sadece ben vermek istiyordum. İnatla, ısrarla istiyordum bunu! İnadımın yıpratıcı bombası hiçbir suçu olmayan kocamın elinde patlamıştı ama bu ayrılık aslında bir sınav olacaktı, ikimiz için.

Ayrılığa rağmen evliliğimiz sürdürebildikse, tekrar buluştuğumuzda, önemli bir sınavı başarıyla atlatmış muhteşem bir beraberliği hak eden bir çift olacaktık.

Acaba?

Belki de yalnızlığına yenilip, bir Çinli kıza kaptıracaktı gönlünü Hakan. Benim gibi bir dikenli çalıdan sonra, yumuşacık, ipek gibi, her arzusuna boyun eğen, ona masajlar yapan, baharatlı yemekler pişiren bir geyşa kıza... ya da Şangay'a yerleşmiş, expat tabir edilen herhangi bir ince, uzun, sarışın İngiliz'e ya da atletik yapılı bir Avusturalyalı genç kadına mesela.

Ben bunu göze alarak hayatla kumar oynuyordum. Babamın kızıydım ne de olsa, toplumsal önyargılara meydan okuyan!

Göze alıyor fakat korkuyordum!

Büyük ihtimalle babam da korkmuştu zamanında, ama aşkından vazgeçmemişti. Ben aşkımdan değil, inadımdan vazgeçmiyordum.

Soyumda Arnavut varmış. Bulgar varmış. Bu inatlarıyla meşhur ırklar yetmemiş gibi, annem ben dört yaşına basana kadar alerjim var diye bana keçi sütü içirmiş. İyi halt etmiş! İnatçı genlerin ve keçi sütünün neticesi, bendim!

Yoksa acaba deli miydim ben?

Eğer deliysem, sevdiğim adamın hayatından ona zarar vermeden bir an önce çıkmamda hayır vardı!

Tüm bunları günlerce, haftalarca düşündükten, tüm korkularım, fobilerim ve pişmanlıklarımla yüzleştikten sonra taşınmak için kocamın gideceği şehri değil, babamın evini seçmiştim.

Babamı ebediyen kaybettiğimi zannedip, sonradan bulduğumda çok sevindiğim, her zaman en çok babama düşkün olduğum için!

Babam ne yaptı?

Ben onun evine kızımla birlikte yerleştikten iki hafta sonra, çok önceden planladığını iddia ettiği uzun bir yolculuğa çıkma kararı aldı! Dünyanın ünlü bağlarını gezip, şarapla ilgili son gelişmeleri öğrenecekmiş!

Neden bunu bana daha önce söylemedin diye hesap sorduğumda ise, ne var bunda söylenecek, evde yalnız bırakmıyorum ki seni, Nebahat, Recep ve Mahmut buradalar, demez mi!

"Baba, bazen düşünüyorum da, belki de ben senin kızın değilim, beni herhalde annemle birlikte kapınızın eşiğinde kundağımda ağlarken buldunuz. Üzerimde de bir not: *Ben evladıma bakamıyorum, siz bakın*! Böyle mi oldu?" diye sordum.

"Hayır kızım. Annenle ben birbirimize çok âşıkken, seni bir mavi yolculuk teknesinde zevk ve keyif içinde yaptık. Denizde yaptığımız için de adını Derya koyduk."

"İçime su serpildi baba!" diye dalga geçtim.

"Bak ne diyeceğim, biz bu yolculuktan dönünce ilk işim, varımı yoğumu, bağımı, bahçemi ve evimi senin üzerine geçireceğim ki, bana bir şey olursa veraset vergisi ödeme. Bankadaki hesabıma da ortak edeceğim seni. Bakalım sonra hâlâ böyle saçma sapan endişelerin olacak mı?"

Anlaşılan o ki, sözlerimi ciddiye aldı kırıldı bana babam!

"Babişkom, seni gücendirdim mi yoksa?" diye sordum.

"Sadece endişelendirdin Derya," dedi, "çünkü nedense seni gerçekten çok sevenlerin kalbini kırmaktan tuhaf bir zevk alıyorsun. Acaba bir doktora mı görünsen?"

"Kötü huy doktoru yok ki görüneyim. Sen Şarabistan yolculuğundan döndükten sonra üşenmezsen al beni, Kızılderililerin yaşadığı topraklara götür. Belki onların ruhumdan kötü huyu çıkarmak için bazı teknikleri vardır."

"İstemem çünkü o zaman da sen Derya olmazsın!" dedi babam.

Sımsıkı sarıldım ona. Gitme, sana çok ihtiyacım var, demek istedim ama tuttum kendimi.

"Ne kadar sürecek bu macera?"

"Altı hafta kadar. Ama acil bir durum olursa Allah korusun, bir uçak yolculuğu uzaklıktayım sadece!"

"Tamam canım," dedim "güle güle gidin, her gününün keyfini çıkarın. Ben de evimde oturur, Nebahat ve Recep gardiyanlarımın gözetimi altında bir Madam Butterfly olarak, dünyanın doğusundaki kocamı ve batısındaki babamı beklerim."

"Sen dalganı geç ama ben eminim onlar Ada'nın da senin de bir dediğini iki etmeyecekler," dedi babam.

Sen öyle zannet dedim ama içimden! Nebahat'ın benden hiç hoşlanmadığını babama söylesem de inanmazdı zaten!

İşte böylece önce kocam gitti. Sonra da babam ve David gittiler!

Ben kızımla baş başa kaldım. Elbette ayrıca Recep, Nebahat ve Mahmut'la.

Recep'e bir diyeceğim yoktu. Gerçekten beni memnun etmek için etrafımda pervane kesilmişti. Kahvaltıda başıma dikiliyor, illa tavuğun altından sıcakken aldığı yumurtayı yememi istiyor, dallardan eliyle topladığı ıhlamuru içmem için ısrar ediyor, ne zaman kasabaya inmek istesem anında arabayı kapıya getiriyor, Ada'yı pusetiyle bahçede gezdiriyor, bir dediğimi ikiletmiyordu.

Mahmut'la zaten her zaman iyi olmuştu aram.

Nebahat ile ise bir kişilik yarışı içindeydik.

Yemeklere daha az tuz koymasını, asla soğan ve sarımsak kullanmamasını istiyordum, çünkü süt veriyordum Ada'ya. İnatla tersini yapıyordu.

"Okumuyor musunuz gazetelerde, soğan ve sarımsak en faydalı besinlermiş," diye savunuyordu kendini bir de.

"Değerlerini biliyorum Nebahat. Ama memedeki bebeklerde gaz yapıyor ikisi de. Doktoru da söyledi ayrıca..."

Yüzünde bana inanmayan o çok bilmiş ifadeyi görünce, cümlemi tamamlamıyordum bile.

Bu yüzden yemeklerimi kendim pişirmeye başlamıştım.

Bazen de uyuduğumuz odaya sıktığı sinek ilacı yüzünden tartışıyorduk.

"Bizim odamıza sinek, böcek ilacı sıkmayacaksın Nebahat! Bebeklerin uyuduğu odaya ilaç sıkılmaz!"

"Olur mu hiç! Zavallı yavruyu sivrisinekler ısırmış bütün gece, her tarafı kabarmış!"

"Urla'ya inip cibinlik arayacağım. Biz yokken sakın odayı ilaçlama, lütfen Nebahat!"

Kapıyı hızla çarpıp çıkıyordu. Ne dersem diyeyim, ben gidince odayı ilaçlayacağını biliyordum. Bu yüzden dönüşümde, odayı havalandırmak için pencereyi ardına kadar açıp, istemeden tüm sivrisinekleri içeri dolduruyordum. Sabah Ada'nın kollarıyla bacaklarındaki ısırıkları görünce, haklı çıkan yine Nebahat oluyordu!

Tanrım, deli edecekti bu kadın beni! İkimiz de her an gerilmiş tel gibiydik birbirimize karşı.

Ondan ürküyordum da...

Evin içinde sessiz sedasız, gölge gibi dolaşma huyu vardı. Bazen mutfakta Ada'nın mamasını hazırlarken ya da verandada çamaşır asarken tuhaf bir içgüdüyle dönüveriyordum ki, Nebahat arkamda!

Nasıl gelmiş, ne zaman burnumun dibine kadar süzülmüş, bana fark ettirmeden? Gerçi hiç yakalamamıştım, hatta kapımın önünde dahi görmemiştim onu ama Nebahat'ın kapımı dinlemesinden de korkuyordum. Bu yüzden babamla görüntülü konuşmamıza o kulak misafiri olmasın diye, tabletimi alıp kendimi Urla meydanındaki internet kafeye attığım da oluyordu ama aramızdaki saat farkı çok zorluyordu beni.

Hakan'la birlikte gitmediğime çabuk pişman oldum!

Hakan'a yanına gelmek istiyorum diye mesaj atmak geliyordu içimden ama tutuyordum kendimi. Adamı onca yalvarttıktan sonra, şimdi, hem de bu kadar çabuk, tükürdüğümü yalamak olacak iş miydi! Hatamı kabul etmeye utanıyordum. Kâhya Recep, oğlu ve hiç sevmediğim karısıyla, bir Ege kasabasındaki özel hapishaneme ben kendi seçimimle girmiştim, bu kadar çabuk pes edeceğimi hiç düşünmeden.

Belki de haklıydı babam, bir doktora görünmeliydim ben. Niye bu kadar inatçı olduğumun sırrını çözmeli, devasını bulmalıydım. Bulamıyorsam da, oturup sabırla yanlış seçimimin cezasını çekmeliydim!

Neyse ki bu yıl bahar, yazı andırıyordu Ege'de.

Sabah kahvaltıdan sonra bebeğimin termosa koyduğum mamasını, bezlerini, havlularını, ayaklı şemsiyeyi, kitabımı ve havlumu atıyordum arabama, bulunduğumuz tepeden iniyor, iki koy ötedeki plaja gidiyordum. Deniz kenarında kimseler olmuyordu bu mevsimde. Sezon henüz açılmamıştı.

Çoğu kez çimenin, bazen de kumun üzerine serilip, şemsiyeyi de tepemize dikip, denizin sesini dinleyerek saatlerce kalıyorduk sahilde, biz ana–kız.

Çimin gerisindeki otelin kadın çalışanları yanımıza geliyorlardı ara sıra. Laflıyorduk. Bir keresinde şişede soğuk su getirmişlerdi bana.

Bazen de yapayalnız oluyordum sahilde. Kızımı kucağıma alıp, dizlerime kadar suya girip, suyun içinde yürüyordum sahil boyunca. Sonra onu yediriyor, altını değiştiriyor, uyutuyor ve kitap okuyordum, sırf eve daha geç dönmek için.

Eve vardığımızda kapıyı güler yüzüyle Recep açıyor, kapının yanında dikilen Nebahat ise asık suratıyla hemen yayına başlıyordu.

"Zavallı çocuğun yüzü kıpkırmızı olmuş! Bu yaşta bebek saatlerce güneşin altında bırakılmaz ki!"

"Güneşin altında kalmıyor Nebahat! Mayıs güneşinin ne zararı olur ki! Üstelik mutlaka bir de şemsiye açıyorum tepesine..." Önüme dikilmiş, çekilmiyor kadın. "Yol ver de geçeyim."

"Ben bebeğe bir banyo yaptırayım, serinler, iyi gelir."

"Ben zaten yaptıracağım mamasını verdikten sonra. Zahmet etme sen."

Ters ters baktığını görünce, "İlla bir yardımın dokunsun istiyorsan, bana bir çay getirsene," diyordum domuzluğumdan. Çünkü biliyorum ki Ada'ya bakmak için can atıyor, bana yapacağı her hizmet ise batıyordu ona.

Nebahat ile zıtlaşmak da olmasa, hiç çekilmeyecekti bu durgun hayat!

İyi de, kim seçti bu hayatı? Kimin hatası Urla'nın bir tepesinde mahsur kalmak? Benim, benim, benim! Tüm hatalar benim! Ben bir hata makinesiyim!

Aynada mutsuz yüzüme baktım.

Yarın bebeğimi alıp Karaburun'a kadar uzanayım, eski komşularımı, dostlarımı göreyim, hasret gidereyim, diye düşündüm. Nebahat kesin vızıldayacaktı yine, bebek ta oralara götürülür mü diye! Hem de ne güzel götürülür, diyeceğim ona! Kıçını dönüp giderken, arkasından dilimi çıkardığımı göremeyecek ne yazık ki!

Bu anlamsız hayatımı sürükleyip babamın dönüşünü beklerken, bir taraftan da emzirmeyi azaltarak memeyi tamamen kesmeye hazırlanıyordum.

Her konuda fikri olan Nebahat elbette sessiz kalmamıştı. Sütü kesmek için erkenmiş, kendisi nerdeyse üç yaşına kadar emzirmiş oğlunu. İnek karı!

Mutfak duvarında asılı takvime bir tık daha atarken hesapladım, babamın dönüşüne çok vardı. Hakan da bizi ekim ayında bekliyordu Şangay'a. Mutlaka gidecektim ve herhalde temelli kalacaktım ama bunu ona henüz söyleyemiyordum. Ayrıca şimdiden karar vermeyeyim, ya sevemezsem o şehri!

Off! Şehri sevip sevmemem çok mu önemli? Hakan'ı seviyordum ya, yetmez mi!

İşte, böyle kararsızlıklar ve huzursuzluklar içinde debelenmekle geçiyordu günlerim.

Akşam saatleriydi, raftan Ada'nın mamasını aldım, kutunun kapağını açtım ki, içinde bir kaşık dahi mama kalmamış. Dolabın alt rafında yan yana üç kutu mama daha duruyordu. Eğilip birinci kutuyu çıkarıp açtım. Aaa, bomboş! İkinci ve üçüncü kutuları da açtım, onlar da boş! Yine Nebahat! Boş kutuları saklıyor aşağı rafta. Boş mama kutusu ne işe yarar ki beni yanıltmaktan başka? Onları dolapta gördükçe, mama stoğu var zannetmiştim!

Kız yatağında bağırıyordu avaz avaz.

Bağırır elbette, doymadı ki benim sütümle, mama istiyor. Şimdi gitsem evlerine, Recep'e kasabaya in, nöbetçi eczane bul, bebeğe mama al desem ukala Nebahat hemen girecek lafa, mamaya gerek yok ben pirinç kaynatıvereyim diyecek ve kafamın tasını attırtacak yine. Bir keresinde onu dinledim, içirdik pirinç suyunu, taş gibi kabız oldu çocuk.

Ada'yı yatağından alıp mememe dayadım. Beş dakika sonra yine ağlamaya başladı. Doymuyor, çünkü sütüm yetersiz!

Kasabada nöbetçi eczane aranacak ve o mama alınacak bu gece!

Ben yemeğimi çoktan yemiştim, bulaşıkları kaldırıp hemen müştemilatlarına dönmüşlerdi Recep ve Nebahat Hanımefendi, dizi seyrediyorlardır şimdi.

Ayağıma tenis ayakkabılarımı geçirdim, bahçeye çıkıp yürüdüm evlerine doğru. Ön bahçedeki çim sulama aletinin çalıştığını görünce üzerime savuracağı sudan kaçmak için, evin arkasından dolandım. Onların evine doğru yürürken açık bırakılmış mutfak penceresinin altından geçiyordum ki, Nebahat'ın tiz sesi çarptı kulağıma. Bağırıyor, "Allah'ın cezası yelloz! O geldiğinden beri huzuru kalmadı evimizin," diyordu.

O yelloz ben olmalıydım. Attığım adım havada asılı kaldı bir an. Sonra yavaşça toprağa bastım ve olduğum yere çakıldım.

"Uğraşma kızla Nebahat, bir şey yaptığı yok sana. Huyuna gidiver," dedi Recep.

"Nasıl bir şey yaptığı yok! Kör müsün? Sağır mısın? Sabahtan akşama huysuzluğu yetmiyor bir de buncağızın kısmetini kapattı."

"Aah! Deli misin sen Nebahat? Ne alakası var bu işin Mahmut'la?"

Kulak kesildim.

"Bu sıska karı çıkıp gelmeseydi kapımıza, şurada dirlik düzenlik içinde yaşıyorduk. Bu ev bizden soruluyordu. Efendileriydik bu evin, efendileri! İlhami Bey bize muhtaçtı, yalan mı?"

"Ne diyorsun sen be?"

"Doğruyu diyorum! Hatta bir gece iyice sarhoş olmuştu hatırlasana... evi de, bağı da, bahçeyi de, nesi var nesi yoksa, her şeyini Mahmut'a bırakacağını söylemişti. Onu ölen oğlunun yerine koyuyormuş, öyle demişti... Ne bakıyorsun yüzüme öyle, sen de yanımdaydın bunları söylerken, hatırlamıyor musun?"

"Kendin dedin sarhoştu diye. Sarhoş ne söylediğini bilir mi?"

"Bilir! Sarhoş yüreğindekini konuşur! Sonra bu cenabet kızı geldi, kendi yetmezmiş gibi, bir de o gâvur herifi taktı getirdi peşine, ölen anasının kocası mıymış neymiş, ortada kalmışmış, yazıkmış. Burası sanki düşkünler evi!"

"Adamın ağzı var dili yok! Sana bir zararı mı var be kadın?"

"Söyletme beni şimdi Recep, var elbette! Bunların gelmesiyle biz gözden düştük! Patronun can dostlarıyken, çalışanları olduk! İçimden ne geliyor biliyor musun, şu sevimsiz kızı öldüresim geliyor..."

"Biri duyar, sahi zanneder Nebahat! Konuşma öyle deli deli!"

"Kim duyacak be bizi!"

"Oğlan duyar..."

"Kulağına geçirdi yine o kulaklıkları, oyununa dalmıştır, bir şeycik duymaz!"

"Nebahat, gözünü seveyim böyle konuşma," dedi yine Recep, "hem yerin kulağı vardır, derler. Sus Allah aşkına sus!"

Ben işittiklerime inanamadan, nefes almaya korkarak, hiç kımıldamadan, heykel gibi duruyordum olduğum yerde. Allah'ım, sakın görmesinler beni, onları duyduğumu hiç bilmesinler!

"Ne biçim adamsın sen be! Mirasını Mahmut'a bırakacaktı diyorum sana, hiç oralı olmuyorsun!"

"Kanun var. Kimsenin malı başkasına kalmaz, evladı varken! Boşuna umutlanmışsın!"

"Hiç de değil. Vasiyet yazıyormuş artık insanlar. Şu yokuşun dibindeki ev var ya, hani o yaşlı avukatın evi, işte onun bekçisi dediydi ki, eskidenmiş o miras kanunu, şimdi artık..." Uyuşan bacağımı öne arkaya salladım, evin duvarına biraz daha yaklaşırken, bir şey çıtırdadı ayağımın altında.

"Nebahat, sus bakayım! Bir ses duydum..." dedi Recep.

"Rüzgârdır," dedi Nebahat ama sesi daha uzaktan geldi. Herhalde ön kapıya bakmaya gitmişti.

Ben pencerenin altındaki duvara yapışmıştım. Boğazıma bir yumru oturmuştu. Gözlerim yanıyor ama hiç yaş inmiyordu nedense, kupkuruydu gözpınarlarım, küçük alev topları gibi. Sonra, birkaç adım geri gittim, pencereden uzaklaşınca geri dönüp hızla bizim eve doğru koşmaya başladım. Koştum, koştum, koştum, sanki sonu gelmeyen bir ormanda koşuyordum. İki dakikalık yolu iki yılda almışım gibi nefes nefeseydim eve vardığımda. İçeri girdim. Ter içindeydim. Her tarafım titriyordu. Tanrım, tehlikedeydim ben! Bu deli beni öldürmeyi düşünüyorsa, bebeğime de zarar verebilirdi. Birilerinden yardım istemeliydim. Bana yardım edebilecekler o kadar uzaklardaydı ki, onlarla ancak dertleşebilirdim... hayır, onu dahi yapamazdım çünkü bu saatte uykularını böler sadece telaşa verirdim hepsini.

Kocamı aramak istiyordum, saat tutmuyordu. Babamı aramak istiyordum, saat yine tutmuyordu.

Ada'yla paylaştığım yatak odama girdim, bebeğim yokluğumda ağlamaktan helak düşmüş olmalı, dalmıştı.

Ona sarılmak, göğsüme bastırıp sımsıkı tutmak istedim ama uyandırırım diye korktum. Yatağının başına çöktüm, kafamı bebek yatağının parmaklıklarına dayadım. Vurayım parmaklıklara şu kafamı ben! Paramparça olana kadar vurayım! Niye gitmedim kocamla? Niyeydi o boş, manasız inadım?

Çocukluğumdan beri işlediğimi sandığım suçların, uğradığımı düşündüğüm haksızlıkların acısını hep kendi üzerimden mi çıkaracağım, ölene kadar?

Nedir bu kendi kendimle bitmeyen kavgam!

Yanan gözlerimden yaşlar akmaya başladı. İyi oldu. Hıçkırarak ağlayıp rahatladım. Ada uyanmadı. Yüzümü yıkayıp geri geldim, yatağıma uzandım, yanıbaşımda kızım kendi küçük yatağında, benim onun tarafındaki elim sımsıkı yatağın parmaklıklarında, öylece uyuyakalmışım.

Gecenin bir yerinde uyandığımda, parmaklığı sımsıkı kavramaktan elim uyuşmuştu. Yatağın içinde dimdik oturdum. Işığı yakarsam Ada'yı uyandırabilirdim. Sabah olsun, ilk iş Hakan'a yazacağım, bizi yanına aldır, diyeceğim. Ekim ayını filan bekleme. Hemen gelelim yanına, diyeceğim.

Yattım tekrar yatağa, parmaklığın arasından elimi uzatıp kızımın kolunu tuttum ondan güç almak istercesine ama, hemen uyuyamadım. Kötü rüyalar gördüm üstelik sabaha kadar. Şafak söktüğünde rüyalarımı tam hatırlayamıyordum fakat içimde o rüyalardan kalma tuhaf bir sıkıntı vardı.

Sabah oldu. Kızımı emzirdim. Mutfağa gidip birkaç zeytin atıştırdım, çay koydum kendime. Sakinlemiştim. Dün gece beni dehşete düşüren olay, şimdi nerdeyse komik geliyordu bana.

Edepsiz bir kadının, istemeden duyduğum saçmalıklarıydı alt tarafı. İyi ki kendimi tutup, ne babamı ne de kocamı aramıştım. Boş yere uyanmaları bir yana, delirdiğimi bile zannedebilirlerdi! Nereden baksam, Nebahat şirret veya çatlak olabilirdi ama katil olmazdı. Ayrıca nasıl öldürecekmiş beni, zehirleyerek mi? Hemen yakayı ele verirdi, yemekleri yapan oydu evimizde!

Güldüm kendi kendime, nasıl da panik yapmıştım boşu boşuna! Beni ya da Ada'yı asla öldürmezdi Nebahat ama Hakan'ın yanında, kendi evimde olmak varken, burada sürekli onunla sinir harbi yapmak niye, diye düşündüm.

İtinayla bir kahvaltı sofrası kurdum kendime. Ekmeğimi kızartıp beyaz peynir ve domatesle yedikten sonra, sade kahvemi içerken kesin kararımı verdim; babam döner dönmez, kızımı alıp, Şangay'a kocamın yanına gidecektim.

Zavallı babam, ne diller dökmüştü bana ta en başından Hakan'la birlikte gideyim diye. Ekim ayını beklemeden gideceğimi öğrenirse kesin çok sevinecekti. Ona yeni kararımı bildiren bir mesaj atıyordum ki, tam o sırada elinde günlük yumurtayla mutfağa girdi Nebahat, "Aa, ama siz kahvaltınızı etmişsiniz! Oysa ben taze yumurta getirmiştim size," dedi.

Dün gece duyduklarımdan sonra aklıma ilk gelen beni yumurtayla zehirleyip, suçu kümesteki tavuğa mı atacak, diye düşünmek oldu. Bayağı eğlenmeye başladım ben bu öldürülme fikriyle. Yüzümde kocaman bir gülümsemeyle, "Olsun, sen bir zahmet beş dakika kadar kaynat yumurtayı, ben onu da yerim," dedim.

"Fal kapatmışsınız, bakayım mı?" diye sordu, bakışlarıyla ters dönmüş kahve fincanını işaret ederek.

"Yok be Nebahat, falıma bakılmış benim. Şangay'a yol görünüyor yakın zamanda. Ne demişler, yolcu yolunda, evli evinde gerek, öyle değil mi?"

Beni yanıtlamadı Nebahat.

Ya duymadı ya da ben söylemedim de sadece aklımdan geçirdim son cümlemi. Böyle mi yazsaydım Hakan'a? *Evli evinde gerek* diye mesaj atsam, anlar mıydı maksadımı? Yok, onun çok daha hoşuna gidecek bir cümleyle bildirmeliydim gidişimi.

Nasıl yazsam, ne desem? Buldum! Hakan'ı en mutlu edecek şekilde yazdım müjdemi.

Bugün sahile indiğimde, haftalardan beri ilk kez bir kuş gibi hafif hissedecektim kendimi. Gülümsedim, güzel bir güne başlamanın sevinci içindeydim nihayet!

Esra

Özgüvenime kavuşmanın zamanı gelmişti.

Tanrım! Biri vardı yanı başımda! Kulağımın tam da dibinde nefes alıp verdiğini duyuyordum! Yüzükoyun yattığım yaygının üzerine adeta yapışıp, kıpırdanıp kıpraşmadan kulak kesildim.

Yok, insan değil... herhalde bir hayvan! Kedi mi? Deniz kenarında kedi olmaz. Köpek olmalı. Bir sokak köpeği. Yazlıkçıların yaz boyunca besleyip, şehirdeki evlerine dönerken acımasızca terk ettikleri zavallı hayvanlardan biri, şimdi beni öylece kumlara serilmiş görünce, bir yeni sahip buldum umuduyla gelmiş, yaltaklanıyordur.

"Hoşt, hoşt, haydi git buradan... uzaklaş!"

Ağırlığımı henüz ısınmamış kuma öylesine bir tembellik içinde bırakmış olmasam, yattığım yerden dikilir, oynaşırdım köpekle ama sabahın köründe kalkıp plajın kayalıklara ulaştığı uca kadar gide gele bir saati aşkın yürüyüş yapmış, yorulmuştum.

Terim soğurken kum da ısınmaya başlıyordu yavaştan. Oysa mayıs güneşinin ısıtamadığı sahile indiğimde serin ve nemliydi kum. Oteller de henüz bomboştu. Gerçi havalar iyice ısındığında da kimseler gelmeyecekti kesin. Adı savaşa karışan ülkelere, çatışmalar sınırlarının dışında olsa da, gitmezdi turist.

Önce terör, sonra darbe, ayrıca bir de sınırın orasında burasında savaş! Derken erken seçim kararı... Bu kaçıncı yazdı turizmcilerin kan ağladığı. Bu yıl yine keyifsizdiler batı ve güney illerinin başta otelciler, pansiyoncular olmak üzere tüm esnafı.

Ben de keyifsizdim.

Yurt dışındaki iş başvuruma olumlu yanıtı bir türlü alamamıştım. Oysa kasım ayında ilk yazıştığımızda birkaç ay içinde belli olur demişlerdi. Yıl dönmüş, bir başka sene başlamıştı. Türkler çoğu zaman hayır demez, yanıtın olumsuz olduğunu muhatap her kimse, el yordamıyla kendi anlasın isterlerdi ama başvurduğum yer, yerli değil uluslararası bir kuruluştu. İlk başvurudan sonra defalarca yazışmıştık. Kestirip atmıyorlardı da, her seferinde hep aynı teraneydi... Bürokratik işlemler uzun sürüyor, bekleyin!

Ben beklerken hayat parmaklarımın arasından akıp gidiyordu. Beklerken saatler, günler, haftalar, aylar üç misli uzuyordu. Başka bir iş de tutamıyordum yanıt ha geldi ha gelecek diye. Sadece huzursuz değil parasızdım da bu yüzden. Öğrenciliğim boyunca yaptığım ufak tefek ek işleri boşlamış, tamamen ailemin eline bakar olmuştum. Geleceği göremeyen çoğu yaşıtım gibi, ben de gergin ve çaresizdim. Boşuna dememişler, coğrafya kaderdir, diye. Sadece kader mi, kederdi de!

Kaderi yenemezdim ama kederle baş edebilmek için sabahtan akşama oyalanacak bir şeyler bulmaya çalışıyordum. Güne bir sabah yürüyüşüyle başlıyordum örneğin. Kafamda binlerce düşünceyle, yanıtı verilmemiş onlarca soruyla en az bir saat yürüyordum güneş yükselmeden. Bazen sahilde, bazen kasabanın kepenklerini henüz açmamış dükkânlarıyla dolu ıssız sokaklarında, bazen de harabelerin arasında yürüyordum. Babamın arabasına atlayıp dağlara vuruyordum. Yanıtları bulamamış olarak dönüyordum eve.

Annemle babam birer kocaman soru işaretidir zaten bende!

Kahvaltı masasındaydık, "Ben gidince sen de İstanbul'a dönmek istemez misin?" diye soran babama, "Deniz mevsimi geliyor yakında. İstanbul'da eve tıkılıp ne yapacağım?" dedim.

"Bir arkadaş çağırsana yanına ya da anneannen gelsin. Çok yalnız kalacaksın da o yüzden yani..."

Ha, anlaşıldı... Şu gizlemeye çalıştığı ama annemin boşboğazlığı yüzünden ortaya çıkan esrarengiz yolculuğu babamın!

Kırk yılın birinde babamın yanına gitmiştim, nereden bileyim onun başka planları olduğunu! Planından vazgeçemiyor, hem de beni evinde yalnız bırakacağı için vicdan yapıyordu!

Vicdanını rahatlatmak istedim.

"Yaza kadar herkesin işi gücü, dersleri, verilecek sınavları var. Benim için endişelenme, belki senin arabayı alır, uzanırım Ege'ye doğru. O sahili pek bilmem ya ben, gezmiş görmüş olurum."

"Bence evden uzaklaşma Esra. Canın yolculuk istiyorsa bizimle gel."

"Bunca yıl sonra tam şey etmeye karar verdiniz annemle... olur mu hiç! Daha neler!" Göz kırptım babama.

"Asıl sana daha neler! Biz annenle hep dosttuk."

"Bu seferki dostluktan öte bir durum bence."

"Saçmalama! Hem ne fark eder, sen bizim kızımızsın."

"Baba, ne demişler, iki kişi bir çift, üç kişi kalabalık yapar. Tam da bu yüzden, balayına evlatla bile gidilmez."

"Biz annenle balayına mı çıkıyoruz Allah aşkına?"

"Balığa mı çıkıyorsunuz?"

"Kızım, biz annenle..." Lafını kestim, "Siz annemle hiçbir zaman klasik bir karı koca olmadınız. Tamam, bunu biliyoruz hepimiz.

Ama birlikte bir yolculuk yaptığınızı da ben hiç hatırlamıyorum baba. Bence bu bir başlangıç."

"Sen doğmadan önce çok gezmiştik birlikte. Her yıl bir başka yere giderdik."

"Size ben mani olmuşum, desene. Yine mani olmayayım. Neyse, demek ki bu ikinci bir başlangıç... yani ikinci bahar!"

"Belki de bir sonbahar işaretidir."

"Dünyanın değişik yerlerinde ayrı yaşamanın, savrulup durmanın sonuna işarettir inşallah baba! İkiniz de yaşlanıyorsunuz, yapayalnız kalmanız hiç doğru değil."

Babam yaşlanmaktan hiç hoşlanmadığı için yanıt vermek yerine uzaklara bakmakla yetindi. Annem de öyledir, kendini hep yirmilerinde zanneder. İkisinin tek müştereği budur bana sorarsanız.

"Esra, arabaya yeni bakım yaptırdım," dedi babam, "sana bir dert çıkarmaz ama sakın hızlı sürme. Kasabada hız tahdidi var zaten, ceza da yeme, e mi kızım. Polis artık hiç girmesin hayatımıza."

Kızına düşkünlüğünü yirmi küsur yıl erteleyen babam benim! Buna da eyvallah, dedim içimden, nankör olma Esra, geç kalmış da olsa nihayet seni düşünen bir baban var!

O hafta sonu babamı Baltık denizinde bir gemi yolculuğu için, annemin yaşadığı Amsterdam'a abartılı bir vedayla uğurlayarak havaalanına bıraktıktan sonra, eve dönmüş, verandada güneşin batışını ilk kez tek başıma seyretmiştim.

Tek başına kalmak da güzelmiş!

Ufka tek başına bakmak, bir evde tek başına yemek yemek ve uyumak!

Yeniden özgür olmak! Korkmadan yaşamak!

Ve neden olmasın, tek başına seyahat etmek!

Geçen yıl geçirdiğim kazadan beri, düşündüm de, hiç yalnız kalmamıştım!

Yanımda hep birileri vardı; önce doktorlar, hastabakıcılar, fizyoterapistler, sonra psikologlar ve elbette polisler, korumalar...

Hepsine göre, ben bir kazazedeydim. Bana soracak olursanız sadece aşkzedeydim. Çünkü geçirdiğim kaza âşık olduğum adamın yüzündendi, onun benimle Mardin'den İstanbul'a yolladığı bilgi ve fotoğrafları ele geçirmek isteyen birileri peşime düşmüşler, bir kazada yaralanmama sebep olmuşlardı.

Ben taşıdığım flaş diskin gazeteye yollanan savaş fotoğraflarını değil de bazı gizli bilgileri içerdiğini, ancak iyileştikten sonra öğrenmiştim.

Zaman içinde sevgilim de, peşime düşenler de yakalanmışlar, tutuklanmışlardı ama arada gözden kaçmış başkaları da olabilir diye, büyüdüğüm İstanbul'dan ve tıp okuduğum İzmir'den bir süre uzak kalmamda, hatta yurt dışına gitmemde fayda görmüştü siyasi polis.

Madem kördüğümü çözmüşlerdi, beni kimden ve neden korumaya çalışıyorlardı ki? Bunu sormayı o sırada akıl edemediğim için, stajyer doktor olarak, Yeryüzü Doktorları'na başvuruda bulunmuştum. Ve yine polisin önerisiyle başvuruma yanıtı babamın Side'deki evinde bekliyordum.

Moraran ufka baktım.

Bir gün daha batıyordu. Ben bir türlü kaderimi elime alamıyor, geleceğimi istediğim şekilde kuramıyordum.

Daha nereye kadar korkarak, ürkerek, sakınarak yaşayacaktım; üstelik hiçbir suçum olmadığı kanıtlanmışken!

Özgüvenime kavuşmamın zamanı gelmemiş miydi?

Atlardım babamın arabasına, ne zamandır görmek istediğim Ege kıyılarına sürerdim... İstediğim kasabada, köyde, kıyıda mola verirdim. Evde oturup arpacık kumrusu gibi düşüneceğime gönlümce gezerdim.

Ve tehlikenin benim için bittiğini hem kendime hem polise kanıtlardım! Anneme de, babama da, anneanneme de... benim için endişelenip duran herkese!

Ufuk yavaşça renk değiştiriyordu.

Yakında mor, koyu maviye sonra da laciverde dönüşür ve ilk yıldız ta şurada göz kırpardı bana!

Az önce hoşuma giden yalnızlık, birden ürpertti beni!

Geceleri daha zor olmalı yalnızlık duygusu.

Oysa babam bir karısı ve bir kızı olduğu halde hep yalnız yaşamıştı bu evde. Güneşi şu terasta çoğu kez tek başına batırmıştı. Annem bazen aylarca, bazen yıllarca gider, sonra aniden döner gelirdi. Bense babamla değil, İstanbul'da anneannemle dedemin yanında, düzenli hayatımın içinde yaşar, okullar kapanır kapanmaz dönerdim baba evine. Annem nadiren evde olurdu. Annem değildi de macera düşkünü ablamdı sanki! Evlilik kurumunun ne anlama geldiğini bilecek kadar büyüdüğümde sormuştum babama, annemin niye evinde oturmadığını.

"Bizimki başka tür bir evlilik," demişti, "karı kocanın birbirini esir almadığı evlilikler de var bu dünyada. Anlaman için daha da büyümen, hayatı tanıman lazım!"

İşte şimdi, daha büyümüş ve dünyayı tanımış olarak, bulunduğum noktadan gün batımına bakarken hâlâ bu evliliğin felsefesini kavrayamadığımı düşünüyordum.

Evlilikler aşk, sevişmek, arkadaşlık, aile kurmak, çocuk yapmak, paylaşmak, hırlaşmak, dertleşmek, itişmek için olabilirlerdi şüphesiz ama yalnızlık için asla!

Yalnız kalacaklarsa, niye evlensin ki iki insan?

Benimkiler böyle düşünmemişler!

Ben belki de anneannem ve dedeciğimle çok sevecen ve korunaklı bir evde büyüdüğüm için korkuyordum yalnızlıktan. Şafağı da, mehtabı da, sevinci ve kederi de illa paylaşmak istiyordum sevdiklerimle. Okuldan, işimden ya da bir yolculuktan evime döndüğümde o evde sevgi, ses, ışık ve aş bulmak istiyordum.

Buraya gelmeye karar verdiğimde, babamın annemle bir yolculuğa çıkmak üzere olduğundan hiç haberim yoktu. Onları o kadar uzun zamandır birlikte görmemiştim ki... öğrendiğimde şaşırıp kalmıştım.

Şaşırma sırası onlarda şimdi. Telefon edecekler bana, beni kim bilir nerede bulacaklar... Marmaris'te miyim, Bodrum'da mıyım?

Yok öyle popüler yerlere değil, daha sakin kıyılara gideceğim, kafa dinlemeye, kitaplarımı okumaya, hatta ağustostaki sınavın notlarına göz atmaya.

Ve en önemlisi özgüvenimi ruhuma yeniden depolamaya!

Küçük bir valiz hazırladım, babamın bakımdan yeni çıkmış arabasına atlayıp bastım gaza, batıya doğru. Sahil boyunca gidebildiğim kadar gittim, sonra dağlara vurdum. Çık yokuş, in yokuş dağları aş dümdüz git ve Ege!

Yerleştiğim otelin önce tek müşterileri ben ve bir Alman aileydi. Almanlar turist değil, yerliydiler. Evlerinin su borusu patlayınca badanaya da karar vermişler, otelde evlerindeki onarımın bitmesini bekliyorlardı.

Üç gün sonra da bir futbol takımı antrenman için gelmiş, sessiz oteli canlandırmıştı.

Herkesi aynı anda mutlu etmek ne mümkün, otelciler sevinirken, ben huzurum bozulduğu için sinir olmuştum. Sporcuların barındıkları alanları belleyip, onlardan uzak durmaya gayret ediyordum. Ve işte bu yüzden, onlar otelin arkasındaki toprak yolda koşu yaparlarken, ben bu sabah yürümek için sahili seçmiştim.

Devasa otel binası görünmez olduktan sonra bile, kayalıklara kadar gidip gelmiş, adım atacak halim kalmayınca belime bağladığım pareomu kuma yaymış, yüzükoyun serilmiştim üzerine. Kollarımı kumsala iniş yapmış bir uçak gibi iki yana açmış, heyecansız, sevinçsiz, kedersiz ve beklentisiz öylece yatıyordum ki... kulağımın dibindeki o sıcak nefes... kedi mi köpek mi her neyse tam da yanı başımdaki o şey, kıpırdandı ve koluma değdi.

"Hoşşt! Laf anlamıyor musun sen! Git hadi... Hoşt!"

Söz dinleyip rahat vereceğine, hayvan bir de ıslak dilini kulağımın nerdeyse içine sokmaz mı! E, bu kadarı da fazla oldu diye söylenerek, sağ tarafıma döndüm, başımı az biraz kaldırdım ve omzuma tutunarak ayağa kalkmaya çalışan bir bebekle göz göze geldim.

"Aaaa! Nereden çıktın sen?"

Kolumun üzerinde doğrulurken, diğer elimle bebeğin kulağıma sıvadığı salyayı sildim, "Aman ne güzel şeysin sen böyle (ayağa dikilmeyi nihayet beceren bebeciğin kumlar yapışmış çıplak bedenini süzdüm) vee, üstelik bir küçük kızsın, sen! O yüzden mi bu kadar cilvelisin?"

Dünyanın en şeker bebeğini kim bırakmış benim başucuma? Dizlerimin üzerinde doğruldum, iki elimle yakaladığım bebeği havaya kaldırıp güleç yüzünü kendi yüzüme yaklaştırdım. Kocaman ela gözleri bu kadar yakından bakınca şaşılaştı, daha da şirin oldu.

"Annen nerede senin? Aa, ne yapıyorsun yahu! Üstüme işedin! Hay Allah!"

Bağdaş kurdum, bebek hâlâ ellerimin arasında gülücükler atarak debeleniyordu. Onu usulca indirip, kucağıma oturttum. Durmadı, bana tutunarak dikildi ve etrafına bakındı. Herhalde annesini arıyordu. Oysa kimseler yoktu sahilde bizden başka. Bebek gökten düşmediyse, en yakındaki otelde kalıyor olmalıydı ailesiyle. Bu sabah erken geldilerse, görmemişimdir.

Pareomu altımdan çekip önce kendi bacaklarımdaki çiş damlacıklarını, sonra da bebeğin poposuna yapışmış kumları sildim, pareoyu belime bağladım, bebeği kucakladım ve kumda yürümeye başladım. Bir yandan da bebekle konuşuyordum.

"Söyle bakalım bebecik, adın ne senin?"

"A... guli... gu... li..."

"Adın Aguli öyle mi?"

"Gu... li... gu... li... agu..."

"Aguli, nerede kalıyorsunuz siz?"

"Gu... ga... ga..."

"Gugaga'da mı kalıyorsun? Uzak mı otelin?"

"Ba... ba... ba... ba... guga..."

"Babanla ve herhalde annenle birlikte Guga'da yaşıyorsun, anladım."

"Gu... guga..."

"Eh, haydi gidip bulalım onları."

Kollarımda tuttuğum bebek, ayaklarını gövdeme dayayıp kendini ittirerek yukarıya doğru tırmanmak istiyordu. Onu kaldırıp omuzlarıma oturttum. Sevinçle ayaklarını salladı.

"Bak ne güzel anlaşıyoruz Aguli. Ama enseme işemek yok, ona göre ha!"

Birkaç adım daha yürüdük kumda.

Omzumda oturan bebek birden hareketlendi bacaklarını sallamaya, konuşmasını daha yüksek bir ses tonuyla sürdürmeye başladı. Ben o sırada gözlerimle önünden geçmekte olduğumuz otelin önündeki çimeni tarıyor, bebeğin annesini arıyordum. Bahçede bir bahçıvandan başka kimse yoktu. Bebek aniden bağırmaya başlayınca başımı çevirdim ve az ötede beliren genç kadını gördüm. Kumda çıplak ayak, düşe kalka telaşla bize doğru koşuyordu. Yaklaşınca iki kolunu birden havaya kaldırıp, ellerini salladı.

"Bak anneni bulduk işte, Aguli," dedim. "Tam da sana alışmaya başlamıştım, hay Allah!"

Genç kadın nefes nefese yaklaştı, kıpkırmızıydı yanakları.

"Tanrım, çok korktum, biri onu kaçırdı sandım... Rüzgâr şemsiyemizi uçurunca şemsiyenin peşinden koştum yakalamak için, bu da uyukluyordu... ne zaman uyanmış da kaçmış, ta buralara kadar!"

Kollarını uzatıp kendine doğru bir hamlede bebeği aldı ensemden, kıvırcık saçlarını okşadı, öptü, "Sizi rahatsız etmedi umarım."

"Hiç rahatsız etmedi. Çok şirin bir bebek."

Bir an birbirimizi süzdük ve aynı anda gülmeye başladık. İkimizin de üzerinde, sarı beyaz benekli eş bikiniler vardı.

"Mayoland mi?" diye sordu.

"Aynen! Geçen yaz sonuna doğru almıştım."

"Ben de! Pareosu ile birlikte."

"Bir arada satılıyordu zaten."

Yan yana genç kadının geldiği yöne doğru yürümeye başladık.

"Tatilde misiniz?"

"Birkaç günlüğüne geldim," dedim ben, "siz?"

"Ben buralıyım. Yani... doğma büyüme değil ama buraya yakın oturuyorum... oturuyoruz."

"Buralar rüzgârlı mıdır hep böyle?"

"E, sörf yeri işte..."

"Kız sörfçü olacak desenize."

"Yok, sanmam. Biz geçici buradayız, babamda kalıyoruz.

Bunun babası da Uzak Doğu'da çalışıyor, biz de çok yakında yanına gideceğiz."

"Aaa, tesadüfe bakın! Ben de babamın yanında kalıyordum, buraya gelmeden önce. Sonra o bir seyahate çıktı, ben de Ege'de turlamak istedim."

"Bir başka tesadüf daha, o halde! Şu anda benim babam da seyahatte! Evdeki yardımcısıyla pek aramız yok, o yüzden sabahları evden erkenden çıkıyoruz kızımla, günü plajlarda geçiriyoruz."

"Olamaz! Aguli'yi sevmeyecek birini düşünmek çok zor."

"Kimi?"

Güldüm, "Aguli, yani minik kızınızın son beş dakikalık adı. Ben adını sorunca, Aguli, dedi."

"Adının Ada olduğunu biliyor da henüz söyleyemiyor."

"Çok zeki, yakında söyler."

Konuşmamız tamamen bebeğin şirinlikleri ve marifetlerine odaklı, bir süre daha yürüdük kumların üzerinde. Otelin kumsala doğru çıkıntı yapan lokantasını geçer geçmez, yere çakılı şemsiyenin gölgesindeki yaygıyı ve üzerindeki çeşitli plaj çantalarını gördüm.

"Sizin kamp yerine geldik galiba," dedim ben.

"Evet. Sahil boş ama sporcular gelirlerse çok gürültü yapıyorlar, uyandırıyorlar Ada'yı, o yüzden böyle uzağa gittim ben de."

Çocuğu yaygıya bırakmak için eğildi.

"Ben döneyim," dedim.

"Termosumda soğuk çay var, içer miydiniz?"

"İçerim. Hem Ada'yı biraz daha severim böylece."

"Madem onu çok sevdiniz, oturuverin yanına da ben bir koşu denize dalıp çıkayım, kendime geleyim. Onu göremeyince, korkudan ter içinde kaldım."

"Şu lokanta bozuntusu şey kapatmış görüş alanını, o yüzden telaşlandınız herhalde. Yoksa çok uzun değil kat ettiği mesafe."

"Öyle hızlı emekliyor ki... erken başladı, hızlı yol aldı. Sanırım yaşından evvel yürüyecek." Genç kadın çantaların birinden bir termos çıkartıp plastik bir bardağa çay koydu, uzattı. Yine eğildi, bu kez minik bir biberon çıkardı çantadan, yaygının üzerinde oturan bebeğe uzatti. Bebek kaptı biberonu şapırtılarla içmeye başladı.

"Siz çayınızı içerken Ada da size arkadaşlık etsin, ben bir yüzüp geliyorum."

"Keyfinizce yüzün, benim hiçbir acelem yok," dedim.

Benimle aynı bikiniyi giyen ve yine benim gibi seyahatteki babasının evinde kalan genç kadın, plaj çantasından belime sarılı pareonun bir eşini çekip çıkarttı, türban dolar gibi saçlarına doladı, sımsıkı bir düğüm attı.

"Yüzerken saçlarım gözlerimi kapatmasın, ağzıma da girmesin diye sarıyorum bunu başıma," dedikten sonra, çevik adımlarla denize yürüdü, suda birkaç adım attı, daldı ve suyun yüzüne epey ötede çıktı. Sağına doğru geniş kulaçlarla yüzmeye başladı.

"Aguli, anne dönünce, yüzme sırası bana gelecek," dedim, "ama şimdi gel biz yatalım seninle koyun koyuna, güneşlenelim... Ne bakıyorsun bana öyle, ben sadece pareomu çıkarıyorum, benden sana mama, meme filan yok, boşuna heveslenme!"

Belimdeki pareoyu çözüp yere yaydım, üzerine uzandım ve bebeği kucaklayıp göğsüme yatırdım. Bir yel, yerden kumları kaldırıp savuruyordu. Annesinin çantasından taşmış havluların birini çekip, göğsümde yatan bebeğin üzerine örttüm.

Denizdeki anne, iyice uzaklaşmıştı sahilden. Aynı tempoda başını iki kulaçta bir, nefes almak için yana çevirerek yüzüyordu. Ne tuhaf, onun da benim gibi babasının evinde konakladığını ayrıca babasının bir yolculukta olduğunu biliyordum da, adını bilmiyordum. Mayo seçimleri aynı iki genç kadın, adlarımız önemsiz birer ayrıntıymış gibi merak edip sormamış ama başka ayrıntıları paylaşarak yan yana yürümüştük kumda. Kader bizi tesadüfen yan yana getirdiğine göre, kim bilir daha ne çok ortak noktamız vardı. Hele çıksın denizden, ilk iş adını öğrenecek ve kendimi tanıtacaktım.

Göğsümde uyuklayan bebek geğirdi, ağzından göğsüme sıcak bir şeyler aktı. Üzerindeki havluyu yaygıya serip, usulca yatırdım onu sırt üstü, pareomun ucuyla göğsümdeki sütü sildim ve sinekten korumak için pareoyu bebeğin üzerine örttüm. Sonra da elimi güneşe siper ederek denize doğru baktım. Bebeğin annesi, bu kez de sol tarafa doğru yüzüyordu geniş kulaçlarla.

İyi bir yüzücü olmalıydı, sarı pareoya sarılı başı suyun içindeydi ve herhalde nefes almak için başını sahilden öte yana çeviriyor olmalı, yüzü hiç gözükmüyordu, sadece suya belli bir tempoyla batıp çıkan kollarını görüyordum.

Bebek mırıldandı, uyandığını sandım ama melek gibi uyuyordu.

Gözlerimi tekrar denize çevirdiğimde, genç annenin yüzdüğü yönde bir motor belirdi. Yüzücüye doğru hızla yaklaşmaya başladı.

Ben iyice doğruldum, dizlerimin üzerine kalktım. Motoru süren, yüzücüyü görmemiş olmalı, hız kesmeden yaklaşmaya devam ediyordu, ayağa kalktım kollarımı sallayarak denize doğru koştum. Motorda sadece bir kişi görebiliyordum, başı kasketli, turuncu mont giyen biri, muhtemelen bir erkek, hızla yaklaşıyordu bebeğin annesine. Bağırmaya, çırpınmaya başladım. Dizlerime kadar denizin içinde, kollarımı yel değirmenleri gibi sallıyor, motor sürücüsünün dikkatini çekmeye çalışıyor, bir yandan da avazım çıktığı kadar bağırıyordum. Beni görmemesi normaldi de, önünde kendine doğru yüzen kadını da mı görmüyordu.

Çaresizlik içinde etrafıma bakındım. Benden ve uyuklayan bebekten başka kimse yoktu sahilde. Koştum, bebeğin üzerindeki pareomu çekip aldım, süratle sahile döndüm ve elimdeki örtüyü bayrak gibi sallamaya başladım. Bir yandan da bağırıyordum. Sesimle uyanan bebek de bağırdığı için, seslerimiz birbirine karışıyordu.

Yok, fark etmiyor sürücü, ne beni ne de denizde yüzeni!

Tanrım! Tanrım! Kadını parçalamasına ramak kaldı! Korkunç bir ses çıktı boğazımdan, bebek daha da çok bağırdı, tekne hız kesmedi ama genç annenin yüzerken durduğunu, motoru fark ettiğini gördüm. O da iki kolunu birden havaya kaldırmış, sallıyordu. Oh Tanrım nihayet! Nihayet! Ama o da ne, motor üzerine doğru gidiyor. Sürücü onu hâlâ mı görmedi, yoksa gördü de...

Yok olamaz! Olamaz!

Genç kadın denize daldı galiba... görünmez oldu. Motor onun bulunduğu yerden geçti... ben bir çarpma sesi mi duydum, öyle mi zannettim... Motor uzaklaştı ama denizde kimse yoktu. Bir hareketlenme oldu sanki kadını son gördüğüm yerde, suyun yüzüne mi çıkıyordu? Hayır! Suyun üzerindeki yalnızca sarı kumaş parçasıydı... biraz sürüklendi ve battı! Allah'ım nerede bu kadın? Niye göremiyorum onu? Denizin dibine mi daldı? Boğuldu mu? Yoksa... yoksa... parçalandı mı motorun pervanesinde?

"KİMSE YOK MUUU? BİRİ YARDIM ETSİN ALLAH AŞKINA! BİR KADIN BOĞULUYOR! İMDAAT! İMDAAAAT!"

Cırlak, deli bir ses... bu benim sesimdi. Motor arkasında üçgen bir dalga bırakarak aynı süratle geri dönüyordu. Güneş gözlerimi yakıyordu. Genç kadından hâlâ eser yoktu denizde.

Kâbus mu görüyordum? Yoksa dün gece içtiğim ucuz şaraptan dolayı uyanamıyor muydum bir türlü...

İçim geçiyordu, dizlerim çözülüyordu... dizlerim yavaş yavaş bü..kü..lü..yor..du. Sonra yüzüm suya çarptı.

Kendime geldiğimde sahilin denizle buluştuğu yerde, kafam kumda, ayaklarım suda yatıyordum. Niye buradaydım? Burası neresiydi? İnsanlar başıma toplanmıştı. Gözlerimi kırpıştırarak baktım onlara. Ağlayan bir bebek vardı aralarında.

"Bak annen kendine geliyor bebecik, ağlama artık," dedi bir kadın sesi. Başımı zorlukla çevirdim, şişman bir kadının kucağında sarı bukleli bebeği gördüm. Bebek minik kollarını bana doğru uzatıyordu.

Bulutlandı mı gökyüzü nedir, hava bir anda karardı. Hatta kapkaranlık oldu!

Vural

Ben işimi tamamladığımı sanıyordum oysa yanılmışım.

Oval masanın etrafında oturanların yüzünden düşen bin parçaydı!

Son konuşmacı da sözünü bitirdiğinden beri ne yapacağımızı bilemediğimizden, önümüzdeki dosyaları karıştırıp duruyorduk, kimse ağzını açmıyordu çünkü raporlar tam anlamıyla felaket habercisi gibiydi.

Hiçbirimiz gerçeği başkana bildirmeyi göze alamıyorduk ama durumu öğrenmesi ve hatadan dönmesi için bir an önce bilgilendirilmesi şarttı, elbette eğer dosyayı ona sunacak bir kahraman çıkarsa içimizden!

Odanın kapısı vuruldu.

"Gir," dedi Nazmi K.

Sekreter Seher Hanım sessizce içeri süzüldü, bana yaklaştı ve bir not bıraktı önüme.

"Çok ısrarla çaldı telefonunuz, belki önemlidir diye size haber vermek istedim," dedi kulağıma eğilerek. Yazdığı nota göz attım ve kâğıdı buruşturup cebime soktum, ayağa kalktım, "Beyler bana iki dakika müsaade, bir telefonum varmış, acil olabilir. Hemen döneceğim."

Anlayışla başlarını salladılar çünkü odadakilerin çoğu yoğun bakımda yatan ablamın durumundan haberdardılar. Kapıyı usulca açıp çıktım. Allah razı olsun Seher'den, diye düşündüm, beni içerdeki havadan iki dakikalığına da olsa kurtardığı için.

Seher'in masasına yürüdüm. Toplantıya girmeden önce bıraktığımız cep telefonlarımız yan masada bir tepsinin içinde duruyordu. Bana ait olanı buldu getirdi. Toplantıya geri döneceksem, üzerine adımı yazdığı etiketi çıkartmamamı rica etti.

"Tamam," dedim. Aldım telefonumu, ben toplantıdayken beni arayan numaralara baktım... Çoğu tanıdık numaralardı ama bir tane var ki, hiç tanımıyordum, belki on kez aramış arka arkaya.

"Hastaneden aramış olabilirler," dedim.

Seher'le göz göze geldik.

"Böyle ısrarla çalınca, ben de öyle zannettim, hatta bir an açmayı bile düşündüm ama biliyorsunuz yasak..."

"Öğrenelim bakalım kimin aradığını."

Erkekler tuvaletine doğru yürürken arama tuşuna bastım. Hemen açıldı telefon ve karşı tarafta, ağlamaklı bir kadın sesi, "Vural Komiser, nihayet buldum sizi," dedi.

Ses tanıdık geldi ama bana komiser diye hitap ettiğine göre, geçmişte kalmış biri olmalıydı. Çok sular aktı komiserliğimden bu yana!

"Kiminle görüşüyorum?" dedim.

"Ben Esra, komiserim."

"Hangi Es... aaa, Esra mı? Doktor Esra?"

"Evet, evet!"

"Hayrola Esra! Sen yurt dışına gitmeyecek miydin? Döndün mü yoksa?"

"Komiserim, çok az vaktim var... Birileri yine beni öldürmek istiyor."

Sözünü kestim, "Esra, çoktan kapandı o dosya, seni öldürmeye kalkışanların hepsi içerde. Hiç kimse seni öldürmek filan..." Kesti sözümü, "Komiserim, doğru söylüyorum! Yanlışlıkla ben zannettikleri masum bir genç kadını gözümün önünde öldürdüler. Bebeği vardı, yaşını bile doldurmamış..." Hıçkırdı galiba, tuhaf bir ses geldi kulağıma... evet yanılmamışım, ağlıyordu!

"Ne diyorsun yahu! Nasıl öldürdüler? Kimi öldürdüler?"

"Onunla tesadüfen aynı mayoyu giyiyorduk komiserim, benim yaşlarımda, benim boyumda. Ben zannettikleri için, pisi pisine öldü kadın. Ben de tutuklanmak üzereyim. Hat kesiliyor... Beni ancak siz kurtarabi... telefon kesiliyor komiserim..."

"Neredesin sen, çabuk söyle!"

"Urla'da İlçe Jandarma Karakolu'ndayım. Yardımına... yardım..."

Kız cümlesini tamamlayamadan kapandı telefon!

Bu arada ben bir taraftan da konuşarak yürürken tuvaletin önüne gelmişim. İçeriye girmekten vazgeçip, Seher'in masasına geri gittim. Yüzümde nasıl bir ifade olmalı ki, "Kötü haber mi?" diye sordu. Kafam dağılmış, birden anlamadım.

"Ne? Haa! Yok, ablamın durumunda değişiklik yokmuş," dedim, "Bana Urla'daki Jandarma Komutanı'nı bul ve bağlat. Hemen!"

"Aah! Benim hastanedeki doktorlardan birinin sandığım numara Urla Jandarma'ya mı aitmiş?"

"Seher, zaman kaybettirme bana, hemen ara!"

"Toplantı odasına mı bağlatayım?" diye sordu.

"Odası boşsa, Arif'in odasına bağlat."

"Toplantı devam ettiğine göre, odası boştur."

"O odada bekliyorum. Çabuk ol!"

Arif'in odasına yürüdüm. Kapıyı kapattım, bekledim. Telefon bağlanınca karşı taraftaki komutanın yaverine kendimi tanıttım.

Yaklaşık iki dakika sonra, hattın öbür ucundaki komutanla konuşuyor ve duyduklarıma inanamıyordum.

Evet, bana doğru söylemiş Esra!

Bir genç kadın ölmüş. Olayın tek şahidi Esra'ymış. Esra'nın plajda rastladığı ve adını dahi bilmediğini iddia ettiği genç kadın serinlemek için denize girince, o da insaniyet namına bebeğine göz kulak oluyormuş ve güya bir tekne hızla gelip, denizde yüzen kadına çarpmış. Fakat ortada ne tekne ne de başka şahit olmadığından komutan, Esra'nın akıl hastası olduğunu ya da çocuğundan kurtulmaya çalıştığını düşünmüş önce. Esra kimsenin inanmayacağı abuk sabuk şeyler anlatıp duruyormuş ve zaten yakındaki otelden koşup gelenler de Esra'yı deniz kıyısında baygın bulduklarını söylüyorlarmış. Her ihtimale karşı, bebeği de, kadını da ailelerinden biri bulunana kadar merkezde nezarete almış komutan. Öğleden sonra Sahil Güvenlik, suda parçalanmış bir kadın cesedi bulduğunu ihbar edince, iş ciddiye binmiş, arama başlatılmış. Savcı gelene kadar Esra gözaltında tutuklu kalacakmış. Esra'nın bebeğinden kurtulmaya çalıştığını düşünen komutan, cesedin bulunmasıyla fikir değiştirip, bu kez Esra adındaki kadının bebeği çalmak isteyebileceğinden şüpheye düşmüş çünkü onun ve öldürülen kadının üzerindeki mayolar birbirinin eşiymiş. Bir arapsaçıyla karşı karşıyaymışlar kısacası! Şu anda DNA testlerinin neticesini ve Esra'yı sorgulayacak savcıyı bekliyorlarmış.

Komutan anlatmaya devam ediyordu ama ben kopmuştum...

Demek ki Esra'nın hayatı hâlâ tehdit altındaydı ve bunda benim payım büyüktü. Zamanında görevimi hakkıyla yapmış olsaydım, Esra bugün beni aramak zorunda kalmazdı! Çözmem gereken olayda demek ki gözümden kaçanlar da olmuştu, kanundan kaçanlar da!

"Alo... alo... orada mısınız?"

"Evet, evet! Sizi dinliyorum," dedim.

Komutan, benim niye bu vaka ile ilgilendiğimi bilmek istiyordu haliyle.

"Telefonda anlatamam komutanım, ben bu akşam üstü Urla'ya gelmek üzere İzmir'e uçacağım" dedim, "size uçak bilgimi veririm. Ben gelene kadar Esra'nın yanına hiç kimseyi sokmayın. Kimseyle görüştürmeyin, konuşturmayın. Hayatının ciddi şekilde tehlikede olduğunu sanıyorum. Gelince konuşuruz."

Kapattım telefonu. Odadan çıktım, Seher'e akşam beşten itibaren İzmir'e kalkacak ilk uçakta bana yer ayırmasını tembihledim.

"Dönüş?" dedi.

"Herhalde ertesi gün ama saatini bilemiyorum. Dönüşü açık bırak."

Kaşları soru işaretleri gibi havaya kalktı ama bu sefer hiçbir şey sormadı. Bu işyerinde soru sorulmazdı zaten!

Toplantı odasına geri döndüm.

"B planını konuşmak için seni bekliyorduk," dedi Haluk Bey, "geciktin, önemli bir durum mu var."

"Öyle de, benimki malum, özel iş! Biz konumuza dönelim beyler."

Bir genç kadını dahi korumayı beceremedimse, ben kim B planı kim, diye düşündüm! Kaldı ki, B planını değil A'dan Z'ye tüm planları dahi konuşsak, biz bu kafada oldukça yapabileceğimiz fazla bir şey yoktu. Birkaç aydır fasit bir dairede dönüp duruyor, ilerleyemiyorduk! B planının da mucize yaratmayacağını biliyorduk fakat elimizden gelen şu sırada sadece o planı uygulamaktan ibaretti. Bu yüzden yapmamız gerekenleri enine boyuna masaya yatırdık. Tartıştık, tüm ihtimalleri ve ihtimallerin mahzurlarını gözden geçirdik. Daha doğrusu onlar beyin fırtınası yaparken, ben de kafa yoruyormuş gibi davrandım ama aklım fikrim tehlikeye çok yakın duran Esra'daydı.

Ne kadermiş ama zavallı kızınki! Bela her defasında gelip onu buluyordu!

Sen tut, kendini savaş muhabiri diye tanıtan yakışıklıya âşık ol, herif gazeteciliğin yanı sıra casus çıksın, Suriye'deki savaşta vurulsun, Güney Anadolu'nun perişan bir hastanesine yollansın, sana haber gelince fırlayıp gittiğin ilkel hastanede yaralının başında çektiğin çile yetmezmiş gibi, sevgilin olacak aşağılık herif seni bir de kurye olarak kullansın! Bölgeyi mahvedecek projeyi seninle yollamaya kalksın! Çantanda ne taşıdığından, karşı grubun seni takip ettiğinden ve taşıdığın bilgiyi çalmaya kalkışacaklarından habersiz, hırsızdan kaçarken bir araca tosla ve hafızanı kaybedip aylarca hastanelerde sürün!

Zavallı kız!

Bunlar, sevgili olacak hayırsızın ona çektirdiğiydi.

Öldüğünü sandığı sevgilisini, saklandığı evde başına koruma olarak dikerek zavallı kıza en öldürücü darbeyi ise, ben vurmuştum!

Oysa planım müthişti, birlikte birkaç gün geçirecekleri evi dinleterek, adamın gizli bilgileri kimden alıp, kime sattığını öğrenecektim. Boşuna zahmet etmişim. Öğrenebildiğim zaten bildiğimdi! Kız, tahmin ettiğim gibi tamamen masumdu, çantasında ne taşıdığını kesinlikle bilmiyordu. Yakışıklı sevgili Tarık'ın ise, bu işe sadece alacağı yüklü para yüzünden bulaşmış olduğunu öğrenmiştim. Meğer ideolojik takıntıları dahi olmayan, beş para etmez biriymiş ki, dünyadan habersiz bir tıp öğrencisinin kendine olan zaafından istifade etmeye kalkmış, kızın hayatını tehlikeye atarak, onu kurye olarak kullanmıştı.

Bu yüzleşme sırasında Esra'nın yegâne kazancı, sevdiği adamın ne mal olduğunu öğrenmesi oldu! Bir adi suçlu!

Biz istihbaratçılar, ikisinin karşılıklı konuşmalarını dinlediğimizde istediğimizi elde edemeyince, Tarık'ı mecburen işkence altında konuşturmuş, esas suçlulara ancak o şekilde ulaşmıştık. Şimdi hepsi hapisteydiler.

Ya da ben öyle zannetmişim!

Esra'ya gelince, uyguladığım planla onu duygusal anlamda mahvettikten sonra, yurt dışına çıkması ve tehlikeden uzak kalması için ona bir pasaport temin etmiştim. Bir süre Side'de yaşayan babasının yanında kalacak, başvurusu onaylanınca da istediği gibi, Yeryüzü Doktorları'nın Afrika'daki örgütüne katılacaktı.

Niye gitmemiş acaba?

Ve nasıl bulaşmış yine bu işlere?

Henüz bu soruların yanıtlarını bilmiyordum ama o kıza vicdan borcum vardı. Onu korumak zorundaydım. Önce Esra'yı jandarmanın elinden kurtarmalı, sonra da onu öldürmeye çalışanları yakalayana kadar, onu gizlice yurt dışına göndermeliydim. Fakat bulaştığı tehlikeyi jandarma komutanına veya herhangi bir polis şefine uluorta anlatamazdım, çünkü kızın bilmeden taşıdığı bilgi, gizlilik gerektiren devlet sırrı kategorisine giriyordu.

Bunca çözümsüz sorunla uğraşırken, bir bu eksikti diye düşündüm, sıkıntıyla.

Dalgınlığım masa başındakilerin de dikkatini çekti, birkaç kez sorularını bana tekrarlamak zorunda kaldılar. Neyse ki bu halimi hastanedeki ablamın durumuna veriyorlar, bana anlayış gösteriyorlardı.

Toplantı bittiğinde hepimiz yorgun ve gergindik. Evlerimize gitmek üzere dağılırken ben biraz geride kaldım. Seher çekmecesinden çıkardığı zarfı bana uzattı.

"18.15 uçağında yeriniz hazır. Dönüşü açık bıraktım," dedi usulca. Aşağı kata indim. Sokak kapısının önünde Arif beni bekliyordu, "Bize gelsene bu akşam," dedi, "bir şeyler atıştırır, konuşurduk..."

"Sağ ol dostum. Yarım kalmış bir işim vardı. Daha doğrusu ben işin tamamlandığını sanıyordum meğer yanılmışım," dedim, "acilen halletmem gerekiyor. Başka bir zaman inşallah."

Ayrıldık. Bir taksi çevirip bindim.

"Havaalanına," dedim şoföre, "iç hatlar gidiş!"

Hakan

Hayatımı, kızımı da düşünerek yeniden tasarlamam gerekiyordu.

Sabaha karşı telefonuma bir mesajın düştüğünü duyduğumda hiç oralı olmamıştım ama dön sağa, dön sola, bir türlü uykuya dalamayınca başucumdaki telefonuma uzandım ve mesaja baktım.

"Müjde Hakan, planımız tuttu, Derya biz Urla'ya döner dönmez yanına gelmek istiyor" diye yazmış kayınpederim!

Karım müjdeyi önce bana vereceğine, Amerika'da gezmekte olan babasına verdiğine göre, mesajın doğruluk payı şüphe götürürdü. İlhami Bey bu mesajı bana Amerika turunu tamamlayıp Fransa'ya geçmek üzere havaalanında uçak beklerken, kızından o esnada gelen e-postayla heyecanlandığı için atmıştı. Hesaplamaya çalıştım, eğer yazdığı doğruysa, kayınpeder on gün içinde yurda döner, Derya da babasıyla bir hafta kadar hasret giderir, en fazla bir ay içinde burada olurdu. Esintili olduğu için belki de kararını değiştirir gelmezdi. Gelmediği takdirde, artık iyice alıştığım monoton düzenimi bozmama, tek başıma yaşamanın huzurundan ödün vermeme gerek kalmazdı.

Gelmediğine sevinir miydim?

Düşünmesi bile ayıp! Hangi ara böyle bencil oldum?

Şangay'a gelir gelmez yakında yanıma geleceklerini umduğum karımı ve kızımı rahat ettirmek için, şehrin daha ferah ve bol ağaçlı Pudong tarafında, üç katlı bir binanın bahçeye açılan iki yatak odalı dairesini tutmuştum. Mobilyalı daireye eklediğim tek eşya çizim masam olmuştu da masayı salona sığdırabilmek için ev sahibine yemek masasını evden götürmesi için para ödemek zorunda kalmıştım. Dairenin kirası da vermeyi düşündüğümden fazlaydı ama ev Ada'nın annesiyle sabah gezintilerine çıkabileceği Century Park'a yakındı ve bu mahallede hiçbir evin atık su gideri, evin arka sokağına verilmiyordu.

Önceleri karımı da çocuğumu da özlüyordum, özellikle Ada gözümde tütüyordu. Çıkardığı ga-gu sesleri kulağımda, teninin kokusu burnumdaydı her an. Geceleri uykuya onun sevimli yüzünün hayaliyle dalıyordum. Sabahları karıma yanıma gelmesi için uzun mesajlar atıyor, telefonda dil döküyordum... boşuna. Keçi gibi inatçıydı.

Derya inadından vazgeçmeyince pes ettim, gündelik rutine ayak uydurmaya çalıştım ve tahminimden çok daha çabuk alıştım bekârlığa. Hayır, geceleri eğlence ve sefahat alemlerine dalmadım, tam aksine bürodaki toplantılar ve şantiyedeki yoğun koşuşturmam bitince sığındığım evimdeki sükûnet, yalnızlığın muhteşem özgürlüğü, kimseye hesap vermeden yaşayabilmenin lüksü sinsi bir duman gibi sarıp sarmalamaya başladı beni. Hayatım tekdüze fakat huzurluydu. İşimden memnumdum, evimden memnundum, hatta yalnızlığımdan bile memnundum. Sorunlarla savaşarak geçen yıllardan sonra, bu huzura ihtiyacım vardı. Ülkemden ve dolayısıyla gündelik kavgalardan çok uzakta, kendimle baş başa kalınca, iç dünyamın çalkantıları da durulmuş gibiydi.

Çalıştığım şantiye evime yakın değildi, bu yüzden bir de araba vermişlerdi bana ama ben ulaşımı hızlandırdığı için metroyu kullanmayı tercih ediyordum. Metro şehrin tüm çeperini sarmalıyordu. Böylece binlerce kişinin arasına karışıp evime çabucak geliyor ya bir hazır çorbayı ya da haftada iki kez temizliğe ve ütüye gelen Kazan Türkü Ma'nın hazırlamış olduğu yemeğimi ısıtıp yiyor, çizimlerim yoksa erken yatıyor ve gurbete düşen her yalnız insan gibi bol bol düşünüyordum. Uzun gecelerde başka ne yapabilir ki tek başına kalan insan, geçmişine göz atmanın, ona yolunu çizdirmiş olanlar ya da yoldan çıkaranlarla hesaplaşmanın dışında!

Ben de öyle yaptım işte! Geceler boyu geçmişimle hesaplaştım.

Bir tiyatronun üst kattaki salonunda oturmuşum da sanki, sahnedeki oyuncuları yukardan dürbünümle izlermiş gibi, çocukluğuma, ilk gençliğime bakıyordum.

Dürbünümü sahnedekilerden anneme odakladığımda mesela, gülünce gözünün kenarlarında oluşan ince kırışıkları görüyordum, içim ısınıyordu. Evdeyken üzerinden çıkarmadığı salaş pantolonu ve dirsekleri eprimiş yün hırkasıyla babamı, ilk topuklu ayakkabısını giydiği günkü heyecanıyla kız kardeşimi, her sabah kahvaltı sofrasını şarkı mırıldanarak kuran anneannemi yılları geriye devirip, şefkat ve özlemle izliyordum. Ailemin tüm fertleri, yakın-uzak akrabalarım, mahalle ve okul arkadaşlarım, hatta bazı hocalarım dahi, bu sahnenin üzerindeydiler.

Ve elbette anneannemin çok genç yaşta vefat etmiş dayısı da!

Elbette; çünkü nasıl kambersiz düğün olmazsa, bu büyük dayının adının geçmediği, anekdotlarının anlatılmadığı, başarılarının övülmediği bir aile toplantısı da mümkün olamazdı büyüdüğüm evde.

Seyrine odaklandığım hayat sahnemde, sadece fotoğraflarından tanıdığım iri cüsseli büyük dayım, açık mavi bir bulut gibi kâh dağılarak, kâh şekillenerek sahnedekilerin arasında uçuşuyor ve herkese tek tek dokunuyordu. Biraz da hayretle tüm akrabalarımın arasında beni en çok onun etkilemiş olduğunu görüyordum. Attığım pek çok adımda ve aldığım kararlarda, annem bile doğmadan ölen bu büyük dayının gölgesi vardı. Acaba hatıra defterlerini defalarca okuma şansı elde ettiğim için mi bu kadar tesiri altında kalmıştım?

Genç yaşta ölen sevgili dayısının yeni yazıyla tuttuğu iki adet günlüğünü ipek bir bohçaya sarmalayarak, liseye geçtiğim yıl anneannem adeta kutsal bir emanet teslim eder gibi armağan etmişti bana. "Sakın kaybetme," demişti, "önce sen dikkatle oku, ileride çocuklarına da okut. Haysiyetli ve eğitimli bir millet olmamızda, ailemizin payını öğrensinler."

Okumuştum.

Ve yeni kabul edilmiş Latin harflerinin henüz tam oturmamış imlasıyla yazılmış anılardan öylesine etkilenmiştim ki, lise yıllarımı Cumhuriyetin kuruluş yıllarındaki o büyük uyanışın, o efsanevi dirilişin parçası olmuş Mustafa N'nin gölgesinde geçirmiştim.

Belki de bu yüzden ilk gençliğimde yaşıtlarımın okuduğu resimli macera dergilerine burun kıvırdım hep! Benim elimde genç bir adamın adalet ve eğitim alanlarındaki modernleşmeye yaptığı katkının, o muhteşem mücadelenin belgeleri varken ve bu bilgiler beni yaşıtlarımdan ayrıcalıklı kılarken, nasıl okurdum resimli çocuk maceralarını ben!

1929 yılında otuz dört yaşındayken vefat ettiğinde, kısacık ömrüne adalet bakanlığında önemli işler ile bayındırlık ve milli eğitim bakanlıklarını sığdırmış kişi madem büyük dayımdı benim, o dayıya layık olmak için ben, en azından Atatürk'ün vizyonuyla başlatılan devrimlerin bekçisi olmalıydım.

Tıpkı onun gibi, dürüst, açık sözlü ve ilerici de! Vatanım için illa hayırlı bir şeyler yapmalıydım! Hâlâ öylesi yüce duygularla doluydum üniversiteyi bitirdiğim yıl.

Ama heyhat! Şikâyet etmekten, söylenmekten ve eleştirmekten öte hiçbir şey yapamadım şu hayatta! Sadece benim değil, annemin babamın kuşağı, hatta bir öncekiler de beceriksiz çıktılar. Hiçbirimiz elimizdekilerin kıymetini bilemedik, uyuduk derin bir uykuda mışıl mışıl!

İşte bu derin uykunun zincirleme sonucudur beni ta Çin'deki bu şehre savuran!

Babamın mahzun yüzü soluyor sahnede. Dürbünümdeki diğer insanlar da soluyorlar sırayla.

Sadece mavi bir bulut gibi büyük dayım kalıyor yüksekte bir yerde.

İlk gençliğimden itibaren yazdıklarıyla, duruşuyla, dünya görüşüyle bana sanatı, estetiği önemseten, yolumu aydınlatan fenerim, çok genç yaşta ölmesine karşın, hayalimde hep bir yaşlı bilge olarak beliren danışmanım, hiç yüz vermiyor bu gece bana!

Oysa ilk gençliğimden beri dara düştükçe onunla uzun uzun konuşmuşluğum, sabahlara kadar koyu sohbetlere oturmuşluğum vardır benim! İçimi ona dökmüşlüğüm, en önemli kararlarımı ona danışmışlığım vardır!

"Öyle mi yapayım böyle mi?" diye her ne sordumsa büyük dayıma, yanıt olarak o anda içime ilk doğan duyguyu kerteriz aldım hep. Mimarlığı seçerken mesela, "Dayı," demiştim "mimar mı olayım, mühendis mi?" Aklıma ilk düşen, mimarlık olmuştu. Bu yüzden mimar olmayı seçtim, büyük dayının öyle önerdiğini varsayarak.

Derya'ya evlenme teklif etmeden önce de öyle yapmıştım, "Dayı," demiştim yine içimden, "anneannem, senin sevdiğin kadına kalbini zamanında açamadığın, sevgini gösteremediğin için sonradan çok pişman olduğunu söylemişti.

Şimdi benim de karşıma, beni çok etkileyen bir kız çıktı, ona açılmazsam, elimden kaçıracağımı hissediyorum. Ne dersin, Derya'ya evlenme teklif edeyim mi? Bana bir işaret yollasana dayı!"

Karaburun'da zeytin ağaçlarına kurulmuş bir hamakta sallanıyordum, sıcak bir temmuz günüydü. Cırcır böceklerinin korosu coşmuştu, avaz avaz cırlıyorlardı.

Benim bu soruyu sormamla birlikte, böceklerin orkestra şefi bastonunu indirmiş gibi, bir anda hepsi aniden sustu. Derin bir sessizliğe büründü bahçe. Ben bu ani suskunluğu dayımın bana olumlu yanıtına yormuş, ertesi gün erguvan renkli uzun begonvil dalları ve bir koca kavanoz organik yeşil zeytinle Derya'nın babasının kapısında bitmiştim. Sevdiği kadına çekingenliği yüzünden kavuşamadığını bildiğim dayımın hatasına düşmemek için elimi çabuk tutmuştum. Derya ile evlenmeye birbirimizi yeterince tanımadan çabuk karar verdik bu yüzden!

Onu ilk tanıdığım gün, önce güzelliğinden ve doğallığından, saatler geçtikçe sanat tarihi okumuş olmasından, kavramsal sanatla uğraşmasından etkilenmiş, hatta inatçı biri olduğunu dahi anlamıştım ama tamamen çocuk kalmış yanını ancak evlendikten sonra gördüm.

Yok, şikâyet etmek için değil bunu söylemem, sadece hayatın bize hazırladığı hoşluklardan veya tuzaklardan nasiplenerek büyürken olgunlaşırız, yaşanan acılar daha da çabuk büyümemize sebep olur diye düşünürdüm de ondan! Zaman gösterdi ki, Derya acılarıyla olgunlaşacağına hırçınlaşmış gibiydi. Geride kalmış kederli anılarının tümünü hep canlı tutmak istiyordu, üstelik elinde yüksek dozda taze acı varken, anneciğini daha yeni kaybetmişken!

İlk hamileliğinde bebeğin karnında ölmesinin kederinden de uzun zaman kurtulamadı karım. Oysa doktorlar da, tecrübe sahibi büyüklerimiz de bu şekilde biten hamileliklerin hayrına inanıyorlar, böyle olduysa eğer, demek ki hamileliğinde bir sorun vardı, diyorlardı. Derya bunu asla kabul etmedi ve hep kendinde bir suç aradı!

İkimizi de yıprattı böyle yaparak!

Neyse ki ikinci bebeğimiz son derece sağlıklı doğdu.

Onu her türlü çevresel kirlilikten uzakta, doğal, organik besinlerle besleyerek büyütmeye karar vermiştik... En azından okul çağına kadar!

Ne yazık ki hayat çoğu kez planladığımız gibi gitmiyor!

Kızımız yuvaya başlama yaşına geldiğinde, civarda onu yollayabileceğimiz bir anaokulu olmayacaktı. Eğer olsaydı, özel anaokuluna ödememiz gereken para da bende olmayacaktı. Haydi yuvaya yollamadık diyelim, yaşı geldiğinde köyümüzün ilkokuluna başlattık, bir yaz tatili sonunda, gittiği okulu imam hatip okuluna çevrilmiş bulursak ne yapacaktık? Böyle bir olasılık, artık ülkemizde epey yüksekti.

Kısacası birçok nedenle hayatımı kızımı da düşünerek yeniden tasarlamam gerekiyordu. Yaşı büyüdükçe ihtiyaçları artacaktı ve ben çocuğumun ihtiyaçlarının büyükbabası tarafından karşılanmasına rıza göstermezdim!

Dünyanın her köşesinde iş aradım.

Bulduğumda, ilk kez dayıma dahi danışmadan, çabucak verdim kararımı!

İyi yapmış olduğumu da şimdi... tınnn! Düşüncelerimi bölen sesi duyunca, başucumdaki telefonuma uzandım. Derya'dan mesaj gelmiş! Hemen okudum.

"*Babacığım, annemle birlikte bir an önce yanına gelmek istiyoruz, ikimiz de seni çok özledik. İmza: Kızın Ada ve Annesi*" yazıyordu.

Mesajı bana sahiden benim canım bebeğim, kızım atmış gibi heyecanlandım. Zeki kadın Derya! Okunu tam isabet kalbime hangi hamleyle saplayacağını iyi biliyor. Bir an bile düşünmeden yanıt verdim: "*Derya'yı Ada'sı ile birlikte kucaklamak üzere kollarım açık, hasretle bekliyorum. Bir an önce gelin! İkinizi de çok seven baban.*"

Karım ve kızım geliyorlardı! Gelişlerine çok sevinmeliydim! Baştan beri doğrusu buydu zaten. Madem bir ailem vardı, onların yeri benim yanımdı!

"Elveda yalnızlık ve huzur! Merhaba hayat!" dedim kendi kendime ve büyük dayımın düşüncelerimi onaylayan bakışlarını sanki üzerimde hissettim... de... gözlerinde hüzün mü vardı ne?

Recep

Yıllarca gözlerimin önünde Derya'nın son gördüğüm haliyle yaşayacaktım...

Endişelenmeye saat altıyı geçtikten sonra başladım. Derya hiçbir zaman bu kadar geç kalmazdı bebeğiyle çıktığı zamanlarda. Aslında onu öğlen yemeğine de beklemiştik ama denize girmeye gittiklerinde bazen yemeği sahildeki kafelerde hallediyor, çoğu zaman telefonla dahi haber vermediği için Nebahat'ı çileden çıkartıyordu.

Bana soracak olursanız, iki kadın da pireyi deve yapmak için adeta özel çaba harcıyorlardı... Derya yemeğe gelmeyeceğini bildirecek bir mesajı atmaya üşeniyordu; Nebahat da kurduğu bir kişilik sofrayı kaldırmanın zahmeti yüzünden kuduruyordu. Hiç anlamıyordum öfkesini, yemeği o gelmeden zaten ısıtmıyordu ki!

Nebahat sevemedi gitti bu kızı, üstelik gün geçtikçe kızın her yaptığı ona daha çok batmaya başladı. Hatta diyebilirim ki Derya'nın evimize yerleşmesiyle huyu değişti, dırdırcı, çekilmez biri oldu. Ne zamandır sabahları sanki yeni bir kavga başlatmak için kalkıyor yatağından. Derya, bebeğin sebzesini az pişmiş istemişse çok pişiriyor, bebeğin yattığı odadaki pencere açıksa, gidip kapatıyor. Evde artık her gün ve her an bir bağrışma var! Neden böyle yapıyorsun dediğimde ise, yanıt hazır: "Çocuk mu büyütmüş bugüne kadar! O ne anlar çocuk bakmaktan!"

Oysa bu eve ilk geldiğimizde melek gibiydi Nebahat. Ona Ege'nin dağlarında bir bağ evine bekçilik etmek üzere İstanbul'dan ayrılmaya hazırlandığımı söylediğimde, hiç unutmuyorum, benim için o kadar çok sevinmişti ki, sen de benimle birlikte gel o halde demiştim. Oğlan olmasa hemen gelirdim, diye yanıtlamıştı. E, oğlanı da getir o halde, dediğimde nerdeyse havalara uçacaktı.

Bir yıldır peşinde dolandığım kadının benimle bir köyde yaşamaya hazır olduğunu duyunca şansıma inanamadım, onun da bunun bir evlenme teklifi olduğuna inanası gelmedi!

Evlenme fikri her ikimizi de çok heyecanlandırmıştı ama yıllar önce oğluyla karısını terk ederek işçi olarak gittiği Almanya'da izini kaybettiren kocasından boşanması için önce adamı bulmak, sonra bir avukat edinip boşanma davası açmak... ve kim bilir ne kadar uzun ve zor bir çabadan sonra boşanmayı başarmak... tüm bu işler için vakit yoktu. İnsanların üç beş nikâhsız eşle aynı evde yaşadıkları bu vatanda, ki benim geldiğim köyde de nikâha filan bakılmazdı pek, boş verdik bu boşanma işini.

Biz işte böyle gelip yerleştik bu eve. Tüm bunlar için, elbette İlhami Bey'e ama daha önce rahmetli kardeşim, can arkadaşım Bora'ya teşekkür etmem gerekiyor. Onun sayesindedir İlhami Bey'le tanışmam. Önceleri büyük evde kalıyorduk, sonra Derya'nın babası bu müştemilatı yaptırdı bize. Allah için çok elimizden tuttu İlhami Bey, benim ona yaptığım iyiliğin bedelini misliyle ödedi. Evli miyiz, değil miyiz hiç kurcalamadı. Oğlanın öz oğlum olmadığını bildiği halde, kimseye tek bir laf etmedi. Burada tanıştığımız herkesin gözünde, Nebahat ben ve Mahmut, bir aileydik.

Buraya yerleşir yerleşmez, Mahmut'u köyün ilkokuluna yazdırdık. Çocuk bizim müşterek çocuğumuz olarak okula, İlhami Bey de satın aldığı arsada hazır bulduğu bağ yüzünden şarapçılığa başladı aynı yıl.

Zaman bizim için huzurlu, İlhami Bey içinse bol kederli günlerle dolu geçiyordu

Nebahat'la ben onu mutlu etmek için etrafında dört dönsek de, ailesini, sevdiklerini ve işini kaybetmiş bir insan ne kadar mutlu olabilirdi ki!

Sonra bir gün kapı çalındı ve bir daha hiç karşılaşmayacağına inandığı kızı, karşısında bitiverdi! Annesini ve kendini terk ettiğini zannettiği babasıyla hesaplaşmaya gelmiş!

İlhami Bey sevinçten delilere döndü. Baba-kız her ne alıp veremedikleri varsa, bir gece sabahlara kadar konuşup hesaplaştılar ve öyle anladık ki biz, barıştılar da!

Derken kız ertesi gün aniden çok ağır hastalandığını öğrendiği annesinin yanına, uzaklara bir yere uçtu... birkaç gün sonra da annesinin tabutu ve yine annesinin yeni evlendiği İngiliz adamla birlikte geri geldi.

Geliş o geliş!

Anneyi Urla mezarlığına gömdük. Derya ve annesinin dul kalmış İngiliz kocası Davut eve yerleştiler. Bu Davut Bey, karısını öldüren hastalığa iyi dayanmış, ölümün yamacından dönmüş. Geldiğinde yürüyecek hali yoktu, eli kolu titriyordu, yetmezmiş gibi bir de doyamadan kaybettiği karısının yasını tutuyordu. Biraz toparlanınca Allah'ın günü mezarlığa taşıdım adamı. Bali'ye gitmek onun fikriymiş, bu yüzden de vicdan azabı çekiyor, demişti patron. Nasıl bir kadınsa artık Derya'nın annesi, İlhami Bey de ayrıldığı karısına gözyaşı döktü durdu o kış. İki adam karşılıklı içer ağlarlar, ağlar içerler... Bir kışı işte böyle geçirdik. Sonra yavaştan tekrar bağla ilgilenmeye başladı İlhami Bey.

Davut da tek başına yolculuk yapabilecek hale gelince memleketine döndü ama iki aya kalmadı, elinde şarapçılığa dair bir sürü kitap ve değişik üzüm tohumlarıyla geri geldi.

Her gidişinde de bir gerekçe bulundu geri dönmesi için... Derya ve Hakan'ın nişanı... bizim üzümlerin madalya kazanması... Derya ve Hakan'ın nikâhı... Derya'nın ilk hamileliğindeki acı olay... İlhami Bey'in altmış yaşını kutlaması...

Davut Bey ailenin bir parçası olmuş, iyi günde de kötü günde de illa kapıda bitiyordu, daha doğrusu, "Haydi Recep, havaalanına!" emri geliyordu İlhami Bey'den... Kimin geleceği belli. Başka kimselerle görüşmüyor ki bizim bey. Yakındaki evlerden ziyarete gelenler oldu. Geri çevirmedi, kabul ettik, sohbete oturdu onlarla, ikramımızı kusursuz yaptık ama âdettendir ya, ziyaret edene gidilir. Bizimki gitmez!

Tek dostu Davut!

Nebahat'la aramızda çok lafını da ettik, niye her seferinde döner gelir Urla'ya elin gâvuru diye! Ama neme lazım, hiçbir kanıt bulamadık dedikoduya değer. Her birinin odası ayrı, banyosu ayrı, müziklerini kulaklıklarında dinliyorlar, artık ne dinliyorlarsa. Sadece ilgi alanları müşterek. Bağımızdaki üzümlerle hayata tutunmuş gibi duran iki yalnız adam. Derya, onları hobileri birleştiriyor, demişti. Hobi? Ne ki hobi? Nebahat ne alay ettiydi ama, hop hop hobi, diyerek! Sonra ne demek olduğunu öğrendik de, sizin patron şarapçılık mı yapıyor, diye soranları, "Yok ya, şarapçılık bizim patronun sadece hobisi," diye yanıtlar olmuştuk, biraz da gururlanarak.

Bu arada Davut Bey, bizim beyin kankası olunca, bizim o ilk yıllardaki itibarımız da haliyle kalmamıştı evde. Davut bizimkini, Derya da, Nebahat'ın dediğine göre, bizim oğlanın pabucunu dama attırdı ki işte bu, kopma noktası oldu benim karının!

İnanmış zavallı, İlhami Bey'in çok sarhoş olduğu bir gece Mahmut'a evi bırakacağım, demesine! Sanıyor ki, Derya dönmeseydi, İlhami Bey öldüğünde bağ ve ev Mahmut'un olacaktı! Cahil işte! Bu adamın görmese, görüşmese de bir kızı var mıydı? Vardı! Başka akrabaları var mıydı? Mutlaka vardı! Kız çıkagelmese bile, sana kim bırakır bağı bahçeyi, ey aptal kadın! Olmayacak dua için kıza düşman olunur mu?

Nelere daldım gittim! Saat yedi olmuş! Derya ve bebek hâlâ meydanda yoklar! Nebahat mutfakta akşam yemeğini hazırlıyor.

"Bu kadar gecikmezlerdi hiç!" dedim.

"Unuttun mu, bir keresinde Karaburun'daki arkadaşının evinde yatıya kalmıştı," dedi.

"Ama telefon edip haber vermişti."

"Ben sofrayı hazır ettikten sonra!"

Unutur muyum, bütün gece söylenmişti Nebahat sofrayı boşuna kurduğu için.

"Meraklanmaya başladım. Cebini aradım birkaç kere... cevap vermedi."

"Şarjı bitmiştir. Akıl yok ki, hep son dakika fark ediyor bitmek üzere olduğunu."

"Yahu, aklıma kötü şeyler geliyor... Bir trafik kazası filan olduysa ne deriz babasına?"

"Ne diyeceğiz, kaza oldu, deriz!"

Ne zaman insanlıktan çıktı bu kadın? Bunu söylerken sırıtıyor da üstelik. Deli mi ne?

"Nebahat, Derya'yı sevmiyorsun, anladık ama bari böyle vurdumduymazlık ederek, Mahmut'a kötü örnek olma!"

"O odasında ders çalışıyor. Çalışacak tabii, bağı bahçesi yok. Hayatını kazanmak zorunda ileride."

"Ne dersi be! Davut Bey'in verdiği tablette oyun oynuyor."

Çatlak karı, dedim içimden. Kafayı miras işine taktığından beri uçtu bu. Paradan başka laf etmez oldu. Oysa bir ara kendini geliştirmeye çalışıyordu. Direksiyon dersleri almıştı mesela, bana bir yardımı dokunsun diyeymiş. Ben de yuttum sanki. Sahildeki balıkçı köyüne gider balık almaya. İyi balıktan anlarmış, her balığı yiyemezmiş. Gelir dikilir tepeme ben bağda iş başındayken, tutturur beni sahile götür, diye! Kızım, git başımdan, her hafta balık yemen şart mı! Bezdirene kadar söylenir. Neyse iyi oldu direksiyon öğrenmesi. İlk derslerini Davut Bey verdi ona. Bizim evin önündeki boş yolda gidip geldiler defalarca. Sonra ehliyet alabilmek için kasabadaki kursa da yazıldı. Araba sürmeyi becerdi de yazılı sınavı çaktı. Çalış, sonra tekrar gir demişler. Yeniden gün aldık iki ay sonrasına. Keşke becerse de alabilse bir ehliyet, havaalanına o gider gelir, artık. Öyle durdurup ehliyet filan soran yok ya buralarda, kontrolleri sadece geceleri yapıyor trafik polisi, o yüzden gündüz vakti kullanıp duruyor benim arabayı Nebahat. Çarşıya çıkıyorum diye istiyor, öte köyde pazar kuruluyor diye istiyor, iskeleye balık almaya gideceğim diye istiyor. Hele de balık almaya gitti miydi, saatlerce dönmez. Sordum sonunda, balığımı kendim tutuyorum, demez mi! Köyünden tanıdığı bir balıkçı mı varmış, neymiş... Onun kıçtan takma motorlu kayığı ile balığa çıkıyormuş. Varmadım üstüne çünkü gizli bir damarı var, o damara maazallah bir basacak olursan, kudurmuşa dönüyor. Her zaman değil neyse ki... Şu beraber olduğumuz yılların içinde sadece iki kere oldu. İşte gözü döndüğü o zamanlarda üstüne gitmeyeceksin, alttan alacaksın... Biraz vakit geçince sakinleşir. Bu yüzden henüz ehliyeti olmadan arabayı sürmesi hiç hoşuma gitmiyor, bir yakalansa çıkaracağı çıngar bir yana, bizim yüzümüzden İlhami Bey'in de başı derde girecek çünkü araba onun üzerine kayıtlı ama sineye çekiyorum, alttan alıyorum hep damarı tutmasın diye. Yoksa ikimizden biri, kesin katil olacak bir gün!

Geçenlerde babasının Derya kullansın diye aldığı arabayı da sürmeye kalkışmaz mı!

"Olmaz," dedim.

"Ne olurmuş yani?" dedi.

"Elinin körü olur!" demek geldi içimden ama benzini bitmiş diyerek geçiştirdim.

Bilmem nerenin pazarına gidecekmiş! Daha bir gün önce pazardaydı. Ne zaman yedik de bitirdik onca sebzeyi? Pazara gitmek bahane, illa araba sürecek! Bir de tutturmaz mı keşke damat beyin Çin'e giderken satmak zorunda kaldığı arabayı biz alaydık diye. Gülerler insana be! Patronumdan utanırım. İlhami Bey'in özel aracı yok, evin ihtiyaçları için benim kullandığım araçtan başka ama bekçinin karısı Nebahat'ın özel arabası olacak! Daha neler!

Tövbeler olsun, aklıma başka şeyler de gelmiyor değil, sık sık nereye çekip gidiyor bu kadın diye düşünüyor, sonra tövbe diyorum, yapmaz böyle şey! Beş yıl içinde bir gün bile elim kalkmadı Nebahat'a fakat son zamanlarda gün oluyor öyle şeyler yapıyor ki, içimden eşek sudan gelene kadar dövesim geliyor!

Derya, sen de nerede kaldın kızım be! Hiç mi rahat yok bu evin karılarından bana!

Dayanamayıp polisi aradığımda saat sekiz buçuğa geliyordu. Telefonda karşıma çıkan kişiye bir trafik kazası olup olmadığını sorarken, Nebahat bahçe kapısının önüne bir arabanın yanaştığını söyledi. Mutfak penceresinden farların ışığını görmüş. Hemen kapattım telefonu. Kapıyı açmak üzere bahçeye koşarken, Derya'ya sitem etmeyi düşünüyordum.

"İnsan bu kadar merakta bırakılmaz ki Derya Hanım," diyecektim, "telefonunuz var, bir çaldırın ya da mesaj atın, sonra ne zaman isterseniz, o zaman gelin! Babanız arasa ne diyeceğimi bilemeyeceğim... Olmaz ki!"

Demir kapının sürgüsünü çektim, sağ kanadı yana açtım ki, aman Allah'ım! Karşımda bir resmi araç duruyordu!

"Derya Seymen bu evde mi oturuyor?" dedi, araçtan aşağı atlayan jandarma.

"Evet," dedim. Dizlerim de ellerim gibi titremeye başladı.

"Siz nesi oluyorsunuz?"

"Ben evin bekçisiyim... şeyiyim..."

"Akrabası yok mu evde? Kan bağı olduğu biri?"

"Babası var ama yurt dışında, seyahatte. Kocası da Çin'de."

Jandarma tam "Bir kaza olmuş..." derken "N'olmuş, n'olmuş," diye koşturarak geldi Nebahat mutfaktan.

"Araba kazası mı?" dedim ben, "Bebek vardı arabada, Allah korusun! İyiler mi? Hangi hastanedeler?"

"Deniz kazası," dedi jandarma, "bizimle merkeze kadar geleceksiniz, teşhis için..."

Ne teşhisi! Dizlerim çözüldü sanki. Nebahat bilmiş gibi koltuk altlarımdan yakalamıştı beni.

"Kimlik alın yanınıza!"

Hayret, çözülen bacaklarım tuttu, deli gibi bizim eve koştum. Cüzdanımı kapıp geri geldim. "Ben beyime ne diyeceğim şimdi? Ben İlhami Bey'e nasıl... nasıl... Acaba hiç haber vermesek mi, önemli bir şey yoksa?"

"Kaza olmuş işte! Senin elinden ne gelir ki? Allah'ın takdiri," dedi Nebahat, "veren de Allah, alan da!"

Şom ağızlı karı, dedim içimden, hemen öldürdü zavallıları.

"Buyur abi," dedi jandarma, aracın kapısını açmış, bekliyordu.

Bindim. Araba hareket etmeden önce, baba diye bağırarak demir kapıya doğru koşan Mahmut'a mani olmaya çalışan Nebahat'ın sapsarı olmuş yüzünü, boş bakan gözlerini gördüm. Demir kapının üzerine koyduğumuz solgun ışıktan mı öyle gözüktü gözüme karım, ölüm meleği gibi. Geberesice deyip duruyordu Derya için. Öldüyse görür gününü! Vicdan azabından kurtulamaz artık. Allah'ım neler düşünüyorum böyle... Balık gibi yüzen kız, niye ölsün denizde? Maazallah, çocuğa mı bir şey oldu acaba?

Direksiyondaki er arabasını çalıştırdı.

"Nereye gidiyoruz?" diye sordum.

"Hastaneye!"

Az sonra hastanede öğrendiklerimle ev, Mahmut, Nebahat hepsi solup gittiler.

Yıllarca gözlerimin önünde Derya'yı son gördüğüm haliyle yaşayacaktım... yıllarca!

Vural

Planımı uygulayabilirsem onu asla bulamazlar!

Jandarma komutanlığının kapısından girmek üzereyken, biri "Komiserim!" diye bağırınca, eski alışkanlığımla elimde olmadan dönüp baktım. Üzerinde dizlerinde biten bir sarı şort ve rengârenk kısa kollu bir gömlek, ayaklarında parmak arası terlikler, gözlerinde güneş gözlükleriyle sakallı bir tip bana yetişmeye çalışıyordu.

"Komiserim... Selam komiserim... İbrahim ben... Tanımadınız mı?"

"Tanımadım," dedim buz gibi bir sesle. Ayrıca ne zamandır komiser de değilim, demeye hazırlanıyordum ki "İbo, komiserim, İbo," dedi, gözlüklerini çıkarırken.

"Vayy İbo! Ne arıyorsun lan sen burada?" diye sordum, ta İstanbul'dan tanıdığım bizim karakolun polis muhabiri İbo'ya!

İbrahim, karakolun yanaşma kedisi gibi kapının önünden ayrılmaz, ilginç vakalarda haber atlatıp patronunun gözüne girmek için nerdeyse her akşam sabahlardı koridorlarda. Bir haber kokusu aldı mıydı vınn, bakardık, olay yerine herkesten önce o uçmuş! Severdik keratayı, kulakları delikti, ara sıra sıkı ipuçları da verirdi bize, ben de karşılığında cinayet haberlerini önce ona sızdırırdım. Arası iyiydi yani polisle de, ne işi vardı şimdi bu herifin Urla'da.

"Tatilde misin?" diye sordum.

"Ne tatili komiserim," dedi, "şu malum vakadan sonra kapanmadık gazete mi kaldı! Kapanmayanlar da sürekli eleman çıkartıyorlar. Bizlere iş yok artık, aylardır boştayım."

"İyi de burada ne arıyorsun?"

"İstanbul'da bir işsizin barınması ne mümkün! Burada teyzemlerde kalıyorum komiserim."

"Beni nasıl buldun İbo?"

"Tamamen tesadüf. Motorumu merkeze geldiğimde jandarmanın önüne bırakırım hep, çalınmasın diye... tam binecektim, taksiden indiniz. Yahu İbo, rüya mı görüyorsun, ne işi var komiserimin burada? Benzettin herhalde, dedim ama sizsiniz işte! Asıl siz niye Urla'dasınız? Bir vaka mı var?"

"Oğlum haber yapacak gazeten yoksa vakayı ne yapacaksın?"

"İlginç bir vaka yakalarsam... Yani gazetem yok ama... En kötü ihtimalle belki bir dedektif romanını yazarım, komiserim."

"İbo bana komiserim deyip durma. Komiser değilim artık. Başka bölüme geçtim."

"İstihbarata mı?"

Yanıtlamadım.

"Ooo, sizde ne bilgiler vardır şimdi. Bana bir fikir, yani ilham verseniz de şu romanın konusunu şey etsem sizinle."

"İbo, acelem var. Haydi bana eyvallah!" dedim.

"Kom... Müdürüm, ben sizi beklerim, çıkınca konuşuruz."

"Uzun sürecek, hiç bekleme."

"Olsun, ben beklerim," dedi.

Baş belası İbo! Sülük gibi yapışır, git dersin gitmez!

"Ne halin varsa gör ama peşimden gelmeye kalkma! Bak, attırırım seni dışarı, ha!"

Arkamı dönüp koşar adım içeri girdim. Jandarma komutanı eleman yetersizliğinden kaçak mültecilerle başa çıkamadığı için asabı iyice bozulmuş, suratsız adamın tekiydi. Yetmezmiş gibi, kazada ölen kadının bebeği de başına kalmıştı, burnundan soluyordu. Eleman kendine yetmezken, kim uğraşacaktı bebekle ailesi bulunana kadar? Konuya odaklanacağına, merkezdeki şartlardan şikâyet etmeye yelteniyor ama şu dönemde kimse bir diğerinin esas siyasi kimliğini bilemediğinden, onu dahi yapamıyordu. Kimliğimi ve kurum içindeki rütbemi göstermeme rağmen, varlığımdan tedirgin olmuş bir hali vardı ayrıca. Anlattıklarımı da sanki kös dinledi. Onda nedense suçluyu koruyormuşum hissi uyandırmıştım. Tüm söylediklerime karşın Esra hakkında verdiği peşin hükmü değiştirmeye yanaşmıyordu. Kızın, sırf ölmekte olan sevgilisine yardım amacıyla bir önceki yıl, bir kuryelik işine karıştığını ama taşıdığı bilgiden tamamen habersiz olduğunu ve o gece geçirdiği trafik kazasından dolayı bir yıla yakın hafızasını kaybedip aylarca hastanede kaldığını, aslında değerli bir doktor adayı olduğunu sabırla tekrarlamama rağmen, yüzüme dik dik baktı, "Neymiş bu taşıdığı bilgiler?" diye sordu.

"Bazı özel bilgiler. Devlet sırrı. Kız kendi de bilmiyor neye alet olduğunu."

"Nasıl yani, açıp bakmamış mı?"

"Bakmamış. Bunun sevgilisi savaş muhabiriymiş, Mardin'de hastanede ölmek üzereyken, kıza ona teslim ettiği çipi İstanbul'da birine ulaştırmasını istemiş. Kız zaten o kişiye ulaşamadan, kazaya kurban gitti, kızın çipi taşıdığı çantası da uçtu, hafızası da."

"Siz nasıl ele geçirdiniz çipi?"

"Bizim masa şüphelendiğimiz bazı kimselerin peşine düştü. Sonunda kızdan çalınan çipe ulaştık... ya da öyle zannettik. Ama bazı kimseler çipin hâlâ onda olduğunu zannediyor. Sorun da bu, zaten."

"Çipte ne varmış?"

"Gizli bilgi."

"Bir komutana dahi söylenemeyecek mahiyette mi?"

"Maalesef öyle."

Çaylarımız getiren er içeri girince susmak zorunda kaldık. İçimden bu konunun bir daha açılmamasını dileyerek, komutanın dikkatini başka yere çekmek istedim.

"Sizce bu ölen kadın... bu vaka bir kaza mı?"

"Kesinlikle," dedi, "ölen kadının kimliği tespit edildi. Hiçbir siyasi yönü, herhangi bir örgütle irtibatı yok. Karaburun'da yaşayan bir ev kadınıymış. Kocası da çevreci miymiş neymiş, burada iş bulamayınca yurt dışına gitmiş çalışmaya. Kim öldürmek ister ki onu? Saçma!"

"E, bu şartlarda bebek ne olacak?" dedim ben, "babası da yurt dışındaysa?"

"Kocası yurt dışına çıkınca, kadın da Urla'da yaşayan babasının yanına yerleşmiş."

"Bu bilgileri nerden aldınız?"

"Çantası plajdaymış. Telefonundan ulaştık bazı numaralara. Babam-cep diye kayıtlı numara yanıtlamayınca, babam-ev diye kayıtlı numarayı aradık. Tam isabet! Bir kadın çıktı, bekçinin mi, bahçıvanın mı ne, karısıymış... her neyse, ölen kızın evini barkını tespit ettik, az önce ekip yollattım eve."

"Zavallı kadın," dedim ben.

"Evet zavallı, pisi pisine öldü. Bence yüzerken belki bir kalp krizi sonucu kendi boğuldu, motor da kaza ile üzerinden geçti."

O genç yaşta kalp krizi bana pek uzak bir ihtimal gibi göründüyse de itiraz etmeyip, "Öyle olduysa niye kaçtılar motordakiler?" diye sordum.

"Şahit motorda sadece bir kişi gördüğünü söyledi. Belki farkına varmamıştır birine çarptığının."

"Fark etmez olur mu hiç? Çarptığı kadına yardıma niye yeltenmemiş? Kazayı da haber vermemiş! Biraz tuhaf değil mi!"

"Başına dert açmak istememiştir."

"Maalesef bu ölüm bence bir kaza değil, cinayet," dedim ben.

"Ben adi bir kaza olduğunu düşünüyorum. Kim niye öldürmek istesin gencecik anneyi?"

"Kimse o zavallıyı öldürmek istemedi. Biri Esra'yı öldürmeye yeltendi, kadınları karıştırdı."

"Otopsi sonuçları gelsin de hele... Çünkü ben de bu gözaltındaki kadının cinayette parmağı olduğunu sanıyorum. Ama sanmak yetmiyor... ispat lazım."

Tam o sırada kapı vuruldu. Esra'yı iki jandarma erinin arasında jandarma komutanının odasının yanındaki küçük bölmeye getirmişlerdi. Yan bölmeye geçtik. Küçük kare masanın iki yanında ikişer sandalye vardı. Esra ayaktaydı, beni görünce önce bana sarılmak ister gibi bir hamle yaptı, sonra tuttu kendini, elini uzattı.

"Geldiğiniz için teşekkür ederim," dedi sadece.

Bitkindi kız. Gözleri çökmüş, rengi sapsarıydı. Belli ki, saatlerdir ne yemiş ne içmişti.

"Otur Esra," dedim, "aç mısın?"

Başını salladı hayır anlamında.

"Birer çay içeriz ama değil mi?"

Erlere başımla çıkmalarını işaret ettim, komutan arkamda dikiliyordu. Onun odadaki varlığından tedirgindim, istihbarattaki konumum nedeniyle, istesem dışarı çıkartabilirdim ama kendiliğinden gitmesini tercih ettiğim için, sesimi çıkartmadım.

"Anlat, ne oldu?" diye sordum Esra'ya.

Esra muntazam cümlelerle yazılı ifadesini tekrar etti.

Esra susunca komutan kim bilir kaç kez anlattırmış olduğu hikâyeyi eksik bulduğunu belirtmek için, "Hepsi bu mu?" diye sordu.

"Hepsi bu," dedi Esra, "kadının adını dahi bilmiyorum."

Jandarma komutanı, "Neden aynı mayoyu giyiyordunuz?" diye sordu bu kez.

"Kaç kere söyledim size, tamamen tesadüftü," dedi Esra, "o mayoyu satan mağaza her şehirde var. İkimiz de geçen yıl değişik şehirlerden almışız aynı mayoyu."

"Mayoları ne zaman aldığınızı konuştunuz ama kadının adını bilmiyorsunuz!"

"Hayır efendim."

"Biraz tuhaf değil mi?"

"Evet belki tuhaf ama gerçek. Mayolarımızın eş olduğunu görünce güldük ikimiz de. Ben mayomu İstanbul'da aldığımı söyledim, o da İzmir'deki mağazadan almış. Ayak üstü konuştuk öyle, kendi yolumuza gitmek üzereydik, adını sorma gereğini duymadım açıkçası. Sadece bebeğin adını biliyorum çünkü annesini ona seslenirken duydum."

Jandarma komutanı bu palavralara inanıyor musun, der gibilerden kaşlarını kaldırarak bana baktı.

"Şüpheli bir durum görmedim," dedim, "üstelik mayoların satışlarını mağazalarından kontrol ettirebiliriz."

"Artık hepsine savcı karar verir. Bekleyelim, bakalım, savcı ne diyecek."

"Elbette bekleyelim de, Esra Hanım'ı burada kalacaksa güvenceye almak zorundayız," dedim ben.

"Nezarette değil mi, daha ne kadar güvencede olabilir bir insan?" dedi komutan. Ben ağzımı açmadan içeriye bir er girdi, komutanı dışarı çağırdı.

Esra ile yalnız kaldık.

"Esra, bana söylemek istediğin bir şey varsa, hemen söyle biz bizeyken," dedim ben.

"Ne anlattımsa o, komiserim," dedi, "başıma gelenlerin inanılır olmadığının elbette farkındayım ama gerçek aynen böyle! Lanetli miyim neyim, üstüme bela çağırıyorum sanki!"

"Nasıl söz o!" diye mırıldandım ama söylediğinde hakikat payı yok değildi.

"Pekiyi, sen ne arıyordun bu kıyılarda? Side'de otururken hangi rüzgâr seni buraya attı?"

"Babamla birlikte Side'deki evimizde kalıyorduk. Bu arada komiserim, biliyorsunuz siz de zaten, annemle babam yıllardır ayrı şehirlerde yaşıyorlardı. Geçen yıl başıma gelenlerden sonra, bir yakınlaşma oldu galiba aralarında ve artık yaşlandıkları için mi her neyse, hazır bu arada annem de sevgilisinden ayrılmışken yeniden bir araya gelmeye karar vermişler. Babam annemin yanına Amsterdam'a gitti, Baltık denizinde gemi yolculuğuna çıktılar. Ben de babamın arabasına atlayıp Ege sahillerinde dolaşayım demiştim... Başıma gelene bakın!"

"Şu doktorlar vardı hani... Sınır Tanımayanlar mı ne, sen onlara katılmayacak mıydın?"

"Başvurdum. Meğer hemen olmuyormuş o işler. Bir sürü bürokratik ıvır zıvır çıktı, onu doldur yolla, bunu yaz gönder. İş uzadıkça benim de moralim bozuldu. Biraz da o yüzden düştüm yollara, yanıt için beklerken kafam dağılır, oyalanırım diye. Şey... ölen kızın adı neymiş?"

"Derya'ydı galiba."

"Bebek ne oldu? Kim bakıyor ona şimdi?"

"Yaşadığı evi tespit etmişler. Evinden biri gelip alacakmış onu birazdan."

"Ah... şimdi geldi aklıma, babamda kalıyorum demişti bana... ve... ve... evet, evin çalışanlarıyla aram yok da demişti. Bebeği keşke onlara vermeseler..."

"Esra, adını bilmediğin kadının ev hallerini nerden biliyorsun, çalışanlarıyla olan ayrıntıya kadar? Nasıl oluyor bu? Sen bana her şeyi anlattın mı? Söylemediğin başka bir şey var mı? Bak, iyi düşün!"

"Komiserim siz de inanmıyorsanız bana! Ben bittim artık, çok yoruldum."

"Bak, sakın bilgi gizleme benden. Yoksa sana yardımcı olamam!"

Elleriyle yüzünü kapattı, sarsılan omuzlarından sessizce ağladığını anladım.

Geçen yıldan beri çile çeken bu kıza acıyordum. Ona inanmamam için tek bir nedenim yoktu. Gizlice konuşmalarını dinletip hiçbir kanıt bulamamam da cabasıydı. Kötü niyetli olmadığını bilecek kadar iyi tanıyordum Esra'yı ama acaba geçen sefer yaptığı gibi, ailesini korumak adına bir şeyler mi saklıyordu yine?

Başını kaldırdı, aklımdan geçenleri okumuş gibi, "Sizden hiçbir şey saklamıyorum," dedi.

"Sana inanmak istiyorum ama sen de yardımcı ol. Savcının önünde tutarlı ol, az konuş."

"Cenaze ne zaman? Ben de katılabilir miyim?" diye sormaz mı!

"Sen bu akılla nasıl doktor çıktın, Esra!" diye patladım, "Ben seni kılına zarar getirmeden nasıl yurt dışına çıkaracağıma çareler ararken sen cenazeye gitmeye kalkıyorsun. Bunun, yanlış kadını öldürdünüz, buyurun doğru kadın burada, demek olduğunu göremiyor musun?"

"Benim yüzümden hayatı sönmüş birine son bir saygı..." Konuşturmadım kızı, "Hayır, olmaz! İnşallah yarın serbest kalırsan, cinayeti işleyen bulunana kadar ben seni yurt dışına çıkartacağım. Burada tehlikedesin."

"İstanbul'da anneannemin yanında kalsaydım."

"Olmaz, orayı biliyorlar. Bambaşka bir kimlikle çıkıp, bir süre dışarda kalmalısın. Baksana bunların gözü kara! Ben çetenin tümünü içeri tıktığımı sanıyordum belli ki yanılmışım. Bu cinayetin kaynağına inene kadar, sen yurda dönmeyeceksin. Pasaportun yanında mı?"

"Belki günü birlik Sakız'a geçerim diye yanıma almıştım... Çok methini duydum da."

"İyi etmişsin! Bak Esra, senin hakkında bilgi vermek için yarın sabah duruşmada olacağım ama sen de aklına ne gelirse gelsin, yazılı verdiğin ifadenin dışına çıkma. Ve dua et de benim senin hakkında söyleyeceklerimi kale alsın savcı."

Yaşlı gözleriyle yüzüme minnetle baktı, "Teşekkür ederim," dedi.

"Ben dışarda ne kadar..." Esra lafını bitiremeden komutan içeri girdi, kızı aşağı kattaki nezarethaneye geri yolladı ve bana müjdesini verdi.

"Bebeği nihayet teslim ediyoruz."

"Büyükbabası mı geldi?" diye sordum.

"Büyükbaba seyahatteymiş. Evde bebeğe bakan bir kadın varmış, bekçinin karısı... ona vereceğiz."

"O hanım da geldi mi, şimdi burada mı?"

"Bekçi cesedi teşhise gitti. Araç çıkarttım, cesedi teşhis ettikten sonra karısını da evinden alıp gelsinler diye. Bebeği kadına teslim edeceğiz."

"Umarım eğer kadını gözünüz tutarsa," dedim ben.

"Elbette," dedi.

İzin isteyip kalktım, çıkışa yürüdüm.

İbo kapının önüne dikilmiş, beni bekliyordu.

"Bir ölüm vakası varmış komiserim," dedi, "siz bana söylemediniz ama ben öğrendim."

"Bana komiserim deyip durma demedim mi sana!"

"Pardon abi, müdürüm... Bu cinayet... bir kadın öldürülmüş... bana biraz şey etseniz..."

"Edeyim İbo, bir sürat teknesi hızla gelip denizde yüzen bir kadını parçalamış. Cinayet mi kaza mı henüz bilinmiyor."

"Ya sizce? Siz iyi koku alırsınız, gözünüzden hiçbir şey kaçmaz."

"Bence cinayet!"

"Yaa!"

"Ölen kadının bir bebeği varmış... Bebek çetesi de geliyor aklıma. İlk soruşturmada bir şey çıkmayabilir ama bence sen bu işi bir kurcala oğlum. O motor kime aitmiş, niçin o saatte oradaymış, nereden geliyor, nereye gidiyormuş? Tesadüfen oradan geçen bir genç kadın çığlık çığlığa bağırmasa belki de bebek çalınırdı. Ayrıntıları öğren ve araştırmanı yap. Bir de bakmışsın cinayeti sen çözmüşsün! İşte o zaman değil herhangi bir gazetede, cinayet masasında bile iş bulursun be İbo!"

Gözleri parladı İbo'nun. "Sağ olun ko... müdürüm, bana her zaman yardımcı oldunuz. Allah ne muradınız varsa versin. Sizinle geleyim mi?"

"Benim başka işlerim var. Sen git. İlginç bir şey öğrenirsen, paylaşırsın benimle."

"Emrin olur ko... müdürüm."

"Haydi sana rastgele İbo, bol şanslar," dedim, "bakarsın bir roman konusu çıkar."

Bana tebelleş olup ayağıma dolanacağına, Esra'yı kurcalayacağına, varsın abesle iştigal etsin!

İbo'dan kurtulmanın ve dikkatini Esra'dan uzağa çekmenin keyfiyle bir sigara yaktım ve İbo'dan boşalan kapı önüne bu sefer ben dikildim, bebeğin teslim edileceği kadınla kocasını beklemeye başladım. Kafamdaki planı uygulayabilirsem, Esra'nın peşine düşenler, onu bu sefer asla bulamayacaklardı.

Resmi araç tam önümde durdu. Araçtan inen kadınla adamın peşinden içeri girdim. Komutan benim hâlâ gitmemiş olmama eminim bozuldu ama renk vermedi. Onları sorgularken ben hiç lafa girmeden sadece dinledim. Gelen çiftin arasında özellikle adının Nebahat olduğunu öğrendiğim kadın pek konuşkandı, ölen kızın eşinin Türkiye'de iş bulamadığı için Çin'de çalıştığını, babasının da Avrupa'da seyahatte olduğunu, babaya kızının ölümünü nasıl söyleyeceklerini bilemediklerinden, kocasına haber verdiklerini ve bu acı haberi babaya bildirmeyi ona bıraktıklarını, ölen kızın kocasının cenaze için geleceğini hep o anlattı.

Komutan birkaç soru sordu. Kazayı gördüğünü söyleyen ve aynı mayoyu giyen kızı tanıyorlar mıydı mesela? Yine sazı kadın aldı eline. Ölen Derya'nın hiç arkadaşı yokmuş, biraz huysuz biriymiş kendisi. Zaten babasının yanına gelmeden önce hep yurt dışında yaşamış. O yüzden Türk arkadaşı da yokmuş pek. Komutan bunun üzerine, ölen kızla kocası ile arasının nasıl olduğunu sordu. Bilemezlermiş, çünkü karı koca Karaburun'da kendi evlerinde yaşıyorlarmış. Hakan Bey yurt dışında iş bulunca hemen gitmiş.

Karısını niye götürmemiş? Eşi istemiş ama Derya Hanım gitmemiş. Neden? Bu soruyu kadın, söyledim ya, huysuz bir kızdı diye yanıtlarken, kocası Recep "Çünkü Hakan Bey önden gidip yerleşecekti, çocukla Derya Hanım ev hazır olunca, sonradan gideceklerdi," diye cevapladı.

Komutan aynı soruları üst üste tekrarlarken, içime sıkıntılar bastı ama sabırla bekledim ve nihayet sorgulama bitti. Bekçiyle karısı küçük kızı teslim almak üzere, arka tarafa geçtiler. Ben de kapının önündeki eski yerimde sigaramı içerek onları beklemeye başladım ki, İbo'yu yine karşımda buldum.

"Bu da mı tesadüf oldu İbo?" dedim.

"Bu sadece isabetli tahmin, komiserim."

"Ne istiyorsun yahu?"

"Tek bir şey kom... müdürüm. Eğer siz bu öldürülen kadının evine gidecekseniz, ben de size eşlik etmek istiyorum."

"Nedenmiş o?"

"Şimdi bunlar beni tek başıma kapıdan içeri sokmazlar. Ama sizinle birlikte gelirsem, sonraki seferlerde beni içeri kabul ederler ben de böylece rahatça araştırmamı yaparım."

"Ne araştırması be oğlum? Polis misin? Jandarma mısın? Savcı mısın? Nesin ki sen?"

"Siz demediniz mi bana, bebek çetesi bile olabilirler diye... Araştırmanı yap, dediniz. Çözersen polis teşkilatına bile... şey dediniz... demediniz mi?"

Dedim mi sahiden? Bu yapışkan İbo'yu başımdan atmak için başka neler saçmaladım acaba? Aklım başımda değil ki benim! Aklımın çoğu elimizdeki çözülemez sorundaydı, kalanı da ablamdaydı, şimdi bir de bu Esra çıktı başıma! Sadece çıkmakla da kalmadı, listemin en başına yerleşti, çünkü zavallı kızın başı benim yüzümden dertte! Benim yanlış değerlendirmemden, dışarda ona zarar verecek kimse kalmadı zannetmemden! Bu yüzden öldü gencecik bir kadın! Ölen, Allah korusun Esra da olabilirdi."

"İbo, çek git başımdan!"

"Ağzımı açarsam iki gözüm önüme aksın. Sadece eve kadar gelip sessizce yanınızda durayım."

Ben İbo'yu yanıtlayamadan karı-koca kapıda gözüktüler. Uyuklayan çocuğu adam kucağına almış, kadın peşinden geliyordu. Yanlarına yaklaştım, "Recep Bey," dedim, "sizinle özel olarak bir görüşmem daha olacak. Ben Uluslararası Cinayet Masası'ndan Vural, demin içerde soruşturmadaydım..."

"Evet, biliyorum."

"Benim de birkaç değişik sorum olacak. Malum Derya Hanım yurt dışında yaşamış, bazı bilgilere ihtiyacım var. İçerde sormadım, çünkü bu benimki ayrı bir bölüm."

"Buyurun sorun."

"Sokakta olmaz. Taksiye binelim, evinize kadar geleyim çünkü taksi şoförünün de yanında konuşmak olmaz. Buyurun, eve varana kadar siz benim misafirim olun takside, eve varınca da ben bir kahvenizi içerim artık."

Hemen duraktaki taksiye işaret ettim. Karı-koca çocukla arkaya bindiler, ben şoförün yanına otururken İbo yetişti, kolumu tuttu, "Müdürüm, ben motorumla takip ederim sizi," dedi. Yüzüne dik dik bakıp, kapattım kapısını taksinin.

Yola düzüldük. Anayolda epey bir gittikten sonra, ıssız bir yan yola saptık, virajları dönerek ilerledik. İbo pes edip dönmüştür diye düşündüm ama, demir kapının önünde Recep'in kapıyı açmasını beklerken, İbo'nun motorunun sesini duydum.

"Biri geliyor," dedi Recep.

"İbo'dur," dedim ben.

"O da polisten mi?" diye sordu Recep.

"Polis muhabiri," demekle yetindim. Taksi şoförüne beni beklemesini söyledim, biz bahçede eve doğru yürürken, peşimizden yetişti İbo.

İçerde şömineli bir salona buyur edildik. Nebahat çocuğu yatırmaya gitti, ben de Recep'e yol boyunca kafamda evirip çevirdiğim gereksiz soruları sordum. Derya'nın ülke dışında tanıdıklarına odaklı sorulardı çoğu ve elbette Recep bu soruları yanıtlayamıyordu.

Bir ara ilkokul çağında toraman bir oğlan geldi yanımıza.

"Sen bizi evde bekle," dedi Recep. Oğlan oralı olmayınca, kaşlarını çattı, sert bir sesle "Haydi, dedim, sağır mısın!" diye azarladı. Belli ki çocuk azarlanmaya alışık değildi, dudağını sarkıtıp yüzünde şaşkın bir ifadeyle odadan çıkarken, Nebahat kahvelerimizle geri geldi. İbo'ya da pişirmiş.

Kahveleri içerken de birkaç soru Nebahat'a sordum. Dikkatini çeken herhangi bir durum var mıydı? Yurt dışından gelen gidenler oldu mu? Sorular bitince kızın pasaportunu görmek istedim. Nebahat yukarı kata koşup getirdi. Karıştırdım pasaportu. Aaa! Hiç beklemiyordum, geçerli Çin vizesi var! Körün istediği bir göz, Allah verdi iki göz!

Bu evdeki işim, o an bitti!

"Haydi bakalım İbo, daha fazla rahatsızlık vermeyelim," dedim ben.

Kalktık. Kapıdan çıkarken Recep pasaport diyecek oldu. "Ben de kalsın, giriş çıkışları inceleteceğim," dedim, "işi bitince postalatırım size."

"Ne işimize yarayacak ki, sahibi kullanamadıktan sonra," dedi Nebahat. Akıllı bir kadın bu!

Beni bekleyen taksiye kadar Recep, İbo ile bana eşlik etti.

"Kahveye çok teşekkür ederim Recep Usta," dedi İbo, "karınız da bir kahve ustası. Hayatımda içtiğim en lezzetli kahveydi."

Recep şaşırdı, "Öyle mi?" diye sordu.

"Evet, evet! Ben kahve düşkünüyümdür. Hanıma özel teşekkürlerimi iletin."

"Afiyet olsun."

Ulan İbo, dedim içimden, ulan İbo bir av peşinde olduğunu sanıyorsun ama ellerin boş kalacak oğlum!

Recep demir kapıyı kapattı, kapıyı içerden kilitlediğini ve eve koşan ayak seslerini duyduk.

Ben taksiye binerken, "Gördünüz işte sözümü tuttum, içerde ağzımı açmadım müdürüm," dedi İbo.

"Ama dışarda iyi saçmaladın İbo," dedim, "neydi o yağ çekmeler? Neyse dikkatli sür, yol çok karanlık. Haydi eyvallah!" Kapattım arabanın kapısını.

"Nereye beyim?" diye sordu şoför.

Ceketimin yan cebindeki pasaportu iç cebimde iyice emniyete alırken, "Limana çek," dedim, oradaki balıkçıların birinde, bir duble rakıyla bir trançayı hak etmiştim, doğrusu!

Buzlu rakımdan birkaç yudum alınca kafam daha iyi mi çalışmaya başladı nedir, arabada Esra'yı İstanbul'a uçurana kadar nerede barındırabileceğimi düşünüp durmuştum, şimdi masada birden Meral'in Urla'da bir küçük oteli olduğunu aklıma geldi! Meral'le aynı yıl mezun olmuştuk, cin gibi akıllı bir kızdı, iyi polis olacaktı ama âşık olduğu genç, polis olmasını istemediği için iki yıllık bir çalışma döneminden sonra evlenirken istifa etti. Kocasının yaşadığı İzmir'e yerleşti. Bir ara Almanya'ya gittiler, işleri beklediği gibi gitmemiş kocasının, döndüler, Urla'da bir küçük otel işletmeye başladılar.

Biz aynı dönemin birkaç yakın arkadaşı, beşinci mezuniyet yılımızı, hafta sonuna denk düşürüp bir tatil köyünde kutlamıştık. Meral de katılmıştı kocasıyla. Onuncu yıl kutlamamızı onun otelinde yapmamızı önerince, nöbetleri ayarlayıp bir hafta sonunu bu kez de onun otelinde geçirmiştik. Urla'nın içinde eski bir Rum evini beş odalı bir butik otele dönüştürmüştü ve evin merdiven basamakları gibi birkaç kat aşağı inen, çok şirin bir bahçesi vardı. Birinci basamağın çardağında, binbir çeşit reçel ve yerel peynirlerle zengin bir kahvaltı sunuluyordu. Tüm bu özelliklerine rağmen, Meral otelin iş yapmadığından şikâyetçiydi çünkü tatile gelenler denize yakın yerlerde kalmayı tercih ediyorlarmış. Bu gözden uzak otel, Esra'yı uçağa bindirene kadar harika bir saklanma yeri olabilirdi... Eğer otel hâlâ açıksa!

Telefonumda Meral'in numarasını aradım. Bulamadım. Otelin adını hatırlamaya çalıştım... Öykü müydü... yok, Masal'dı galiba! Çok emin değildim ama internette Masal Otel'i aradım, şans işte... Bulunca hemen telefon ettim. Bezgin sesli bir erkek bana otelin kapalı olduğunu söyledi. Ben aslında Meral Hanım'ı arıyordum, numarasını kaybetmişim, dedim. Veremem numarasını, dedi. Kendisini arayın ve Komiser Vural tarafından arandığını söyleyin, o beni arasın. Lütfen, çok önemli, diye ısrar ettim...

Az sonra telefonum çaldı. Ucunda Meral! Uzunca bir nasılsınız sohbetinin sonunda, derdimi anlattım Meral'e. Birkaç gece, gözden uzak bir yerde kalmak zorunda olan genç bir kadın vardı da... Hemen anladı ama yanlış anladı! "Otel müşteri olmadığı için kapalı ama sen iste, odanı hemen temizletirim, istediğin kadar kal... kalın yani... romantik yerdir benim otel," demez mi!

"Ben kalacak değilim Meral," dedim, "Bir yakınımı şey edeceğim. Yani o tek başına kalacak kısa bir süre."

"E madem senin yakının, ona da gözümüz gibi bakarız. Başımın üstünde yeri var! Zamanıydı yani Vural, geç bile kaldın! Güzel mi?"

Meral'i düzeltmeye üşendim. Ne anlatacaksam, sonra anlatırdım. Savcı, Esra'yı saldığı takdirde, onu Urla'dan çıkarana kadar tehlikeden uzak tutabileceğim bir yerim vardı şimdi. Önemli olan da buydu!

"Güzel," dedim, "aynı zamanda akıllı, sabırlı, eğitimli muhteşem bir kız!"

Nasıl yaptım bunu ben! Çok mu çabuk içmiştim rakıyı? Yoksa çok mu yorgundum, içime hapsetmekten duygularımı?

David

Bundan böyle kalbin Ada için çarpmalı.

Madem masallarda hırçın ve huysuz perilerin lanetlediği bahtsız çocuklar var, hayatta da yaratılırken tanrıların ters bir gününe rast gelmiş insanlar olmalı.

Ben onlardan biriyim işte! Hayatı sürekli kötü giden adam!

Üstelik başıma gelen onca kötülüğün hiçbirini zerre kadar hak etmedim. Hani diyemiyorum ki, ey Tanrı'nın David kulu, zırlayıp durma çünkü sen şunu yapmamış olaydın, başına bu gelmeyecekti! İçki içtiğim bir gece, mesela, araba kullanırken kaza yapıp karımın ve çocuklarımın ölümüne sebebiyet verseydim, şikâyete hakkım olmazdı! Ama hayır, öyle olmadı, karımın ve çocuklarımın bindiği uçak düştü. Püf! Bir anda yok oldu güzel ve mutlu ailem!

Yıllarca yas tuttum. Hiçbir şeyden zevk alamadan ot gibi yaşadım!

Sonra... yıllar sonra bir kadın tanıdım. Tıpkı benim gibi feleğin ağır bir sillesini yediği mahzun bakışlarından belli, kırılgan, zarif, adeta şeffaf, ipek bir kadın.

Tüm duygulara kapalı gönlüm, canlandı. Sevdim onu, çok sevdim.

Yaşadıklarımızın üzerine kalın bir perde çektik ikimiz de, ve evlendik. Ona tatmadığı tatları tattırmak, görmediği güzellikleri göstermek, onu bildiği gezdiği şehirlere değil, hiç gitmediği diyarlara götürmek, duymadığı müzikleri dinletmek, hep bir ilk yaşatmak ona, yaralarını sarmak, mutlu etmek istedim.

Bali'ye gittik. Binbir turistin başına gelmeyen, bizim başımıza geldi. Cennet gibi bir sahilde Denge sineği soktu ikimizi de. Hastaneye kaldırıldık. Sevgilim ona doyamadan, elimde öldü.

Sevgili karımın kızı yattığımız hastaneye geldi, annesinin tabutunu ve halsizlikten yürüyemediğim için tekerlekli sandalyeye mahkûm olan beni yüklenip, memleketine, babasının bir Ege köyündeki evine götürdü. Annesini köy mezarlığına gömdük. Ben babasının bağ evinde bakıma alındım.

İtiraz edecek mecalim olsa, edecektim. Karımın eski kocasının evinde kalmak, olacak iş değildi. Ama çok hastaydım. Üç kelime konuşsam yoruluyordum. O evde işte bana merhametle, sevgiyle baktılar, beslediler, yedirdiler, içirdiler.

Günden güne güçlendim, kuvvetlendim. Onlar bana iyilik yaptıkça ben de gayrete geldim, eriyen kaslarımı güçlendirmek için egzersizler, yürüyüşler yaptım ki karımın mezarını her gün ziyaret edebileyim. Onu dünyanın öte ucuna götürüp hasta ettiğim, ölümüne sebep olduğum için, ondan her gün özür dileyeyim. Bağ evinde, hem karıma yakınım diye hem de Londra'da tek başıma kalıp, hatamla yüzleşmeyi göze alamadığımdan, bir yıl boyunca kaldım.

İyice güçlendikten sonra, utanmaya başladım. Karımın ilk eşinin evine yanaşma kedi gibi yerleşmiştim. Evin çalışanlarından ve üvey kızımla babasından başka kimse bilmiyordu kim olduğumu ama zaten eve de kızın sevgilisi olduğunu tahmin ettiğim gençten başka kimse girip çıkmıyordu. Bu baba-kızın ziyaretçileri, dostları yoktu. Belli ki ev sahibi İlhami de hayata bilmediğim nedenlerle küsmüş, İstanbul gibi bir metropolden kaçıp ıssız bir köye sığınmış bir garip adamdı. Ben hiç sormadım, o da hiç anlatmadı hikâyesini. Karımdan duyduğum kadardı hakkında bildiğim. O kadarcık bilgi de fazla sorgulamama maniydi zaten.

Derya sevgilisiyle birlikte yaşamak üzere Karaburun'a taşındıktan sonra, yeni rekolteleri tadacağız diye diye, içkiyi fazla kaçırdığımız bir gece dinledim hikâyesini. Benim ülkemde olağan sayılacak bir hikâye burada tabu sınıfına girebildiği için, bir daha da hiç açmadık konuyu.

Ama İlhami ile dostluğumuz o geceden sonra, bana daha da perçinlenmiş gibi geldi ki, zaten boşandığı eşinin kocası olmamdan rahatsızlık duyması bir yana, evdeki varlığımdan memnun bir hali hep vardı.

Uzun geceler boyunca bazen üzümlerle ilgili okuduklarımızı konuşuyor, tavla ve satranç oynuyor, bazen de hiç konuşmuyor, şaraplarımızı içerken kulaklıklarımızdan müziğimizi dinliyorduk. Önemli konumuz ise, artık benim de kızım sayılan Derya'ydı.

Derya, Derya'nın Hakan'la olan ilişkisi, bu ilişkinin nereye varacağı, evlenmeyi düşünüp düşünmedikleri, evlenirlerse şehre taşınıp taşınmayacakları... bunlar birlikteyken sık konuştuklarımızdı.

O günlerinden birinde, Derya ve Hakan evlenme kararı aldılar. Evleneceklerini ev halkına müjdeledikleri günün ertesinde, ben de onlara vatanıma dönüş yapacağımı söyledim. Çocukların para sıkıntıları vardı, belki babalarının yanında oturmak isterler diye düşünmüştüm. Zaten ne yapıyordum ben burada, Tanrı aşkına! Çok hastayken çaresizlikten yerleştiğim bu evde sonsuza kadar kalamazdım, üstelik artık çaresiz filan da değildim, iyileşmiştim. Karımın mezarının yakınında olmaksa derdim, köyde bir ev tutardım kendime! İnsanların iyi niyetini istismara hakkım yoktu!

Bana en büyük itiraz Derya'dan geldi. Madem onlar Hakan'ın Karaburun'daki evinde yaşamaya devam edeceklerdi, ben niye gideydim ki eğer burada hayatımdan memnunsam?

Babasının yeniden derin bir yalnızlığa gömülmesini istemiyordu, çok rica etse kalamaz mıydım? İlhami kızına bana karışmaya hakkı olmadığını söyledi. Onların esiri değildim ki, madem dönmek istiyordum, elbette gidecektim.

İlhami'ye beni yanlış anladığını aslında ölene kadar bu evde kalmak istediğimi, dünyayla yüzleşmeye hazır olmadığımı söyleyemediğimden, yeni evliler balaylarından dönene kadar biraz daha kaldım bağ evinde, onlar arabalarıyla Karadeniz kıyılarını batıdan doğuya tarayıp dönünce, önce sevgili karımın mezarına gidip onunla vedalaştım, ardından da yeni ailemle helalleşip yurduma, yalnızlığıma, gayesizliğime, çaresizliğime döndüm!

İlhami ile sık sık mesajlaşıyorduk. Yazışmalarımız çoğunlukla üzümler üstüneydi. Ara sıra da Derya'dan haber veriyor, kocasıyla birlikte hafta sonlarını bağ evinde, onun yanında geçiriyorlar diye seviniyordu. Ben gittikten sonra çok yalnız kaldığının farkındaydım. Bunu ifade ediyor ama bana dön diyemiyordu çünkü iki orta yaşı geçmiş erkeğin, aralarında bir ilişki de yoksa, aynı evde hayatı paylaşmaları hiçbir formata uymuyordu. Çocukluk, gençlik, okul veya askerlik arkadaşı değildik. Meslektaş değildik. Akraba değildik. Hani sevgili olsak, yine anlaşılır bir yanı olurdu! Ama biz sadece kaderin bir ölümden dolayı, yaşlanmaya yüz tutmuşken bir araya getirdiği iki erkektik. Tek bağımız aynı kadının kocaları olmamızdı ki, bu gerçek aynı evde yaşamamızı dışarıya karşı daha da zorlaştırıyordu.

İlhami ve ben, feleğin tokadını yemiş suratlarımızı ne kimseye göstermek ne de acılarımızı kimseyle paylaşmak istiyorduk. Birbirimize dahi anlatmamıştık yaşadıklarımızı. Tek arzumuz yalnız kalmak, kendi yağımızla kavrulmaktı. Evet, sanırım bizi beraberken mutlu kılan da sadece buydu; yalnızlığımızı paylaşmak isteği!

Bir yıl kadar sonra, ben bağ evine geçerli bir nedenle, Derya'nın doğumu için geri döndüm.

Derya doğumu çok yakınken karnındaki bebeğini kaybedince, hem ona hem de İlhami'ye destek olmak için yine uzun kaldım. Bu acıyı birlikte göğüslediğimiz, Derya'yı birlikte teselli ettiğimiz o günlerde, İlhami ile daha da yakınlaştık, adeta iki kardeş kadar yakın olduk.

Urla'dan sonraki ayrılışlarım, İngiltere'deki banka hesaplarımın talimatlarını imzalamak, bir yakınımın cenazesinde katılmak ya da yine bir akraba nikâhında bulunmak gibi nedenlerle, kısa süreli oldular. Ben bağ evinin sakinlerinden biriydim artık! Yeni bir ailem vardı.

Bu arada İlhami ile bağcılığı geliştirmeye karar vermiştik. Benim de katkımla İlhami'nin bahçesine komşu arazinin de bir kısmını kiralayıp bağ haline getirdik, dışardan değişik tohumlar aldık, yeni dikimler yaptık.

Böylece bir de iş sahibi olmuştum.

Akşamlarımızı bağcılık üzerine araştırmalar yaparak geçirmeye başladık ve işimizi geliştirdik. Bu arada Derya yine hamile kaldı ve bize dünya güzeli bir torun verdi. İlk bebeği dünyaya gelebilseydi, adını benim biricik sevgilim, eşim Eda'dan alacaktı ama o, dünyaya gelmek yerine sadece kendine malum olan bir nedenle, anneannesinin yanına gitmeyi seçti. İki yıl sonra doğan kızına, Eda diyemedi ama o isme yakın olsun diye Ada adını verdi Derya.

İlk aylarda Ada'mızı çok özlediğimiz için İlhami'yle gün aşırı Karaburun'a kadar gidiyorduk. Sonra aramızda konuşup, bu işi abarttığımıza karar verdik. Ziyaretlerimizi haftada bire indirdik. Hafta sonları da Derya getiriyordu bize bebeği.

Ada'nın gelişmesi, ilk dişi, sıralaması, emeklemesi, tutunarak ayağa kalkması, ishali, ateşlenmesi, öksürmesi, hapşırması, hayatımızın sevinci ve endişesi oldu.

Bir endişemiz de Hakan'ın Türkiye'nin siyasi ortamında bir türlü iş bulamamasıydı. Durum Derya'dan çok İlhami'yi üzüyor fakat elinden bir şey gelmiyordu. Damadına bağa ortak olmasını bile teklif etti. Ben mimarım, dedi genç adam, teklifi geri çevirdi... haklıydı.

Derken bir iş başvurusuna olumlu yanıt geldi Şangay'dan. Hakan evini kurmak için Çin'e gitti. Biz de İlhami ile bir yolculuğa çıktık. Napa vadisindeki bağları gezdik.

Amerika turumuzu tamamlamış, gezinin Avrupa ayağından ise vazgeçmiştik, çünkü Derya aniden kocasının yanına gitmeye karar vermişti. Niye kocasıyla baştan gitmediğini benden başka kimse anlayamamış, şımarıklığına vermişlerdi. Son nefesini veren annesinin başında Derya'nın çektiği acıya şahit olan tek kişiydim, ben. Annesini geri döndürebilmek için nasıl çırpındığını, kalbinin ne büyük bir pişmanlıkla dolduğunu, o anı hayatı boyunca unutamayacağını, sadece ben biliyorum. Annesini öldüren mikrobun coğrafyasına karşı yüreğinin derinlerinde bir nefret yuvalanmıştı. Kendi iç hesaplaşmasını yapmak, mantıklı davranmak için zamana ihtiyacı vardı Derya'nın. Biz Amerika'dayken, kocasının yanına gitme kararını bize bildirince, bir an önce yurda dönüp kızını fikrini değiştirmeden yolcu etmek istedi İlhami. Bu yüzden yol rotamızda küçük bir değişiklik yapmak zorunda kaldık. İlk plana göre, Amerika'dan Fransa'ya, oradaki turumuzu da tamamlayınca da İstanbul'a uçacaktık. Ama şimdi İlhami Fransa'da hiç kalmadan, doğru İstanbul'a uçmak isteyince ben de, Fransa yerine Londra'ya uçayım dedim, birkaç akraba ziyareti yapar, bankama da uğrardım.

Her ikimiz de yakın saatlerde kalkacak uçaklarımıza binmek üzere JFK havaalanına geldik. Bir hafta sonra Urla'da buluşmak üzere vedalaşıp, ayrıldık kendi kapılarımıza yöneldik.

Ben ertesi sabah erken bir saatte İngiltere'ye vardım. Havaalanından taksiyle şehre giderken telefonuma Hakan'dan bir mesaj düştü. Okudum.

"*David, korkunç bir şey oldu. Derya'yı bir deniz kazasında kaybettik. Haber kayınpederime Paris'te havaalanında uçağını beklerken ulaşmış, orada kalp krizi geçirmiş...*"

Ellerim titremeye başladı, yanlış mı görüyordum, aynı cümleyi yeniden okudum. Mesajın gerisi bende hayal meyal, sonunda ise kayınpederimi filanca hastaneye kaldırmışlar, sen ilgilenebilir misin, diye yazmış, çünkü kendisi karısının cenazesini kaldırmak üzere Türkiye'ye uçuyormuş!

"Tanrım," diye bağırmaya başladım takside, "Sen ne istiyorsun benden? Benimle uğraşmaktan bıkmadın mı? Benimle alıp veremediğin nedir? Başka kulun kalmadı mı şu koca dünyada acıyla sınayacak? Bir tek David mi var elinde, ha!"

Şoförle aynada göz göze geldik. Aramızdaki cam bölmeyi araladı, "Bir şey mi dediniz beyefendi?" diye sordu.

"Bir ailem vardı benim! Belki kanımdan olmayan ama canımdan bir ailem vardı, onu da aldı elimden. Bu kaçıncı biliyor musun? Çocuklarımı, karılarımı... en kıymetli dostumu şimdi de... Doymuyor bana verdiği acılara! YETEER! YETEEER!"

Arabayı kenara çekip yavaşladı. Korktu galiba. Ben de korktum çığlık çığlığa sesimden. Sakinleşmeye çalıştım.

"Bir vefat haberi aldım," dedim, "kusura bakma, çok sarsıldım. Sen en yakın dönemeçten geri dön, beni geri götüreceksin havaalanına."

"Ama biz zaten havaalanından geliyoruz... siz iyi misiniz?"

Deli olduğumu sanıyordu herhalde.

"Hayır, iyi değilim! Ölüm haberi aldım diyorum sana! Geri dön lütfen... İlk önümüze çıkan sapaktan dönüver."

"Yakınınız mıydı?"

"Evet!"

İngiliz olsa sormaz, ilgilenmez ama şoför fiziğinden ve aksanından belli ki Hindistan, Pakistan veya benzeri bir yerden geliyor. Kocaman kahverengi gözlerinde soru işaretleri var. Yardımcı olmak, acımı paylaşmak, beni teselli etmek istiyor. Ben ise sussun, hiç konuşmasın istiyorum.

Bir şeyler daha sordu bana şoför, yanıtlamadım. Sonra baktım ayıp oluyor, "Kusura bakma dostum," dedim "telefonumdan kendime uçak ayarlamaya çalışıyorum da..."

Sustu. Ben telefonla oynadım bir süre daha. Aklım başımda değildi, aradığım adresleri, siteleri bulamıyordum, ellerim titriyordu.

Bir ara şoförün sesini duydum yine, hangi terminale gireyim diye soruyordu.

İstikamet değiştirip havaalanına geri gelmişiz. Farkında bile değildim.

"Avrupa'ya uçacağım," dedim, "Paris'e."

"Tamam," dedi.

Ben de "Dayan dostum," dedim içimden, "dayan İlhami. Sakın bırakma kendini. Beni bekle. Sen bana nasıl baktınsa ben hastayken, şimdi sıra bende. Ben de sana aynı ihtimamla bakacağım. Atlatacaksın. Yaşamaya değer mi bu dünya emin değilim ama yaşamalısın, bundan böyle Ada için çarpmalı kalbin. Onun ilk adımlarını görmek, ilk sözlerini duymak, sana dede değişinin keyfini çıkarmak için yaşamalısın dostum. Bekle beni, geliyorum! Dayan İlhami!"

Esra

Hayatının benim yüzümden savrulduğunu bilse ne yapardı acaba?

Ben bu filmi daha önce de gördüm! Özel bir araçla, Vural Komiser ile birlikte uçak merdivenine yanaşmamızın ikincisi bu! İlkinde, ben Amsterdam'a anneme gidiyorum zannederek bindiğim uçakta, Antalya'ya babama uçmuştum. Beni yine birilerinden korumak için, İstanbul dışına çıkarıyordu Vural. Uçağa ulaşan merdivenleri, tek başıma kalbim yine böyle küt küt atarak, tırmanmıştım! Ve sürpriiiz! Uçakta, Amsterdam'daki annemin yanında olduğunu sandığım anneannemi bulmuştum! Şaşırıp kalmıştım ama sevinmiştim de! Sanmıştım ki artık ben emniyetteyim. Çocukluğumdan beri, anneannemin olduğu yerde bana hiçbir kötülük erişemez diye inanmışım, çünkü!

Anneannem bir süre benimle Side'de kalıp İstanbul'daki evine döndü. Babamla baş başa kaldık. Hayat devam etti, ben Yeryüzü Doktorları'ndan yanıt bekledim... bekledim! Yanıt bir türlü gelmedi ama babam gitti. Ben de kendi kendime yeteceğimi ispat etmek üzere, aldım başımı Ege kıyılarına geziye çıktım. Sen misin çıkan! Şunu bir kere daha öğrendim: Bundan böyle sen hiçbir yere çıkma Esra! Sen bir fare gibi hep deliğinde saklanarak yaşa!

Tıpkı üç gecedir yaptığın gibi!

Dört gün önce, savcı beni duruşmanın sonunda salınca, Vural Komiser'le bir taksiye bindik ve üzerinde Masal Ev yazan şirin bir binanın önünde durduk. Gerçekten de bahçesinden fışkıran rengârenk çiçeklerle tam bir masal evini hatırlatıyordu. İçeri girince, Pamuk Prenses ve Yedi Cüceler'le karşılaşıverecekmişim gibi hoş bir hisse kapıldım diyebilirim. Bizi Vural Komiser'in sınıf arkadaşı olduğunu konuşmalarından çıkardığım, havalı bir hanım karşıladı. Merdivenlerden inip bahçeye vardık. Bahçe dik bir yamaçta, küçük teraslarla üç ayrı seviyede aşağı doğru iniyordu ve ilk terasta nefis bir pasta ile küçük sandviçlerin bizi beklediği bir çay sofrası kurulmuştu. Yaşadığım kâbustan, harika bir masalın içine mi düşmüştüm ben? Ağzım kulaklarımdaydı. Meral Hanım, buranın sahibiymiş. Kocasının ailesine ait olan bu eski Urla evini bir küçük butik otele dönüştürmüş.

İşte şimdi ben, mahalle içinde ama tamamen gözden uzak ve sakin Masal Ev'de birkaç gün kalıp, Vural Komiser'in benim için yapacağı hazırlıkların bitmesini bekleyecektim.

Doğrusu hiçbir itirazım olmadı.

Otelin bize özel hazırladığı çay faslından sonra Meral Hanım bir sokak ötedeki evine döndü. Vural Komiser'le ben erken bir akşam yemeği için, yine bahçeye kurulan sofraya oturduk. O harika çay ikramından sonra, ikimizin de bir lokma yiyecek hali kalmamıştı. Sadece çorbamızı içebildik ve Vural Komiser bana bundan sonra olacakları anlatmaya başladı. Çok olağan şeyler söylüyormuş gibi sakin, tatlı bir sesle konuşuyordu. Ben bu güzel mekânda onu beklerken, o İstanbul'da benim yeni düzenim için hazırlıklarını tamamlayacaktı. Hazırlıklar bitince beni almaya gelecekti ki, yol boyunca başıma bir şey gelmesin, onun nezaretinde olayım. İstanbul'a kadar birlikte uçacaktık ve beni hemen bir başka uçağa aktaracaktı.

Nereye mi gidiyordum?

Sıkı durun! Dünya insanı oluyordum heyyyt! Çin'e yolluyor beni Vural Komiser!

Koskoca istihbarat bir katili yakalayamadığı için, falımda Çin çıktı benim!

Bravo marifetli Türk polisine!

Ya sonrası! Sonrası şimdilik meçhuldü. Ama Vural Komiser beni almaya geldiğinde, her şey kısa bir süre için, rayına oturmuş olacaktı.

Yutkundum çünkü söyleyecek söz bulamamıştım!

"Hayrola, gözlerin doldu?" dedi bana.

"Yok bir şey komiserim," dedim, kaderime ağlıyorum dememek için!

"Esra, bana komiser deyip duruyorsun ya, ben komiser değilim."

"Aaa! E, nesiniz siz?"

"Polis teşkilatında bir elemanım ama komiser değilim."

"Terfi mi ettiniz, yoksa tam tersi mi oldu?"

"Hiçbiri. Benim masam ayrı."

"Ben ne diyeyim size?"

"Vural de."

"Vural diyemem komiserim, Vural Bey de olmaz, bari Vural Abi diyeyim."

"Beni abi gibi mi görüyorsun?"

"Sizi hami gibi görüyorum."

Şöyle bir baktı bana, hiçbir şey söylemedi. O da beni baş belası gibi görüyordu herhalde.

"Vural Abi, ben Şangay'da ne yapacağım? Nasıl geçineceğim? Ne kadar kalacağım. Bunları bilmeden nasıl giderim."

"Yarın ilk işim, işte bu sorduğun soruların yanıtları için çalışmaya başlamak olacak. Önceliğim seni yurt dışında çok emniyetli bir yere yerleştirmekti... ve işte orası Şangay, Esra! Çin'de çok Türk yaşıyor, aralarında sıkı dostlarımız var. Oradaki konsoloslukla da iyidir aramız. Mutlaka kalabileceğin bir yer, yapabileceğin bir iş ayarlayacağım sana. Her şeyi ayarlamak için bana birkaç gün izin ver, sen de bu arada, burada güzelce dinlen. Sakın dışarıya çıkma. Siparişlerin varsa, kitap, gazete ya da herhangi bir şey, ısmarlarsın resepsiyondaki arkadaşa. Meral de seni sık sık arayacak, söz verdi bana. Her şeyi elbette anlatmadım ona, lazım olduğu kadarını biliyor sadece. Çok konuşma. Aramızda bir ilişki var zannedebilir, aldırma, bırak öyle sansın."

"Aaa! O da nereden çıktı," dedim ben, hafifçe kızararak.

"Düzeltmeye kalkarsak, gereksiz açıklama yapmak zorunda kalabiliriz... Bunu da hiç istemeyiz, öyle değil mi?"

Ona hak verdim. Yemeğin sonuna gelmiştik. Sadece otel resepsiyonunu beklemekle kalmayıp, yemekte servis işine de koşan genç adama Vural bir taksi çağırttı, bana son tembihlerini de yapıp son uçağa yetişmek üzere, havaalanına gitti.

Ben üç gece daha geçirdim Masal Ev'de. Meral Hanım beni her gün aradı, iki kere de birlikte çay içtik. Daha çok onun hayatından konuştuk, kocasının arzusu üzerine polislikten ayrıldığını, bir süre Almanya'da yaşadıklarını filan... Beni ilgilendirmiyordu kadının hayatı ama o bana fazla soru sormasın diye, çok merak ediyormuşçasına ona soru sorup duruyordum. Tek başıma kaldığımda kitap okudum, dizilere takıldım, arka bahçede güneşlendim...

Dördüncü gün, akşam saatlerinde, Meral Hanım arabasıyla gelip beni aldı ve havaalanının CIP salonuna bıraktı. Kontrollerden geçip içeri girdiğimde, Vural Komiser'i beni ayakta beklerken buldum. Konuşmaya pek vakit bulamadan İstanbul uçağına çağrıldık, siyah araçla uçağın merdivenlerinin önüne kadar geldik ve o önde, ben arkada tırmandık uçağa, hostes yerimizi gösterdi.

Business Class'ın en öndeki A ve B koltuklarına oturduk. Hostesin tepside ikram ettiği soğuk içeceklerden aldık.

"Bana bu yerler pek nasip olmaz," dedim ben, "sayenizde bugün lüksüm yerinde."

"Hem senin emniyetin hem de aktarma yaparken kolaylık için, böyle tercih ettim," dedi, "çünkü seni Şangay uçağına sağ salim bindirmem gerekiyor."

"Neden Şangay'a gidiyorum? Hâlâ söylemediniz."

"Bu kadar kısa zamanda, kimseye izini sürdürtmeden seni götürebileceğim tek yer orası, Esra. Şu uçak hayırlısıyla kalkınca sana her şeyi anlatacağım."

"Şimdi anlatın. Merak içindeyim. Kaderime karar verip, beni Çin'e savuruyorsunuz. Nerede kalacağım, orada nasıl geçineceğim... Soru dahi soramıyorum."

"Her şeyi ayarladım ben."

"Bana hiç danışmadan..."

"Vaktin yok! Gazeteler çarşaf gibi verir kaza haberlerini. Ölen kişinin sen olmadığını anladıkları an, peşine düşeceklerdir ve..." Ben ellerimle de itiraz hareketleri yaparak susturdum onu, konuşurken sesim titriyordu, zor tutuyordum gözyaşlarımı.

"Ben kime ne yaptım ki ölümü hak ettim?"

"Hiçbir şey yapmadın, ben de işte bu yüzden iş itibarımı tehlikeye atarak seni kurtarmaya çalışıyorum Esra! Çete, taşıdığın diskin içeriğini bildiğini zannediyor ve seni ortadan kaldırmak istiyor. Çabuk davranıp seni onların ulaşamayacakları bir yere göndermek için elimden geleni yaptığımı anlayamıyor musun?"

"Benim için yaptıklarınıza teşekkür ederim ama ben hep böyle kaçak yaşayacaksam, öleyim daha iyi."

"Ölme çünkü sadece birkaç hafta idare edeceksin. Bilemedin en fazla birkaç ay. Ben bu işi çok kısa sürede halledeceğim, inan bana."

"Nasıl emin olabiliyorsunuz Vural Abi? Bu işe bulaşanların hepsi içerdeydi hani! Meğer değillermiş!"

"O içerdekiler bülbül gibi ötecekler Esra!"

"Tanrım! İşkence mi yapacaksınız?"

"Katiyen! Yeni bir iddianame ile karşı karşıya kalmak istemiyorlarsa, konuşmak zorundalar. Ömür boyu hapsi göze alamazlar, konuşacaklar, merak etme! Onlar ötünce de elimle koymuş gibi her neredelerse bulacağım peşinde olanları. Şimdi beni iyi dinle, seni Şangay uçağına ben bindireceğim. Yanında oturanlarla gereksiz konuşmalar yapma. Şangay'a indiğinde konsolosluktan Ahmet karşılayacak seni, doğru kalacağın yere götürecek..."

"Bir otele mi gideceğim."

"Hayır, Ahmet'in evi var şehrin merkezinde, orada kalacaksın."

"Ahmet'le birlikte?"

"Ahmet ve annesiyle. Anneyi memlekette yalnız bırakamadığı için onu da yanında götürdü, ya da anne ona bakmak için... aman ne bileyim, evde bir anne var yani."

"Beni isterler mi?"

"İstememe gibi bir lüksleri yok. Ahmet görevli bir arkadaş. Evinin parası cebinden çıkmıyor."

Kaptan pilotun kalkışa geçmek üzere olduğumuz müjdesi, sesimizin üzerine düşünce sustuk. İyice havalandığımızda ikram tepsilerini dağıtmaya başladılar. Business Class'ta yemek servisi harikaydı. Tabağımda ne varsa silip süpürdüm. Business Class dolu olmadığından, benim için bir tepsi daha rica etti Vural. Çok utandım ama itiraz edemedim. İkinci tepsidekileri de silip süpürdüm ve tuhaf iştahımı Vural'a, gergin olduğum zamanlar midemin kazındığını itiraf ederek açıklamak istedim.

"Doydun mu bari?" diye sordu.

"Hem de nasıl doydum."

"O halde şimdi beni iyi dinle..."

Güldüm, "Şey...Vural Abi, o laf 'Aç ayı oynamaz'dır, 'Aç ayı dinlemez' değil."

O da güldü, "Estağfurullah," dedi, "ayıyı andırır bir yanın yok, maşallah! Esra, lütfen ciddi ol, bunları bilmen gerekiyor. Sen İstanbul'da Şangay uçağına sana ait olmayan bir pasaportla bineceksin."

"Olamaz!"

"Olacak. Seni ben bindireceğim. Ama Şangay'a kendi pasaportunla giriş yapacaksın. Uçakta form doldurturlarsa, kendi pasaportunun bilgilerini yaz."

"Vizem yok!"

"Seni karşılayacak olan Ahmet o işi halledecek, merak etme. Vizeni girişte alacak."

"Binerken vize istemezler mi?"

"Binerken kullanacağın pasaportta vize var."

"Uyduruk bir pasaportla mı... şey ediyorum?.."

"Bir başkasına ait gerçek bir pasaportla sadece kontrolden geçiyorsun. Uçağına bindin miydi kendi pasaportunla devam..."

"Ya uçaktan bir şey olursa?"

"Hiçbir şey olmayacak. Kendi pasaportunla çıkacaksın. Polisten geçerken yanında zaten Ahmet olacak. O her şeyi ayarladı. Şangay havaalanında alacaksın vizeni."

"Niye kendi pasaportumla binmiyorum ki?"

"Çünkü peşindeki herifler, anlaşılıyor ki seni takip ediyorlar. İstanbul'a uçtuğunu izleyebilirler ama ondan sonra kayıplara karışıyorsun, hiçbir çıkış kapısında adın gözükmeyecek. Şangay'a gittiğini ben ve üç kişinin dışında bilen yok. Onlardan biri de seni karşılayacak olan Ahmet. Görevi konsolosluktadır ama bilirsin işte... devletin adamıdır o."

"Yoo, ben bilmem böyle şeyleri."

"Her devletin her ülkede istihbaratı vardır. Ne ayıp ne de yasak bu işler."

"Ne zaman döneceğim, neyle... nasıl geçineceğim?"

"Konsolosluk, Yabancı Diller Üniversitesi'nde sana bir iş ayarlandı. Türkçe öğrenen Çinlilere Türk edebiyatı üzerine ..."

"Aaa, yapamam! Ben yapamam bunu! Edebiyat benim dalım değil! Olmaz! Olamaz!"

"Heyecanlanma hemen! Dinle önce! Türkçenin ileri sınıfındaki öğrencileri her dönem bir kitap okurlarmış. Tek yapacağın, seçtikleri kitabı öğrencilere okutmak, anlamadıkları yerleri açıklamak, telaffuzlarını düzeltmek. Senin sıfatın 'hoca' değil, 'okutman'! Senin döneminde *Kanadı Kırık Kuşlar*'ı okuyor olacaklarmış. Okumadınsa diye yanımda bir tane getirdim. Yol boyunca göz atarsın. Zaten her dönem üç ay sürüyor, sen çok daha evvel döneceksin. Kim bilir, bir bakmışın, bir dönem daha kalmak istemişsin! Çin Yen'i şu sıralar pek güçlü bir para birimi!"

"Şaka kaldıracak halim yok ama bir mucize oldu, adamı buldunuz diyelim, dönem ortasında nasıl geri alırsınız ki beni?"

"Hastalanırsın... Ne bileyim Esra, onu da vakti gelince düşünürüz."

"Anneanneme, anama babama, arkadaşlarıma ne diyeceğim?"

"Ben anneannenle bizzat konuşurum. Annen, baban zaten yolculuktalar. Arkadaşlarını da mesela, şu Sınır Ötesi Doktorlardan başvuruna yanıt alamayınca..."

Kestim lafını, "Sınır Ötesi değil, Yeryüzü Doktorları," dedim.

"Her neyse işte! Ne diyordum... yanıt gecikince beslenme üzerine bir araştırma yapmak üzere Çin'e gittim, paraya sıkışınca da şu okutmanlık işi can kurtaran gibi yardımıma yetişti gibisinden... bir şeyler bul, söyle!"

"Kolaydı sanki yalan atmak!"

"Esra, nasıl kafana esti de kalkıp Ege'ye gittin, yine esti, Çin'e gittin! Olamaz mı? Sen esintili bir kız değil misin?"

Esintili değildim. Aklı başında bir kızdım ben. Ama bu gidişle değil esintili olmak, resmen kaçırmak üzereydim. Gözlerim doldu yine.

"Ne olduğumu artık ben de bilemiyorum," dedim.

"Çektiklerin kolay değil, biliyorum. Ama şunu da sen bil, ben de senin iyiliğin için elimden geleni, hatta daha da fazlasını yapıyorum Esra!"

"Sağ olun Vural Abi."

Uçuş boyunca bana sürekli Şangay'da ne yapacağıma dair bilgi veren Vural, bizi duyan olmasın diye kulağıma eğilmiş, fısır fısır konuşuyordu. Allah bilir, Meral Hanım gibi bizi sevgili zannetmişlerdir hostesler filan.

Uçak piste inip kapılarını açtığında, ilk biz indik. Bizi bekleyen siyah araca binip, dış hatlara gittik. Dış hatlarda, Şangay yolcuları çağrılana kadar, tıpkı geçen sefer olduğu gibi, içinde bir masa ve birkaç iskemle olan bir küçük boş odada bekledik. Sonra Vural çantasından siyah bir bez torba çıkardı, bana verdi. İçinde Şangay'a ve okutmanlık yapacağım üniversiteye dair broşürler bir de *Kanadı Kırık Kuşlar* romanı varmış. Torbayı omuzuma taktım. Yola düzüldük. Biletimle yerimi belirten uçuş kartımı bana verdi, sahte pasaportum ondaydı. Uçağa herkesin girdiği kapıdan değil, bir başka kapıdan geçmiş olmalıyız çünkü pasaport kontrolü yapan üniformalı memurun bulunduğu yerde bizden başka kimse yoktu. Pasaport işlemini Vural yaptırdı, ben geçerken "İyi yolculuklar Derya Hanım," dedi memur. Geçtim, Vural yanıma gelince sordum.

"Bana Derya diye hitap etti, memur. Pasaportta o isim mi var?"

Pasaportu cebine sokarken, "Öyle mi dedi?" diye geçiştirdi Vural.

"Bana vermeyecek misiniz pasaportu?"

"Gerek yok. Bundan sonra kendi pasaportunu kullanacaksın dedim ya!"

"Göreydim bari."

"Acelemiz var... haydi." Kolumdan tuttu hızlandırdı beni. Uçağın kapısına kadar birlikte geldik. Kapıda bana sarıldı, "Kendine dikkat et Esra, yanındaki yolcularla mümkün olduğu kadar az konuş," diye yine tembih geçti bana.

"Tamam," dedim ben, "çok ama çok teşekkür ederim Vural Abi, beni Çin köşelerinde unutma e mi!"

"Seni unutmak ne mümkün!"

Doğru, başının belası oldum zavallı adamın, unutmasına fırsat vermiyorum ki!

Girdim uçağa. Biniş kartıma bakıp, yerime yürüdüm ama orada başka biri oturuyordu. Telaş içinde hostesi buldum, yerimde bir Çinlinin oturduğunu söyledim.

"Uçak değişikliği oldu son anda, o yüzden bilgisayar yeni biniş kartları ayarladı," diye bilgi verdi hostes, "uçağa binerken size yeni kartınızı vermediler mi?"

Ben normal kontrolden geçmedim diyemediğimden, geç kalmıştım gibisinden bir şeyler mırıldandım.

"Adınız?"

Şimdi ne diyeceğim ben? Derya mı, Esra mı? Bayılacağım galiba... Elimi kalbimin üzerine koydum, herhalde yüzüm bembeyazdı, "Astım krizi... şey..." diye geveledim yine ve çöktüm bir boş koltuğa, derin nefes alıp vermeye başladım. Hostes elimdeki kartı çekip aldı, kendi listesiyle karşılaştırdı, "Bu bende kalsın, size yeni kartınızı getireceğim," dedi ve aceleyle gitti. Çok çabuk geri döndü, beni ortadaki üçlü koltuk grubuna yönlendirdi, koridor koltuğuna oturttu, yeni kartımı bana verirken sordu, "Uçak korkunuz mu var?"

"Evet... Nefes darlığımı tetikledi."

"İyi misiniz şimdi? İnmek ister miydiniz?"

"Yoo! İyiyim çok iyiyim de... ben cam kenarındaydım," diye mırıldandım.

"Bilgisayar ailelere göre oturtma yapıyor, burayı vermiş size. Uçak korkunuz varsa, cam kenarında oturmayın zaten."

Hiçbir şey anlamadımsa da ses etmedim. Yerleştim yerime. Biniş kartıma göz attım, tanımadığım bir soyadı, Seymen!

Kartı siyah torbaya atıp, içindeki broşürleri çıkarttım, ilgiyle incelemeye başladım. Yolcular uçağa girmeye devam ediyorlardı. Ben broşürlere dalmıştım ama birilerinin yanıma yerleşirken yaptıkları gürültü dikkatimi dağıttı. Eyvahlar olsun, bir bebek sesi! Artık rahat huzur olmaz uzun yol boyunca. Başımı kaldırıp bakmadım ama sanki tanıdık geldi bebeğin çıkardığı sesler, demek bebek milleti kendi ana dilini öğrenene kadar hep aynı dili konuşuyor! Gag-gugların tonu yükselince dönüp baktım, genç bir adamın kucağındaki bebecik kollarını bana doğru uzatıyordu.

Aguli!

Sahildeki bebek!

Allah'ım! Allah'ım! Olamaz! Ne alaka yani, ne işi var bu uçakta?

Annesi bana babamız Uzak Doğu'da mı demişti? Kafam karmakarışık, hatırlamıyorum, ama baba-kız bu uçakta olduklarına göre, demek ki öyle!

Bunu yapmamalıydın bana kader! Annesinin ölümüne sebep olduğum bebeciği yanıma oturtmamalıydın! Üstelik Aguli yine kucağıma gelmek istiyordu. Bense oturduğum koltukta erimek, buharlaşmak, yok olmak istiyordum. Babası olduğunu tahmin ettiğim adam, eşyalarını rafa yerleştirirken bebeği yanımdaki koltuğa bıraktı, o da yüzünde kocaman bir gülücükle ayaklanıp omzuma başını gömdü.

"Hanımefendiyi rahatsız etme Ada," dedi adam.

"Yok rahatsız etmiyor beni," dedim kendime bile yabancı gelen bir sesle. Üzerime tırmanan bebeği mecburen kucağıma aldım.

"Yerleşeyim, onu öteki tarafa alacağım... Eşyamız fazla bir türlü sığamadık rafa."

"Benim fazla eşyam yok, benim tarafı da kullanın istediğiniz gibi," dedim ben.

"Sağ olun."

Yerleşme uzun sürdü. Nihayet adam çocuğunu kucakladı, bir ötedeki koltuğa bağladığı bebek iskemlesine oturttu, iskemleyi emniyete aldı ve yanıma yerleşti.

"Verdiğimiz rahatsızlık için özür dilerim," dedi.

"Rica ederim, çok şeker bir bebek."

Ben başımı elimdeki broşüre eğdim. Sanki yüzüme bakarsa, karısının benim yüzümden öldüğünü anlayacakmış gibi, uçak kalkana kadar aynı sayfayı belki yirmi kez okudum başımı hiç kaldırmadan.

İyice havalandığımızda, kalkıp bir boş yer bakınacaktım kendime. Babası bebeğin gürültüsünden kaçtığımı sanacaktı... Olsun varsın, neden kaçtığımı hiç bilmesin de!

Tamam, o bilmesin ama ya ben? Ben, ömrüm boyunca benimle aynı mayoyu giyen kadına motorun çarptığı anı hatırlayarak, onun benim yüzümden öldüğünü bilerek yaşayacağım! Katili bulunsa dahi fark etmeyecek bana! Vural, benim yerime onu öldürenleri yarın bulsa neye yarar? Giden gitti! Ben kendi vicdanımda asla temize çıkmayacağım. Kendimi asla affetmeyeceğim. Asla, asla, asla!

Sanıyorum elimde olmadan bir gözyaşı süzüldü dudağıma doğru. Telaşla adam gördü mü diye yanı başıma baktım ve karısını yeni kaybettiğini bildiğim adamla göz göze geldim. Gözlerinde derin bir keder vardı. Gözyaşlarını içine akıttığını, yüreğinin kan ağladığını sezdim. Hayatının benim yüzümden savrulduğunu bilse, ne yapardı acaba!

İbo

Bu iş bende çözülür.

Böyle bir fırsatı yıllarca bekledim ben. Cinayet bekledim yani. Öyle beş paralık yankesicilerin çaldığı cüzdanların, çalıntı cep telefonunun peşinde koşturacak adam değilim ben!

Allah muhafaza, esrardı, ottu, haptı... o işlere de bulaşmam. Adamı vuruverirler, Allahları yoktur onların, neden, çünkü ucunda para var!

Ama cinayet temiz iş!

Cinayet işleyen kıçı kurtarmaya bakar, ayağına bir başka ölü daha takılsın özellikle istemez. O yüzden cinayeti kurcalamanın pek tehlikesi olmaz. Sonra bir katili ortaya çıkarmayı vicdan işi sayarım ben. Cinayetin failini buldun muydu, insanlık adına bir şey yapmış oluyorsun. Hem ilahi hem de hukuki adalete katkıda bulunuyorsun. Sevabına yazılıyor!

Can alan cezasını çekmeli, kardeşim!

İşte tüm bu saydığım nedenlerle, bu iş bende!

Jandarma erinin ağzı sıkı çıktı. Sigara ikram ettim de birkaç laf aldım ağzından, İstanbul'dan gelen bizim Vural Komiser, cinayet için siyasi bir iş demiş. Devlet sırrı filan diye saçmalamış ama komutan da, bu illa bir kadın meselesi, yani adi cinayet, diyormuş. Çocuğu olmayan bir kadın, diğerinin bebeğini çalmak için öldürmüş olabilirmiş. Mantığı onu söylüyormuş komutanın. Ama aynı komutan, daha önce gözaltındaki genç kadının bebeğinden kurtulmak için numara yaptığını zannettiğini de söylemiş.

Her birimiz bu ülkede yıllardır bir öyle bir böyle söyleyenlere alışık olduğumuzdan, er de ben de garipsemedik komutanın tutumunu. Nitekim komutan, daha sonra denizde bir kadın cesedi bulundu diye haber gelince, yine fikrini değiştirmiş.

Anladım; hafiye ruhu yok bu komutanda! Oysa bizimki, yani Vural Komiser Müdürüm, kaç yıldır peşinde dolanırım, bir kez yanlış nota çalmadı! Ne dediyse öyle çıktı. E, benim de canım kurban böylesine! Ayrıca iyi adamdır Vural Komiser. Ben ona güvenirim. Çok elimden tuttu muhabirlik günlerimde. Şimdi niye yanıltsın ki beni? Madem bana bir kapı açtı, yürüyeceğim bu işin üstüne. Hazır böyle bir balık kucağıma düşmüşken ve gazeteci kimliğim de hâlâ elimdeyken, bari bir işe yarasın. Bir de bakmışım çözmüşüm düğümü!

Vallahi kırmızı mühürlü davetiyeyle çağırırlar beni en baba gazeteye! Ama ben bu cinayeti sadece iş bulmak için değil, insaniyet namına da çözmek istiyorum.

Vural Komiser'in söylediklerini düşündükçe katile fena bozuluyorum. Vay hain vay, yahu! Haydi çocuğu çalacaksın, kadını niye öldürüyorsun kardeşim? Gencecik kadınmış, yazık günah değil mi? Yaşasaydı, elbette üzülürdü ağlardı ama nihayetinde gün gelir hayatına bakardı, yapardı bir çocuk daha! Kadını niye öldürüyorsun sen, ey insafsız!

Haydi İbo, kurup durma da eyleme geç, dedim kendime ve bana bunları anlatan eri biraz daha kurcalamaya, ağzını aramaya karar verdim. Sigara ikramıyla bir yere kadar... başka numaralar da var bende! Bu tür saftirikleri en sonuç aldırıcı numaraya başvurdum. Telefonumdaki açık saçık giyimli karı resimlerini şöyle bir gösterdim önce, acaba kadına çarpan motorda bunlara benzeyen biri var mıymış bahanesiyle. Ben motordaki kadını görmedim ki, demedi, dikkatle baktı, ne yapsın garibim! Al şunu da sen bir incele, acele etme, dedim. Ben de onun omzunun üzerinden sarkmış karıları izlerken, bak şu karı tam benim tipim, bu hiç değil ama şu sarışın iyi, esmer daha da iyi gibisinden bir sohbet eşliğinde, keyfini çıkararak iki kez gittik geldik resimlerin üzerinden. Böylece arkadaş olduk! Bu resimlerle dolu dergilerden çok var bende, istersen veririm sana, dedim. Yok istemez, dedi. Yan cebime koy! Ben getireyim de, isteme sen!

Neyse, sigaraydı, resimdi, laklaktı... dili çözüldü azıcık, hiç delil yokmuş ellerinde. Bu yüzden salmışlar dün geceyi nezarette geçiren kızı. Kız motoru görmüş ama kim kullanıyor görememiş, sadece turuncu bir şey varmış üzerinde motoru kullananın. Başında da bir kasket. Yemin billah ediyormuş ki, o motor çarpmış kadına! Komutan çok bozulmuş savcıya kızı saldığı için. Mutlaka bir yamuk vardı o kızda diyormuş. Ama savcı delil yok diye, araştırmalar biraz daha şekillenene kadar, yurt dışına çıkmamak kaydıyla bırakmış kızı.

Kız savcıya söylemediğini bana söyleyecek değil ya, onunla vakit kaybetmekten vazgeçtim.

Benim ilk işim o motor kime ait ya da nereden kiralanmış... bu sorulara yanıt aramak!

Haydi İbo, göreyim seni oğlum, dedim. Yaz deftere soruları, bul yanıtlarını... Pes etme çünkü bu işin ucunda ışık görünüyor. Ya bir organ çetesini filan ortaya çıkaracaksın, vuracaksın turnayı gözünden ya da siyasi masanın adamları büyük işlerin peşinde koşarken sen sıradan adi bir cinayeti çözeceksin! Elin boş kalmayacak yani! Her iki ihtimalde de cillop gibi roman konusu var! Bir gazeteye kapılanamazsan, belki bir yayıncıya kapılanırsın, dedim. Yediden yetmişe yazmayan yok bu ülkede, benim başım kel mi?

Vakit kaybetmeden işe koyuldum.

Ölen kadının hangi noktada denize girdiğini, o gün neler olduğunu en ufak ayrıntısına kadar, koydaki otelin temizlikçilerinden öğrenmek üzere, önce motosikletime atlayıp kazanın olduğu plaja gittim. Boynumda fotoğraf makinem asılı, fotoğraf çekeceksem telefon ne güne duruyor da, havalı olsun diye hani! Bizim halkımız konuşmayı da fotoğraf çektirmeyi de sever. Gazeteci kimliğimi gösterince, gazetede resimlerinin çıkma ihtimali katlandı, o gün vakayı gören ve duyan tüm temizlikçi teyzelerin dili çözüldü. Anlattıklarını kaydettim.

Otelin garsonlarına da buraya gelebilmek için nerelerden deniz motoru kiralanabileceğini sordum. Bir de elbette başka bir yerden yola çıkıp, vakanın olduğu saatte, o noktada bulunabilmek için yakında ne gibi iskeleler, plajlar, çıkış noktaları var, motor sağ taraftan mı gelmiş sol taraftan mı, bunları da öğrenmek lazım diye o kıyı boyunca keşfe çıktım!

Bunlar dikkat ve çalışma isteyen işlerdi ki, birinci ve ikinci günlerin mesaisiydi. Doğrusu verimli geçti. Topladığım tüm bilgileri istifledim, gruplara ayırdım. Masa başı çalışması yaptım yani. Bir yandan da tüm gazeteleri toplayıp konu hakkında okuyordum, okuduklarımı pek küçümseyerek! Cennet vatanımızda çürüme başladığında önce ekmekler bozulurdu, tamam da, bozulma adli vaka kovalayan habercilere kadar uzandıysa, vay halimize dedim ben! Ne imla kalmış, ne hatası olmayan cümle yapısı! Ne de kafalarına göre cinayeti işleten sebepler... Tevekkeli değil bana iş yok! Tenha bir plajda bikini giymenin sonucunu ölüme çıkartmayı, kafama tabanca dayasalar beceremezdim!

Hafta sonunu teyzemin arzusu üzerine yeğenlerimle geçirdim.

Hafta başında erken kalkıp, Kamışlıdere'den başladım yarım bıraktığım soruşturmama. Kamışlıdere dediğim yer, küçük bir balıkçı köyü.

Köyün kahvesine girip bir çay ısmarladım, masalarda tavla oynayanları, pinekleyenleri, laflayanları toptan selamladım. Güya "Ege'de Balıkçılık Ölüyor mu?" başlıklı bir yazı dizisi hazırlayacağım da inceleme yapıyordum. Üst üste beş ince belli içimi sonunda edindiğim bilgi, bu köyde kıçtan takma balıkçı kayıklarından başka motorun olmadığı yönündeydi. Yani buradan kalkıp, koyları dolanıp cinayet mahalline gitmek için, geceden çıkmak lazım yola. Kamışlıdere'nin üzerine bir çizgi attım.

Sırada Garipler Koyu var. Garipler Koyu, Altın Köşkler, Sazlıbahçe! Akşama kadar sor soruştur, elde var sıfır. Akşam üstü teyzemin evine döndüğümde midem koyu çay içmekten delinmek üzereydi. Elimi yüzümü yıkayıp evin arkasındaki küçük bahçeye çıktım, ev halkı akşam yemeği için çardağın altındaki masaya çökmüştü bile, teyzem, "İbrahim, belli ki çok yorulmuşsun, gel otur da sana önce bir demli çay dökeyim yorgunluğunu alsın," demez mi!

Esra

Yanında oturan kadının kim olduğunu bilse
ne yapardı acaba?

Yerlerimizden kalkabileceğimizi bildiren ışık yandığında, kendime başka bir yer bakmama fırsat olmadı çünkü bebeğin babası tuvalete gitmek için kalkmış, bebek de oturduğu yerde gag-guk sesleriyle çırpınıp durmuş, illa kucağıma gelmek istemişti. Uçak, kapılarını kapattıktan sonra uçuş izni verilene kadar o kadar uzun bir süre geçmişti ki, haliyle tuvaletin önünde oluşan kuyrukta sırasını bekleyen adamcağız nihayet yerine dönebildiğinde, kızını dizlerimde oturmuş, benimle "Buraya Bir Kuş Kondu"yu oynarken buldu. Ben avucumu açıyordum, güya pırrr diye uçarak gelen kuş avucuma konuyordu, bebek de aynı anda bir kuş gibi çırpınıyordu. Sonra işaret parmağımdan başlayarak, sırasıyla diğer parmakları da oyuna dahil ediyordum. Bu tuttu/ bu yoldu/ bu pişirdi/ bu yedi/ baş parmak da hani bana hani bana dedi, ve işte tam o anda Aguli kahkahalardan boğulacak raddeye geliyordu. Bir daha, bir daha, hadi yine bir daha! Sonunda yoruldu çocuk, başını göğsüme dayadı, kollarımda uyuyakaldı.

"Sizi yormasın koltuğuna koyayım," dedi babası.

"Bırakın az daha derinleşsin uykusu. Uyanıverirse zapt edemeyiz."

"Sağ olun! Sizin yanınıza rast gelmem büyük şans! Çok korkuyordum bu yolculuktan ama..."

"Rahat olun, ben çocuk severim. Ağlasa da yapacak bir şey yok zaten. Oyalarız birlikte," dedim de, niye dedim bunu ben? Her zamanki gibi düşünmeden konuşarak, yolculuğumu bu koltukta yapmaya kendimi mahkûm etmiştim.

"Bu arada kızımın adı Ada, ben de Hakan Seymen," dedi.

Biniş kartımın üzerindeki soyadı! Çocukla yolculuk yapanın onun dayısı veya herhangi bir başka akrabası olması ihtimali bitti. Ah Vural, ne yaptın sen! Bana verecek başka pasaport bulamadın mı? Hakan Seymen yanında oturan kadının kim olduğunu bilse ne yapardı acaba? Nutkum tutulduğu için ben adımı söyleyemedim. Ben adımı söylemeyince de muhabbetimiz bitti.

İkram başlayana kadar çocuk kollarımda uyudu, babası da adını söylemeyen yolcuyla ilgisini kesip, telefonunun ekranına kitlendi. Neden sonra, hostesler yemek arabalarını iterek koridorlarda göründüklerinde kucağımdaki çocuğunu izin isteyip usulca aldı, öte yanındaki bebek koltuğuna oturttu. Bebek o kadar derin uyuyordu ki, uyanmadı.

Birazdan yemek servisi başladığında, Hakan Seymen açmayı beceremediğim masamı açmama yardım edince, kaçınılmaz olarak yine bir sohbet başladı aramızda.

"Şangay'a turizm amaçlı mı gidiyorsunuz?" diye sordu, herhalde bir şey söylemiş olmak için.

Karısını yeni kaybetmiş birinin, yanındaki yolcunun neden Çin'e gittiğini hiç merak etmediğine emindim ama bebeğini yarım saate yakın kucağımda uyuttuğum için, belli ki ayıp olmasın diye zorlama bir sohbete girmişti.

"Görevli gidiyorum. Bir üniversitenin Yabancı Diller bölümünde bir dönem için Türkçe okutmanlığı yapacağım," dedim.

"Ne kadar ilginç! Edebiyatçısınız herhalde?"

Vural bana az konuş demişti, yeni doktor çıktığımı sakladım, "Sadece okutmanım!" dedim.

"Üniversitede mi kalacaksınız?"

"Bir evde pansiyoner olacağım. Önceden ayarlandı. Ah! Adımı söylemedim değil mi! Ben Esra."

"Memnun oldum," dedi ve ben söylemediğim için herhalde, soyadımı da sormadı. O uçağa ilk bindiğimizde hostesin dağıttığı gazetesine, ben de düşüncelerime daldım.

Yemek tepsilerimiz dağıtılırken, ne içeceğimiz sorulduğunda, Fransız ve Türk markaları arasında, her ikimiz de Türk şarabını tercih ettik ve yemek boyunca yediklerimizle ilgili pek sıradan bir konuşma yürüttük. Bebek hep uyudu.

Ben bir ara, el kadar çocukla tek başına dünyanın öte ucuna uçmakta olan bir adama çocuğun annesi nerede, siz Çin'e niye gidiyorsunuz gibi sorular sormam gerekmez mi diye düşündüm. Sonuçta ikimiz de İngiliz değil, Türk'tük ve genetik olarak meraklı insanlardık. Hiçbir şey sormamam tuhaf kaçmaz mıydı? Yanıtını bildiğim soruyu sormaya dilim varmadı.

Varsın beni ilgisiz zannetsin!

Yemeklerimizi birbirimize karşılıklı "afiyet olsun"dan başka tek laf etmeden yedik.

Kahvelerimiz servis edilirken bebek uyandı, kıpraştı, gag-guk seslerinden çıkarttı yine.

"Eyvah!" dedi babası.

"Yoo, hiç de değil," dedim ben, "iyi bile oldu! Şimdi derin uyursa gecenin bir yerinde uyanır ve kimseyi uyutmaz."

"Çok genç olmanıza karşın çok çocuk büyütmüş gibi deneyimlisiniz, kardeşleriniz vardı herhalde."

Gülümsedim, "Benim çocuğum da yok, kardeşim de," dedim ve anında pişman oldum. Hastanenin bebek koğuşunda nöbete kaldığım gecelerden söz edemeyeceğime göre, ne gereksiz bilgiler veriyordum ben böyle! Oysa Vural sıkı tembihlemişti fazla konuşmamamı. Neyse ki Hakan Seymen, vızıldayan ve emniyet kemerinden çıkmak için binbir şekle giren kızıyla ilgilenmek üzere, tam o sırada bana arkasını döndü. Babasıyla aramızdaki muhtemel gevezeliğe böylece mani olduğu için, Aguli'ye minnet duydum.

Az sonra da acıkan kızı için, babası bu kez yukardaki raftan birtakım çantalar indirdi, bir termostan biberonunu çıkardı, o da küçük tombul kollarını bana uzattı ve sütünü benim kucağımda içmek istediğini beyan etti.

"Annesini özledi herhalde," diye kaçtı ağzımdan. Hakan Seymen yine hiçbir şey söylemedi. Ben de başımı çevirip ondan tarafa hiç bakmadım. Sütünün sonuna gelirken yine uyuyakaldı kucağımda bebecik.

"Bir de elma püresi vardı, onu da yemesi lazım," dedi babası.

"Nasılsa bir daha uyanacak. Püreyi de o zaman yedirirsiniz."

"Doğru söylüyorsunuz." Kızını kucağımdan alıp tekrardan kendi koltuğuna yerleştirdi, bana döndü ve "Sizin yanınıza düşmeseydim, Ada ile yolculuğumuz çok zor olurdu Esra Hanım," dedi.

"Öyle şeker bir bebek ki, yanınıza oturan kim olsa, bayılırdı ona."

"Ama o da sizi çok sevdi. Herkese böyle yanaşmaz."

"Çocuklar beni sever nedense," dedim ben ve artık dayanamayıp, "Siz Şangay'da mı yaşıyorsunuz ?" diye sordum.

"Evet, bir mimarlık firmasında çalışıyorum. Ada ilk kez geliyor. Dilerim havası onu etkilemez."

Neden eşinin ölümünden söz etmiyordu acaba? Yabancılarla konuşmayı sevmediğinden mi?

"Hava kirliliği çok yüksekmiş," dedim ben de.

Tam da o sırada Ada'nın tarafından gelen kötü kokuyla ikimiz de birbirimize bakıp, mahcup mahcup gülümsedik.

"Bu hiç hesapta yoktu," dedi babası, "hay Allah! Ne olacak şimdi?"

"Kaçabileceğiniz bir durum değil, altını değiştireceksiniz," dedim ben.

"Bezlerini yukarı koymuştum..." Ayağa kalkıp üstteki rafa uzandı, kapağı açıp bir çanta indirdi, içinden bebek bezleri çıkardı.

"Bir de temizlemek için... şeyler vardı..." Tekrar eğildi çantaya, karmakarışık etti içini.

"Siz tüm gerekenleri bulun, ben size yardım ederim," dedim, "anlaşılan eliniz pek yatkın değil."

"Bu işlerini hep annesi yapardı da... Ah, bakın buldum! Bir de poşet vardı kirlileri içine atmak için, onu da buldum."

"Siz alın bebeği, bezleri filan da bana verin, tuvalete gidelim o halde, hazır içerde kimse yokken."

Bebeğini kucakladı ayaklandık. Hosteslerin bölümünde onların da yardımıyla, işimizi hallettik. Bebek gülücükler içinde bekledi poposu temizlenene kadar. Ben bebekle yerimize döndüm, babası ellerini yıkamak için tuvalete girdi. Dönüşünde bebeğine elma püresini de yedirdi ve koltuğuna yatırdı. Bir süre kendi dünyasında bebek sesleriyle konuşarak oyalandı, sonra uyudu Aguli. Gerçekten de çok uyumlu ve sevimli bir bebecikti.

Ben de nihayet çantamdan kitabımı çıkardım okumak için.

"Size bir kadeh şarap ikram edebilir miyim, yardımlarınıza teşekkür etmek adına?" diye sordu Hakan Seymen.

"Rafta bir de şarap şişesi mi var?" dedim ben.

"Hayır, hostesi çağırıp birer kadeh daha şarap rica edeceğim."

"Vallahi çok makbule geçer. Uykumu da getirir."

Az sonra, hostesin bir tepside getirdiği kadehlerimizi elimize aldığımızda, Hakan Seymen bana döndü, "Yeni işinizde başarılara," dedi.

"Size de eşinize hayırlı kavuşmalara," dedim ben, merakıma yenilip nasıl bir tepki vereceğini görmek için.

"Eşimi bir kazada kaybettik. Biz baba kız yalnızız..." devam edemedi, sustu, başını benden öteye çevirdi. Ben sorduğum soru için bin pişman, yüreğim suçluluk duygusuyla dolu, sindim koltuğumda. Çok uzun bir süre her ikimiz de hiçbir şey söylemedik. Sonra ben duyulur duyulmaz bir sesle "Başınız sağ olsun," diyebildim. Sonra da başımı kitabıma gömüp bir daha kaldırmadım.

Neden sonra, bebek uyandığında babasının başı kızından tarafa düşmüş, derin uykudaydı. Usulca kalkıp bebeğin bulunduğu tarafa geçtim, onu kucağıma aldım ve koltuğunun önündeki cebe sıkıştırılmış biberonu çekip biraz su içirdim. Çocuk uykusunu almış, cin kesilmişti ve oynamak istiyordu. Kucağımda uçağın en ucuna kadar gidip geldik birkaç kere. Sonra da termosundan sütünü çıkarıp, şişeyi ellerinin arasına koydum, birlikte yerime oturduk.

Bütün bunları suçluluk duygusuyla mı yoksa Aguli'yi çok sevmiş olduğum için mi yapıyordum, emin değildim.

Babası uyandığında bu kez bebek ve ben derin uykudaydık. Kahvaltı servisinin tıkırtılarıyla gözlerimi açtığımda, Aguli hâlâ uyuyordu ve başını dayadığı sağ kolum tamamen uyuşmuştu. Yanıma dönünce Hakan Seymen'le göz göze geldik.

"Günaydın," dedi, "hiç duymadım Ada'yı yanınıza aldığınızı. Her ikimizin de size olan minnet borcu artıyor. Yani birer kadeh şarapla karşılanmayacak ölçüde yardımcı oldunuz ikimize de. Telefon numaranızı rica etsem de sizi ilerde..."

"Daha ne evimin adresimi biliyorum, ne de üniversitenin."

"O halde ben vereyim size kartımı, müsait olduğunuzda ararsanız seviniriz."

"Elbette."

Bir sessizlik oldu aramızda biraz uzun süren. Sessizliği yine o bozdu.

"Nasıl söyleyeceğimi bilemiyorum ve yanlış anlarsınız diye korkuyorum," dedi, "yeni işinizden memnun kalmazsanız... ya da evinizden... bizim evimizde de bir fazla oda var, benim de Ada'yı emanet edecek birine şiddetle ihtiyacım var. İlk defa baş başa kalıyorum kızımla, nasıl başa çıkacağımı bilemiyorum..."

"Siz işteyken ona kim bakacak?"

"Gündüzleri ben işe giderken o da kreşe gidecek, malum Çinliler bebek yaştakiler için dahi kreşler yapmışlar. İşten dönerken onu alıp eve getireceğim. Ama bazen iş sarkıyor, toplantı uzuyor, geç kalabiliyorum. Elbette evin temizliğine bakan biri zaten var, onunla her gün gelmesi için anlaşırım diye düşündüm... Hatta ben Türkiye'deyken sağ olsun bürodaki arkadaşlardan biri görüşmüş kadınla, çalıştığı bir başka yer varmış, haftada üç gün gelebilirim ancak, demiş. Ada'yı da hiç bilmediğim birine bırakamam... diyordum ki..." Lafın gerisini getiremedi, sustu.

"Ben anladım ne demek istediğinizi. Bir türlü söyleyemiyorsunuz ama hani konuşabilseniz, diyeceksiniz ki, haftada iki gün sen bakar mısın Ada'ya? Doğru mu bildim?"

"Onun gibi bir şey... evet... doğru kelimeleri seçmekte zorlanıyorum çünkü çocuk bakmak sizin işiniz olamaz. Zaten bakmak değil de... beklemek belki daha doğru... elbette karşılığını alarak."

"Adınız Hakan'dı değil mi? (Başını salladı) Hakan Bey, ben hiçbir işi küçümsemem. Allah muhtaç etmesin, gerektiğinde onur kırıcı olmayan her iş yapılır. Ama şu anda, henüz kendi programımı bilemezken, size ne desem yalan olur. Hele bir üniversiteye gideyim, haftada kaç gün ve kaçar saat çalışıyorum, bir göreyim..."

"Kusura bakmayın, ben o kadar çaresizim ki... Düşüncesizce daldım böyle lafa..."

"Memlekette anneannesi filan yok muydu, hani gönül rahatlığı ile bırakabileceğiniz biri?"

"Olsa da çocuğumu geride bırakmazdım. Bir çocuk için ana-baba tarafından terk veya ihmal duygusu iyi bir şey değil. Zor da olsa, üstesinden geleceğim."

"Keşke zamanım olsa da Ada'ya vakit ayırabilsem, böylece birkaç kuruş da benim cebime girerdi. Ben durumumu anlar anlamaz ararım sizi."

"Anlayışınıza çok ama çok teşekkür ederim Esra'nım," dedi.

Kahvaltılarımız dağıtılmaya, benim kolum da karıncalanmaya başlamıştı ki, Hakan Seymen uzanıp bebeğini kucakladı. Aguli önce mırıldandı, sonra gerindi ve derken ağlamaya başladı. Babası poposunu kokladı, "Evet, neden ağladığını anladım kızım," dedi, "bu sefer bu işin üstesinden tek başımıza gelmeliyiz. Başka çaremiz yok! Haydi bakalım iş başına." Ayaklarının dibinde duran torbasını omzuna taktı, kızıyla birlikte ön tarafa yürüdü.

Ben bu sefer yardıma gitmedim. Hakan Seymen kucağında bebeği, yüzünde savaş kazanmış askerin gururlu ifadesiyle, uçak inişe geçmeden yerine döndü. Bana baş parmağını kaldırarak zafer işareti çaktı. Ben de ona göz kırptım.

Benim oturduğum koltukta, inmekte olduğumuz şehri görme imkânım yoktu. Bu yüzden komşumla daha fazla konuşmamak için, kapattım gözlerimi, inişe geçtiğimizde bile açmadım.

Yolcular ayaklanmış, çıkmaya hazırlanıyorlardı. Yerimi terk etmeden önce Hakan Seymen'in bana uzattığı kartını cüzdanımın içine yerleştirdim, sonra Aguli'ye son kez sarılıp bebek kokusunu içime çektim ve "Durumumu aydınlığa kavuşturup sizi arayacağım," diyerek babasına veda ettim. El çantam siyah torbanın içinde, siyah torba omuzumda, uçaktan inenlerin arasına karıştım. Uçağın merdivenlerinden indiğimde, elinde adımın yazılı olduğu bir kart ile beni bekleyen adamı görünce ona doğru yürüdüm.

"Ahmet Bey?"

"Evet, benim. Benimle gelin Esra Hanım," dedi, "şöyle buyurun..."

Yine bir siyah araba!

Bindim. Acaba herkesten ayrılıp esrarengiz bir arabaya bindiğimi Hakan Seymen gördü mü diye düşünmeden edemedim. Pencereye yüzümü dayayıp yolcuların arasında onu aradım. Hakan Seymen kızını kolunun altına sıkıştırmış, diğer elinde torbaları ve bebek koltuğuyla, bir yolcu kalabalığının arasında merdivenleri iniyordu. Yola koyulunca, yanımda oturan Ahmet adındaki zayıf ve esmer genç adam, "Şangay'a hoş geldiniz!" dedi, "Ben Ahmet Tufan, sizi rahat ettireceğimize dair Vural Müdürüme söz verdim, bizim misafirimiz olacaksınız, her işinizle bizzat ben ilgileneceğim Esra Hanım. Bir arzunuz olursa bana mutlaka bildirin."

"Tek bir arzum var Ahmet Bey, o da size fazla yük olmadan bir an önce vatanıma geri dönmek!"

"İnşallah..." dedi ve hemen bana Şangay'a dair bilgiler vermeye başladı. Sarı nehir şehri ortasından ikiye bölermiş. Kalacağım ev, nehrin Puxi yakasında, French Concession denen yere çok yakınmış ki zaten tüm sefaretler, konsolosluklar ve yabancılar da oralarda yaşarmış. Çok eğlenceli bir semtmiş. Benim kulağım onda, gözlerim gökyüzünün kurşuni rengini alt etmeye uğraşan güneşte, aklımsa Çin'e nasıl olaysız girebileceğimdeydi. Araç durdu. İnmeden önce Ahmet benden pasaportumu istedi, uçakta dağıttıkları kâğıdı da birlikte verdim. Açık bıraktığım yerleri kendi doldurdu. Birlikte indik ve kalabalığa karışmadan, hayatımda gördüğüm en büyük ve en geniş havalimanının içinde, o önde, ben onun peşinde koşar adım, ara sıra da yürüyen bantları kullanarak epeyi gittik. Nihayet vezneyi andıran bir yerin önünde durduk ve Ahmet veznenin arkasında oturan adamla konuştu da konuştu, birtakım kâğıtlar gösterdi. Adam içeri gitti, döndü ve bana eliyle yaklaşmamı işaret etti. Önce parmak izlerimi, sonra bir ekrana baktırarak göz izimi aldı. Derken, o ana kadar fark etmediğim üzerinde rakamlar olan duvara yaslanmamı söyledi, boyum posum da kayıt altına alındıktan sonra, pasaportum damgalandı ve bagajımı toplamak üzere tüm yolcuların indiği bölüme geçtik. Uzun beklemedik, ne işime yarayacaklarsa artık, içi mayo, pareo, tişört, havlu ve plaj malzemeleriyle dolu küçük valizim hemen geldi. Çıkışa doğru yürümeden önce, yolcuların arasında gözlerimle Hakan Seymen'le Aguli'yi arandımsa da göremedim. Herhalde hâlâ pasaport kuyruğunda sıradaydılar.

Onca telaşıma karşın olaysız, sorunsuz bir giriş yapmıştım. Tereyağından kıl çeker gibi. Doktor olacağıma istihbaratçı mı olsaydım, diye düşündüm.

Asansörle devasa bir garaja inerek arabamıza binip nihayet yola koyulduğumuzda içim o kadar rahatlamıştı ki, hava kirliliğinin tutsağı güneş, gözüme parlak sarı gözüktü. Bu sabah her şeyin su gibi akması, işlerin hep iyi gideceğine bir işaret olsun diye diledim içimden.

İbo

Uçtum gittim dudaklarımda bir ıslıkla ta bağ evine kadar...

Yaklaşık on gündür, sabahın sekizinde atlıyorum motosikletime, gün batımına dek tarıyorum kıyı köylerini. Akşama bir dönüyorum ki eve, helak olmuşum... Sadece yorgunluktan değil, hayal kırıklığından ve kızgınlıktan da!

Yahu insan bir ip ucu olsun bulamaz mı?

Olayı gördüğünü iddia eden karı sırra kadem bastı! Yetmedi, Vural Komiser Müdürüme de bir haller oldu, müdürlük hiç yakışmadı ona desem yeridir. Kaç kere telefon ettim, mesaj çektim... En azından şahide ulaşmama yardımcı olamaz mı? Olmuyor! O iş onda değilmiş, onca çok önemli meseleyle meşgulken benimle uğraşamazmış, yakasından düşseymişim, bana bir tavsiyede bulunduğuna pişman etmeseymişim! Müdür oldu bir şey zannetti kendini. Para herkese yakışmaz derdi babam, buna da terfi yakışmadı demek ki! Ama bugünlerde kimse yerinde, mevkiinde, rütbesinde uzun süre kalmıyor, yakında alırlar onun da gazını, görür gününü! Keşke burnum bu kadar büyümeseydi, der!

Başka görgü şahidi olsa etrafta, bu kadar dolanmayacağım komiserin peşinde. Ama yok!

Herkes laf kalabalığı yapıyor... öyleydi, böyleydi, şuydu, buydu... sonunda dönüp dolaşıp aynı yere geliyorlar: Biz görmedik, bir genç kadın vardı, o görmüş! Pekâlâ, o genç kadın nerede? Suya düşmüş! Su nerede? İnek içmiş! İnek nerede? Dağa kaçmış! İşte tam da bu durumla uğraşmaktayım. Burama geldi! İşin peşini bırakmak istiyorum, içimden bir ses, bırakma diyor. Ben de bir zaman sınırlaması yapmış yaz sonuna kadar, Urla'da teyzemde kaldığım sürece tutarım ucundan, sonra hiçbir yere varamadımsa, giderim eniştenin Kemeraltı'ndaki dükkânında tezgâhtarlığa demiştim ki, nihayet bu sabah gittiğim Demirdöven köyünde bir şey yakalar gibi oldum!

Köyün kahvesindeydim yine. Demirdöven'in bir delisi var... delisi değil de ayyaşı demek daha doğru olur, akşamlığını çıkarmak için, her şeyi yapmaya hazır bir tip!

Aynı soruları sora sora, ben artık konuyu istediğim yöne çekmenin ustası olmuşken, işte o ayyaş Fehmi ile sohbete oturdum. Öğrendim ki bu köyde birkaç balıkçı takasından başka suda yüzen nesne nerdeyse yok gibi. Onların çoğu da zaten kıyıya kıçtankara yapmışlar, duruyorlar önümüzde.

"Yahu," dedim ben yine de, "buralarda tekne kiralayan birileri var mı?"

"Köyde mi kalıyorsun?" diye sordu.

"Yok, Muştular'a geldim bir akrabaya ama orası dağ köyü, bastılar bana," dedim, "ben alışmışım, deniz olmazsa yapamıyorum. Şimdi bir motor olsa atlayıp balığa çıkardım. Akşama kızartırdık balıkları, yanına da bir duble rakı..."

Fal taşı gibi açıldı gözleri, "Kızartırdık balıkları derken kimi kastettin?" diye sordu.

"Sen, ben, bize katılmak isteyen başka arkadaşlar," dedim ben.

"Balık buluruz yeğenim," dedi, "istediğin balık olsun, burası balıkçı köyü!"

"Yok abi, balığını kendin tutacaksın. Taze olduğunu bileceksin. Öyle her balık olmaz!"

Az düşündü, "Bizim Enver'in var bir motoru..."

Dikildim iskemlemde. "Kiralar mı günübirlik?"

"Kiralar. Yani... ara sıra kiralıyor, biliyorum."

İşte bu! Duymak istediğim, günlerdir bu işte!

"Ama öyle dingil dingil gideninden değil, biraz da hız yapan bir motor olsaydı, koyları da turlardım hazır buraya kadar gelmişken..." filan diye gevelerken ben, dili çözüldü bizim Fehmi'nin.

"Eskiden mal götürüp getiriyordu karşıdan, sonra başı derde girdi... Neyse rüşvetti müşvetti, kurtardı ailesi çocuğu. Sonra karışmadı bir daha o işlere ama bazen bizim sularda yazlıkçılar denize girmek isterlerse, onları gezdirir. Ara sıra da kiralıyormuş motorunu... Öyle herkese vermez ha! Bu işi bilene verir ancak. Motor emanet edilecekse, kim olursan ol, kadın ol, erkek ol, genç ya da moruk ol yeter ki işin ustası ol!"

"Haydi bitir çayını da kalkalım Fehmi Abi, çaylar da benden olsun. Gidip bakalım, eğer anlaşırsak motorcuyla akşama rakı da benden," dedim.

Vallahi benden önce düştü yola, motosiklete benden önce atladı, ben oturunca kollarını belime doladı, "Sür be oğlum, nah şu tepeyi dolan hemen orada," dedi.

O içi buzlu bir rakı bardağı hayal ediyordu, ben de cinayeti çözecek etli butlu bir ipucu!

Gazladım motoru, hırıltılarla vurduk yokuşa. Güneşin altında bana aylarca yol almışız gibi geldi. Çam ağaçlarının çoğunlukta olduğu bir orman arazisinin ortasından bölen mıcırlı yolda uzun süre gittik, sonra ağaçlar azaldı, makiler çoğaldı, yol tamamen topraklaştı, biz kendi çıkardığımız tozu yutarak döne dolaşa gittik de gittik. Saçlarımız, kirpiklerimiz, üstümüz başımız tozdan bembeyaz oldu. Ama sonuçta, denizinin çarşaf gibi dümdüz ve hep aynı tonda bir maviyle uzandığı bir başka balıkçı köyüne tepeden baktık.

Aşağıya vardığımızda yukarıdan gördüğüm deniz, yer yer renk değiştirmiş çalkalanıp duruyordu. Hey Allah'ım dedim içimden, bu bizim memleketin ne insanına güvenesim var ne denizine. Her an her şey değişiyor! İnşallah Enver' in yeri değişmemiştir çünkü o benim son umudum.

Enver'i her zamanki yerinde değil de, iri çakıl taşlı bir plajın başladığı noktada, bir sandalyede otururken buldu Fehmi. Önündeki küçük masaya üzerinde GİRİŞ 15 TL yazan bir karton dikmiş.

"Yeğenim, n'apıyon lan burada?" diye sordu Fehmi.

"Plajcılık."

"Plaj senin mi?"

"Get lan, nerde bende plaj sahibi olacak şans! Allah'ın plajı işte." Keh keh güldü, "Sadece şu masanın öte yanına geçişi, benim. Adam başı 15 Türkiş Lira! Kıçına çakıl taşlarının batmasını istemeyene de, yanında bir hasır var. Hasırları (parmağıyla işaret etti) şu ilerdeki büyük otel var ya, işte onlar atmışlardı, toplayıp getirdim. Nasıl, temiz iş değil mi?"

"Motorculuk n'oldu?"

"Dolar kaç oldu, duymadın mı? Kim ödeyecek daha yeni zam görmüş siktiğimin yakıtını? Nah işte şu gördüğün Allah'ın denizi! Kişi başına alırsın paranı atarsın cebine. Masrafı yok!"

"Oğlum, bırakırlar mı seni burayı sömüresin diye! Burası kamunun yeri, kamunun!"

"Kamu uyanana kadar, burası benim yerim!" Sırıttı Enver, "Bastırın paranızı, buyurun yüzün. Altınıza sereceğiniz hasırlar benden olsun."

"Bence yanlış düşünüyorsun abi," dedim ben, "başına dikilir belediyeci, bir de ceza keser sana. Motorsa has malın, kimse alamaz elinden. Madem yakıta zam geldi, sen de motoruna zam yap!"

"Yok o iş öyle değil. Yazın başından beri bir Abdi Bey geldi çoluğu çocuğuyla sadece iki kere, onları Tilki Adası'na götürüp bıraktım, akşam saat altıda da geri getirdim, bir de bizim Nebahat Abla."

Nebahat adını duyunca kulakları diktim ben.

"Nebahat motoru haftada en az bir kere alır balığa çıkardı, o da görünmez oldu ne zamandır. Zaten son aldığımda pervaneye bez parçası takmış, uğraştım durdum zor kurtardım pervaneyi."

"Sen kadınlara motor mu emanet ediyorsun Enver?" diye sordu Fehmi, "Kimseye emanet etmediğin motoru bir karıya teslim edebiliyorsun, ha?"

"Bir kadına değil, Nebahat Abla'ya! O bizdendir."

"Nasıl yani, erkek de kadın ayaklarına mı yatıyor?"

"Yok be abicim. Bizim köydendir, Balıkçı Remzi'nin kızı. Anası onu doğururken ölmüş, Nebahat'ı babası büyüttü. Ömrü balıkçı teknesinde geçti yani. Sadece balık tutmaz, balık gibi de yüzer, ağ atar, ağ toplar, motor kullanır. Denizlerin kızıdır o! Has balıkçı olduğu için de öyle sokak balıkçısından ya da marketten filan almaz balığını, kendi çıkar balığa, oğluna, kocasına balığı eliyle tutar."

"Esas karıymış. Güzel mi bari?"

"Hoşşt! Geri bas. Ağzını topla."

"Kızma lan! Bacın mı oluyor?"

"Olmasa da sayılır."

"Bu Nebahat Abla deniz kenarında mı oturuyor?" diye sordum ben.

"Yok, dağ başında bir bağ evinde. Kahpe kader işte, sen denizlerin kızıyken Allah seni tepedeki korukların ortasına savursun!" dedi Enver.

"Ne kadar oldu motoru kiralayalı?"

"E, olmuştur bir on gün kadar. Geçen hafta mıydı yoksa? Niye sordun abi?"

"O abla sık kiralardı dedin, doğru mu?"

"Hıı. Balık tutmak için."

"Nerde tutar? İyi balık hangi koydadır?"

"Sen de mi balık tutacan? Şu koydan yirmi dakika git, Sofucu köyün orda iyi balık çıkar."

"Ya bir şey diyeceğim, şu kız öldü ya... hani suda yüzerken... o gün de acaba kiraladın mı o ablaya senin motoru?"

"Ne alaka şimdi? N'apcan kiraladıysam?"

"Ben gazeteciyim ya, hikâye arıyorum, hikâye. O gün oralardaysa, soracaktım bir şey gördü mü diye. Hani kadınlar da anlatmayı sever... Tamam mı?"

"Ha!" dedi ama işkillenmişti galiba benden, "Hatırlamıyorum. O gün gelmediydi sanki," dedi.

"Size doyum olmaz ama ben kaçayım abiler," dedim ben, "haydi bana eyvallah."

"E rakı balık ne oldu?" diye sordu Fehmi.

"Yahu, benim bir işim vardı bugün şimdi hatırladım. Bir daha ki sefere inşallah! O ablaya ısmarlarsın, en alasını tutsun bize," dedim ben, "rakılar da bende olacak, söz!"

"E ben nasıl dönecem?"

"Geldiğin gibi. Haydi atla arkama bırakayım seni aldığım yere."

"Yok ya, kal sen Fehmi," dedi Enver, "iki lafın belini kırarız şurada. Burdan Posta geçer birazdan, geri götürür seni." Bana döndü, "Sen de gitmeseydin kardeş, bulurduk sana da balık."

"Uğrarım yine," dedim.

Onlar aralarında konuşuyorlardı. Ben motosikletime atladım, yokuş aşağı gazladım, tozmuş, virajmış vız geldi. Uçuyordum dağ yollarında. Yılın kaza süsü verilmiş cinayetine mi, yoksa cinayet gibi kazasına mı, bilemem artık... bir yere yaklaştığımı seziyordum.

Esra

Benim hayatımda hayırlı bir rastlantı hiç mi olmayacaktı?

Ahmetlerin evi uzun binaların pek az olduğu, Uzak Doğu'dan çok bir orta Avrupa kentini andıran eski semtlerden birindeydi. Gerçekten de kafesi, lokantası bol, eğlenceli bir mahallede oturuyorlardı. Ayrıca tüm alışverişimi yapabileceğim bir AVM de evimizin yakınındaydı ama mahallenin keyfini çıkarmadan önce yapmam gereken işlerim vardı benim.

Sıcaktan kavrulan Şangay'daki ilk haftamı Ahmet'in peşinde Yabancılar Bürosu'nda izin kâğıtlarımın düzene sokulmasını beklemekle geçirdim. Sınırdan girerken aldığım vizenin yanı sıra bir sürü bürokratik işlem için Yabancılar Bürosu'nda sayfalar doldurmam yetmedi, çalışacağım üniversiteye giderek bir dönem Türkçe okutmanlığı yapacağıma dair bir belge edinmem de gerekti.

Üniversitede görevime başlamak için eylülü bekleyecektim. Fakat yaz döneminde gramerleri zayıf kaldığı için, özel derse ihtiyaç duyan birkaç öğrenci, benim hiç beklemediğim şansım oldu. Haftada iki kez birer saatten, Yazarlar Birliği'nin İngilizlerin koloni günlerinden kalma muhteşem bahçesindeki kocaman çınarın gölgesinde ders yapacaktık, benim de cebime Çin parasıyla biraz harçlık girecekti. Ege'de bir yaz tatili için yanıma almış olduğum giysilerle Şangay'da idare edemeyeceğime göre, en azından bir iki tane mevsimlik giysi alırdım kendime, dersler başlamadan.

Ahmet gerçekten de bana çok yardımcı oluyordu. Kaldığım evden Yazarlar Birliği'ne metro ile nasıl gidip geleceğimi de ondan öğrendim. Çin yazısını okumam mümkün olmasa da Şangay'ın metro sistemini öğrenmek zor değildi; metronun içinde tüm duvarlarda, tavandan sarkan panolarda her tarafta oklar, işaretler vardı... yürüdüğünüz zeminde bile! Ben yine de tek başıma kaldığımda, yazıları okuyamadığım için panik yaptığımdan Ali'yle tanıştırdı. Ali, Şangay'da yüksek lisans yapan ve ünlü bir moda evinin yaratıcı bölümünde part-time çalışarak cep harçlığını çıkaran bir Türk genciydi. Konsoloslukta, bu şehri ziyaret edenlerin bir ihtiyacı olduğunda, yardımlarına o koşuyordu... Sırf iyi niyetinden ve devletine yardımcı olmak amacıyla. Bana da yardımcı oldu. Birkaç kez, Yazarlar Birliği'nden eve kadar Ali ile gidip geldik. Benim bu yolculuğu tek başıma yapacağım gün, aramıza belli bir mesafe koyarak izlemiş beni. Evin kapısında nefes nefese yanımda bitti.

"Bravo Esra Hanım, sınavı geçtiniz," dedi.

"Hangi sınavı?"

"Kaybolmadan işten eve gelme sınavını. Üniversiteler açılınca, yeni yolunuzu da öğreteceğim size."

"Eh, artık hocam sayıldığına göre, bana Esra der misin?"

"Hiç olur mu ?"

"Olur! Başkalarının yanında yine Esra Hanım dersin."

"Esra Abla desem?"

"Anlaştık," dedim ve bizim evin çok yakınındaki kafeye, benim ısrarımla o günkü başarımı kutlamaya girdik. Kahvelerimizi içerken, Vural Komiser'in bana ayarladığı dersi, aslında Ali'nin okuttuğunu da öğrenmiş oldum.

"Ben senin işini elinden mi aldım?" diye sordum feci halde utanarak.

"Hayır Esra Abla, zaten benim haftada dört gün işim var. Harçlığımı çıkarıyorum, yani. Bu iş de bir buçuk yıl önce başlatılan bir projeymiş. Dili iyi öğretmek için kitap okutmak da gerekiyor ya, öğretmenler yüksek ücret alıyorlar diye Türkçeyi iyi bilen birini aradılar okutman olarak, beni tavsiye etmişler konsolosluktan. Ben ayıp olmasın diye biraz gönülsüz kabul ettim, çünkü bazen de benim derslerimle çakışıyordu... Sonra işte Ahmet Abi dedi ki, şu senin gönülsüz girdiğin dersleri geçici olarak bir başkasına devretmeye ne dersin, dedi. Ben de Allah derim, dedim. Hiç üzülmeyin yani, ben seve seve bıraktım o işi, çünkü gerçekten yetişemiyordum her şeye."

Ali'yle böylece sıkı dost olduk.

Ahmet'le de iyi anlaşmıştık. Ahmet'in annesine gelince, benim annemden daha genç olmasına rağmen çok daha yaşlı duran, kendi halinde bir kadındı. Ondan da bu şehirde gıda maddelerinin yarım kilo üzerinden hesaplandığını ve neleri hangi dükkânlarda bulacağımı öğrenmiştim. Para birimlerini iyi biliyor, evin yakınındaki halk pazarından alışveriş etmeyi seviyor, geri kalan zamanda evin temizlik ve yemek işleriyle meşgul oluyor, yün örüyor ve Türkiye'den yanında getirdiği romanları okuyordu. Bir de aynı sokakta oturan Kazan Türkü ailenin kadınlarıyla dostluk kurmuştu, birbirlerini iyi kötü anlıyorlarmış. Aynı ırkından gelmenin sıcaklığıyla birlikte olmaktan hoşlanıyor, haftada bir iki, sokağın başındaki Funkadeli'de buluşup çay içiyor bazen de yemek yiyorlarmış. Türkçeleri değişikmiş, pek anlaşamıyorlarmış ama birbirlerine bir şeyler anlatıyor, birbirlerine dokunuyor sonra da yine birlikte gülüyorlarmış.

"Dilimizle anlaşamasak da kalplerimizle anlaşıyoruz. Yapayalnız değilim duygusu iyi geliyor vallahi," demişti, "onlar da olmasa,

Ahmet'ten başka konuşacak kimsem yok. Resmi bayramların davetlerinde konsolosIukta çalışanların eşleriyle görüşüyoruz ama o hanımlarla aramızda samimiyet yok."

"Bütün gün evde sıkılmıyor musun teyzeciğim?" diye sordum.

"Memlekette de başka bir şey yapmıyordum ki kızım. Sabah evin alışverişi, akşama kadar da ev işi... Zaten yaptığım buydu! Komşularım, akrabalarım vardı tabii, onları çok arıyorum. Bir de bayramlarda çoluk çocuğuyla kızım gelirdi Bandırma'dan, iyi olurdu. Bayramları çok özlüyorum bak!"

"Neden kızının yanında kalmadın, madem torunların da varmış?"

"Kızımın evi iki yatak odalı sayılır. Bir de üçüncü oda var ki, oda demeye şahit ister. Yüklük gibi daracık bir yer, kız torunun yatağını zor sıkıştırmışlar içine. O evde ben nereye sığacağım? Oğlanlarla yatmaya kalksam, ikisi de kocaman oldular, biri lise sonda, diğeri beklemeli. Ayrıca, Ahmet'im yaban ellerde ne yer, ne içerdi? Çamaşırını, ütüsünü kim yapardı?"

"Bir yolunu bulurdu elbet."

"Olmaz yavrum, bırakmam oğlumu tek başına! Keşke helal süt emmiş bir kızla evlenivereydi zamanında... Şimdi, Çin'e kadar kim gelir ki onunla?"

Herhalde, sen kendi ayağınla geliverdin işte, diye düşünmüş olmalı, "Neyse ki sen geldin de evimize neşe kattın," dedi.

Beni beklediği helal süt emmiş kız bellemesin diye, "Ben kalıcı değilim teyzem," dedim hemen, "bugün varım yarın yokum."

"Ders verecekmişsin ya üniversitede, bir sonraki yaza kadar buradasın."

"Sadece bir dönem için. Üç ay sonra şu kitap bitince, benim de işim bitecek." Yanımda duran *Kanadı Kırık Kuşlar*'ı işaret ettim gözlerimle.

"O bitince başka kitap okursun," dedi, "roman mı yok! Ben çok kitap getirmiştim yanımda, veririm sana okutursun."

Laf uzamasın diye "Olur," demekle yetindim. Perihan Hanım'la anlaşmak, uzun vadede kolay olmayacaktı demek ki! İnşallah oğlunun kanına girmez, diye dua ettim içimden.

Dört katlı evin son katındaki dairede benim odam arka sokağa baktığı için, görebildiğim yegane görüntü bir başka uzun binanın arka pencereleriydi. Perdeyi gündüz vakti dahi açmıyordum bu yüzden. Akşam üstleri Ahmet işten dönünce annesiyle beni alıyor, nehir kenarına Bund'a geziye götürüyordu. Güneş battıktan sonra, dünyanın en yüksek gökdelenlerinin bulunduğu caddede bir ışık selinin ortasında, ışıklar saçan binaların arasındaki kalabalığa karışıp bir aşağı bir yukarı yürüyorduk. Nehrin üzerinden rengârenk ampullerle süslenmiş çeşitli boylarda gemiler, tekneler geçiyordu. Gece manzarası şahaneydi ama aynı mekâna hava kararmadan uğrarsanız şaşırıp kalırdınız çünkü nehir içine düştüğünüz takdirde kesin zehirleneceğiniz, çamur rengi bulanık bir su yoluydu. Nerede bizim Boğaz'ın pırıl pırıl lacivert suyu, Marmara'nın derin mavisi! İstanbul da Şangay gibi, güneş çekildiğinde çirkinlikleri örtülen bir şehirdi ama Şangay kesinlikle sadece gece güzeliydi.

Ben Hakan Seymen'i, şehre ve ev sahiplerime alıştıktan, yabancılar bürosunda ve üniversitede bürokratik işlemlerimi tamamlayıp önümü gördükten sonra aradım, Şangay'daki üçüncü haftamın sonuna doğru.

Sesimi duyunca bir an duraladı, sonra kendi sesindeki sevinci kontrol etmeye çalışarak, "Nasılsınız Esra Hanım?" diye sordu, "bizi arayacağınızdan umudu kesmiştik Ada ile!"

"Programım yeni belli oldu, üniversite eylülden önce başlamıyormuş," dedim, "siz *babysitter* işini halledebildiniz mi?"

"Ne gezer! Her sabah, eve dönerken almak üzere Ada'yı kreşe bırakıyorum. İşim uzarsa eve temizliğe gelen Ma'ya rica minnet ediyorum; o zaman da hem benim aklım evde kalıyor hem Ada huysuzlanıyor."

Sonra bir sessizlik oldu, sanırım Hakan Seymen kelimeleri dikkatle seçmeye çalıştı ve "Esra Hanım, yarın... fazla aceleci mi davrandım... yarın müsait değilseniz, elbette size uygun bir zamanda, sizi evimize davet etmek isterim," dedi, "eminim Ada sizi görünce çok sevinecektir."

"Memnuniyetle," dedim, "yarın olmaz ama cumartesiye ne dersiniz, hazır siz de tatildeyken?"

"Harika! Nereden alayım sizi?"

Evden almasını istemedim. En iyi bildiğim adres Yazarlar Birliği'ydi.

"Yazarlar Birliği'nin önünde beklesem yolunuza ters düşer mi?"

"Düşmez. Saat on birde birliğin kapısında olacağım."

"Adresini vereyim mi?"

"Adresi bulurum ben."

"Tamam o halde. Teşekkür ederim."

Telefonu kapattıktan sonra Ahmet'le annesine ne diyeceğimden çok, onların bunu nasıl karşılayacaklarını düşündüm. Uçakta tanıdığım bir erkeğin evine misafirliğe gitmemi herhalde hoş karşılamayacaklardı, aramızdaki olumlu hava belki de bozulacaktı.

Mahalle baskısı olmasa yalan da olmazdı hayatımızda diye düşünerek ve biraz da utanarak, Ahmet'le annesinde, bir baba-kızla değil, bir ana-baba-kız üçlüsüyle buluşacakmışım algısı yaratmaya karar verdim.

Ve içimden, ah, diye geçirdim, neden koca kızın nereye gittiğinden bize ne diyebilecek bir İngiliz ailenin yanında kalmıyorum ben! Sonra da haksızlık ettiğimi düşündüm, öyle olsaydı İngiliz aileye boğazımdan geçen her lokmanın hatta çamaşır makinesine attığım her çamaşırın bedelini kuruşu kuruşuna ödüyor olurdum, çünkü.

Yok muydu acaba bu dünyanın insanlarında bir orta yol?

Şimdi bunları değil, Ahmet'le annesine ne söyleyeceğimi düşünmeliydim!

Aynı günün akşamında, akşam yemeğimizi bitirmek üzereyken, "Ben size daha önce bahsetmiş miydim?" diye, girdim söze, "Buraya gelirken uçakta epeydir görmediğim bir akrabamla karşılaştım. Meğer onlar da Şangay'a taşınmışlar. Derya'nın kocasının Uzak Doğu'da bir iş teklifi aldığını duymuştum da çoluk çocuk buraya geleceklerini bilmiyordum. Telefonunu almıştım, mesajlaştık, hafta sonu evlerine davet etti."

"Nerede oturuyorlarmış?" diye sordu Perihan Hanım.

"Çocuk küçük olduğu için, nehrin karşı yakasındaki Pudong'da ağaçların bol olduğu bir semt seçmişler. Adını söylediydi ama aklımda kalmadı ki! Çince isimler kafamdan uçuveriyor. Öğrenir söylerim size."

"Çocukları da mı var yani?"

"Evet, minik bir kız... on aylık, sanırım."

"Allah akıl versin," dedi, Perihan Hanım, "bu puslu şehre bebek getirilir mi hiç!"

"Kim bunlar, ne iş yaparlar?" diye sordu Ahmet.

"Hayrola! Haklarında dosya mı açacaksınız Ahmet Bey?" dedim ben, şakaya vurduğumu belli etmek için gülerek.

"Ne münasebet. Öylesine sordum."

"Kuzinimin işi bebeğine bakmak. Kocası da mimar olduğu için bir inşaat şirketinde çalışıyor herhalde. Hangi firma olduğunu sormak aklıma gelmedi doğrusu."

Lafımı bitirince hemen ayağa kalktım ve "Başka alacak olan yoksa makarnayı kaldırıyorum," diyerek, aceleyle masadaki kirli yemek tabaklarını toparlayıp mutfağa götürmeye hazırlandım. Konuyu değiştirmek için de, "Bugün bulaşıklar benden olsun teyzeciğim," dedim.

"Bırak kızım, zahmet etme, makine yıkıyor zaten."

"En azından makineye yerleştireyim." Elimde kirli tabaklarla çıkıp mutfağa geçtim.

Meyve kâsesiyle geri geldiğimde fısır fısır konuşuyorlardı aralarında. Ben gelince sustular.

Ahmet, buluşacağım kişinin adını sorarsa Hakan Seymen diyeceğim. Hemen bildirecek herhalde Vural müdürüne, ne de olsa, ona emanet bir genç kızım, ne yapıyorum, ne ediyorum, bildirmesi gerekiyor. Ve işte o zaman kopacaktı kıyamet!

Vural herhalde bana, ne işin var senin öldürülen kızın kocasıyla, diye soracaktı. Ben de ona, beni öldürülen kızın pasaportuyla yurt dışına çıkartmak da neyin nesiydi, vicdanın hiç mi sızlamadı, diyecektim. Soracaktım ayrıca, uçağın değişebileceği, bilgisayarın da beni isim benzerliğinden dolayı Hakan Seymen'in yanına oturtabileceği ihtimali aklına hiç mi gelmedi, diye! Vural Müdürüm, diyecektim, benim için kendi ellerinle tasarladığın planın kaçınılmaz kaderi içindeyim, sen bana niye kızıyorsun? Kızacaksan, kendine kız!

Yemek odasına geri döndüm, meyve sepetini masanın ortasına koydum.

"Bugün çok uzun yürüdüm nehir kenarında," dedim, "izninizle odama gideyim ben. İkinize de iyi geceler."

Odama girdim, soyundum, başucu lambamı yakıp kitabımı aldım, yatağıma girdim. Türkçe bölümünün başkanı, romanın her bölümüden üç soru hazırlayın demişti bana. Kırmızı kalemle işaretlediğim yerlerden soru çıkarmaya çalışırken fark ettim; romanlar aynasıymış meğer hayatlarımızın! Kitapta okurken, bizim başımıza gelmez zannettiklerimiz, çoğumuzun yaşadıkları aslında! Şimdi şu son iki yıldır yaşadıklarımı kaleme alsam ben bile inanamazken başıma gelenlere, okurlar amma da abartmış yazar demezler mi, üstelik ben henüz değil sonuna hikâyemin ortasına dahi gelmemişken!

Ben, tamamen benim dışımda gelişen olaylardan ötürü, teröristten yalancıya doğru iniş yapan bir çizgide, doludizgin gidiyordum.

Sonunda yalancı oluşum da, ne yazıktır ki bu sefer iradem dışında değil, kendi seçimimleydi!

Hakan Seymen beni almak için Yazarlar Birliği'nin kapısına yanaştığında, arka koltukta kollarını bacaklarını sallayarak bebek iskemlesinden kendini kurtarmaya çalışan Aguli'yi gördüm önce. Cama eğilip vurdum. Beni tanıyınca büsbütün hareketlendi çocuk.

Babası uzanıp ön kapıyı açtı, girdim, ona kısaca "Merhaba!" deyip arkaya döndüm.

"Ada, nasılsın bebeğim? Beni hatırladın mı?"

"Hatırladı, hiç şüpheniz olmasın," dedi babası.

"Hakan Bey, Ada onu görmeyeli daha da mı büyümüş ne?"

"Biraz uzadı galiba."

"Bu dönem çok değişirler bebekler, her gün yeni bir şey de öğrenirler."

Yan gözle baktı bana. Sus Esra, sus! Tut çeneni! Sen Türkçe kitap okutacak bir okutman olarak nerden biliyorsun bunları diye sorarlar insana!

"Bizim oturduğumuz sokakta çok bebek büyüdü de... Evlenip çocuğu olan arkadaşlarım da var, ondan dolayı biliyorum... şey ediyorum." Hiç oralı olmadı Hakan Seymen, "Çin mahallesini gördünüz mü Esra, oraya gidelim mi?" diye sordu.

Oh, nihayet konu değişti.

"Gördüm ama öylesine. İçinde vakit geçirmedik, şöyle bir dolanıp çıktık."

"Orada bir de içinde gölcükleri olan ağaçlı bir park vardır. Deredeki balıkları, ördekleri seyretmek Ada'nın da hoşuna gidiyor, ne dersiniz?"

"Haydi gidelim," dedim, "ben de bir tapınak görmüştüm, içeri girip bir şey dilemek istemiştim ama acelemiz vardı. Şimdi yaparım işte! İyi oldu!"

"İnançlı mısınız?"

"Tüm dinlere saygım var. Her ibadethanede dua edebilirim, hepsi Allah'ın evi benim için. Siz?"

"Ben, dindar olduklarını iddia edenlerin gerçek yüzünü gördükçe soğudum dinden."

"Onlardan soğuyun da... inançtan değil. Umudu hep canlı tutuyor, yanıtlayamadığımız sorulara bir nevi çözüm üretiyor inanç."

"İnanç hangi sorunuza deva oldu?"

"Deva olmadı ama bir bütünün parçası olduğumu hissettirdi bana."

Ada birden avazı çıktığı kadar bağırmaya başladı. Ben telaşlandım, arkaya dönüp nesi var diye bakmak istedim. Hakan Seymen hiç istifini bozmadı.

"Sıkılıyor arka koltukta, ilgi istiyor ama arabada her istediğini yapmam mümkün değil," dedi.

"Durdurun müsait bir yerde, arkaya onun yanına geçeyim."

Hakan Seymen arabayı kenara çekip durdu. Ben arka koltuğa geçtim, yanında onunla oynaşacak birini bulunca sakinleşti Aguli.

"Bizim sohbeti berbat etti, şimdi keyfi yerinde," dedi babası, "çok kıskanç. Hep onunla ilgileneyim istiyor."

İlgiyi hangimiz istemiyoruz ki, diye geçirdim içimden.

Az sonra Çin mahallesindeydik. Arabayı park yerine bıraktık, Ada babasının omuzlarında, ben yanı başında giriş biletlerimizi alıp yürümeye başladık, Şangay'ın bir zamanların Çin'inden artakalan yegâne mekânında. Yerlere kadar inen saçaklı damlarıyla kırmızı evleri, fenerli kapıları, küçük meydanlara serpilmiş çeşitli Buda heykelleriyle dolu sokaklarda, yapma bir dekorun içindeymişçesine yürüdük. Oysa otuz yıl öncesine kadar, işgalci Fransızlarla İngilizlerin kendi tarzlarında inşa ettikleri mahallelerinin dışında, herhalde ülkenin tümü böyleydi. Keşke, ah keşke şehirler kendi dokuları ve renkleriyle muhafaza edilebilseydiler, ne renkli bir dünyada yaşıyor olurduk. Oysa, artık gökyüzüne uzanan upuzun binaları, trafikli caddeleri, neon ışıklar saçan meydanlarıyla, İstanbul'dan Şangay'a, Dubai'den Tokyo'ya, hiçbir şehrin New York'tan farkı kalmamıştı. Rant hırsı, beton görüntüsüne bürünüp ağaçları devirerek, vadileri kurutarak, denizleri doldurarak, yer yüzünü esir alıyordu. Bunu mimar Hakan Seymen'le mutlaka konuşmalıydım bir ara.

"Önce sizin dilek tutma işinizi bitirelim," diyen Hakan Seymen'in sesiyle irkildim.

Tapınağın önüne gelmişiz!

"Siz beni burada bekleyin," dedim. Hızlı adımlarla yürüdüm, ayakkabılarımı çıkarıp içeri girdim, birkaç tütsü çubuğu aldım ve diz çöktüm Buda'nın önünde. Etrafımdakiler de benim gibi diz çökmüş, avuçlarını göğüs hizasında birleştirmiş dua ediyorlardı. Ben, ellerimi kendi usulümde, yukarı doğru açtım ve içimden yakarmaya başladım, "Allah'ım peşimdekileri bir an önce yok et ve beni vatanıma geri yolla. Senden tek isteğim, bu beladan sonsuza kadar kurtulmak. Hiçbir suçum yokken nedir bu benim çilem? Duy beni Allah'ım, duy ve bitir bu kâbusu! Yalvarırım bitir!"

Ellerimi yüzüme sürüp, başımı kaldırdığımda gözlerim yaşlıydı. Omzuma bir el dokundu, döndüm Hakan Seymen kucağında kızıyla yanımda duruyordu. Bana bir kâğıt mendil uzattı. Hay Allah! Yine açık verdim adama! Niye üzülüyorum diye soracağını sandım ama değil dolaşırken, beni eve bırakana kadar o konuya girmedi, niye üzgün olduğumu hiç sormadı.

Günü Çin mahallesinin önce sokaklarında, sonra dere kenarındaki parkında dolanarak, yiyecek satan büfelerin önünde dikilip bir şeyler yiyip, içerek geçirdik. Yorulunca tekrar arabaya bindik ve Seymenlerin evine gittik.

Hakan Seymen, ağacı bol, temiz pak bir mahallede, üç katlı bir evin bahçe katında oturuyordu. Az mobilyalı, sade döşenmiş bir evdi. Yemek masasının olması gerektiği yere kocaman bir battaniye yayarak Ada'ya oyun mekânı yaratmıştı. Bir de çocuk çiti vardı battaniyenin üzerinde. Diğer uçta ise tavana kadar kitaplarla dolu bir kütüphaneyle, çok yer kaplayan bir mimar çizim masası duvara dayalı uzunca bir kanepe ve tek bir berjer koltuk vardı. Oturma odasının misafirsever birine ait olmadığı belliydi. Burada yaşayan kişi içe dönüklüğünü, perde ve kanepede toprak rengi seçimiyle de belli etmiş diye düşündüm.

"Evi siz mi döşediniz Hakan Bey?"

"Hayır, evi möbleli tuttum. Benim katkım sadece çizim masam oldu. Ada'ya oyun alanı açmak için de rica ettim, yemek masasını aldılar... Buyurun arka tarafı da göstereyim," dedi, yerde bacaklarına tutunarak ayaklanmaya çalışan bebeğini kucakladı, önden yürüdü.

Peşinden gittim, yatak odasının kapısını açtı, çift kişilik yatağa yakın konmuş bebek yatağını gördüm. Bir kapı aralığından beyaz fayanslı banyo gözüküyordu.

"Ada benimle yatıyor," dedi.

Sonra yatak odasının çaprazına düşen bir başka kapıyı açtı. Bahçeye açılan daha ufak bir yatak odasıydı burası.

"Banyo odanın hemen yanında," dedi sağdaki kapıyı işaret ederek, "küveti yok ama duş var."

Yatak odalarından sonra, evin ön bölümündeki mutfağa yürüdük. Mutfak küçük ve bembeyazdı. Yemeğini pencere önüne sığdırdığı açılır kapanır dar masada yediğini tahmin ettim. Kısacası, içinde yaşayanların kişiliğini veya zevkini açık etmeyen, az mobilyalı, sade döşenmiş bir evdi baba-kız Seymenlerin evi!

"Esra, evimizi görmenizi istedim çünkü uçakta demiştiniz ki... bilmem hatırlıyor musunuz... şey demiştiniz..."

Adamı kıvrandırmanın manası yoktu, "Evet Hakan Bey, evinize gidiş-gelişlerimi halledebilirsek, Ada'yı her ihtiyacı olduğunda seve seve beklerim," dedim, "eylüle kadar Yazarlar Birliği'nde sadece haftada iki sabah dersim var. Eylülde ders programım belli olunca, yeniden gözden geçiririz durumu."

Yüzündeki rahatlamayı gördüm.

"Çok ama çok teşekkür ederim," dedi. "Ne kadar sevindiğimizi bilemezsiniz."

"Abartmayın Hakan Bey."

"Abartmıyorum Esra, çocuğum sayenizde Türkçesini de öğrenecek. Ben elbette onunla Türkçe konuşuyorum ama bütün gün yokum ki! Ada'yı iki kez birkaç saatliğine bırakmak zorunda kaldım, vallahi aklım hep evdeydi. Yaptığım işten hayır gelmedi desem yeridir. Onu bekleyen hanım eminim şefkatli biriydi ama... şimdi siz kabul edince... çok ama çok sevindim."

İçimden keşke bu kadar sevinmesen, diye geçirdim, bir gün öğrenecek olursan kim olduğumu, hiç suçum olmasa da benden nefret edebilirsin.

Evde uzun kalmadık, benim de Ahmet'le annesini telaşa düşürmeden artık dönmem gerekiyordu. Ada'yı yine arka koltuğa bağlayıp, bu kez benim evin yolunu tuttuk. Kapının önünde arabadan inmeden önce arkama döndüm, "Görüşmek üzere Aguli," dedim bebeğe.

"Aguli ne?" diye sordu babası.

"Çıkardığı seslerden dolayı benim ona taktığım isim!"

Ada, "Agu..gu..guli," diye onayladı.

Eve girdiğimde saat yediye geliyordu. Anahtarımla kapıyı açıp salona ilerledim ve Ahmet'le annesini alaca karanlıkta kanepede yan yana otururken buldum. Tuhaf! Niye ışığı yakmamışlar ki? Elektrik düğmesine basınca yüzlerini gördüm.

"Ne oldu?" dedim, "Allah aşkına ne oldu? Ne bu haliniz? Aaa, ağlıyorsunuz ama siz!"

Perihan Hanım hıçkırmaya başladı. Ahmet kolunu annesinin omzundan çekti, bana mutfağa gitmemi işaret etti. Birlikte mutfağa girdik.

"Esra, eniştem vefat etmiş."

"Tanrım! Neden? Hasta mıydı?"

"Sapasağlamdı. Kiloluydu biraz. Hiç beklemediğimiz bir ölüm... kalp krizi."

"Hay Allah! Başınız sağ olsun Ahmet. Çok üzüldüm."

"Annemle birlikte bu gece İstanbul'a uçuyoruz. Sen bu evde yalnız başına kalabilecek misin? Bizimle gelmek is..." sözünü kestim, "İstesem de gelemem, biliyorsun, anlaşma imzaladık üniversite ile. Üstelik konsolos aracı olmuş bu iş için, adamı zor durumda bırakamam."

"Konuştum konsolosla, sana kalacak yeni bir yer bulmak için bakacaklar. Şey... Esra, annem kız kardeşimi bırakamaz, en azından kırkı çıkana, mevlit okunana kadar kalır. Ben döndüğümde...

şey... annem buradayken sorun yoktu da... şimdi ikimiz aynı evde, münasip kaçar mı? Bilmiyorum ki?"

"Lütfen beni düşünme. Bugün ziyaret ettiğim akrabalarımın evi müsait, fazla odaları var, onlarda kalırım. Kimse bana yer aramasın sakın. Başımın çaresine bakarım ben," dedim.

Sonra da teselli etmek için salona, Perihan Hanım'ın yanına gittim, sarıldım ağlayıp duran kadına. "Pek gençti... çocuklarının mezuniyetini bile göremeden nereye gittin böyle oğlum! Ah Aysel'imi yaktın, yaktın kızımı, yaktın..."

"Teyzem, gel yüzünü yıka, sonra valizini hazırlayalım madem bu gece uçuyormuşsunuz," dedim elinden çekerek.

"Çoktan hazırladık valizleri biz. Haber sabah geldi, sen çıktıktan az sonra. Bak sana ne diyeceğim kızım, Ahmet dönünce sen onu yalnız bırakmazsın değil mi güzel kızım? Artık o sana emanet, erkek başına ne yapabilir ki, yemeği var, bulaşığı, çamaşırı var. Bak sen de yapayalnızsın gurbet ellerde... Birbirinize destek olursunuz, oh benim kızım, biz gitmeden bir söz yapaydık keşke aramızda..."

Bıraktım elini, hiçbir şey söylemeden çıktım odadan, mutfağa geçtim. Neyse ki beni çabuk unutmuş, "Ah bu acıyı nasıl kaldıracak Aysel'im," nakaratını tutturmuştu, sesi mutfağa kadar geliyordu. Ahmet'le göz göze geldik.

"Annen iyi görünmüyor," dedim ben.

"Acı haberi aldığımızdan beri, aklı pek başında değil," dedi, "Esra, seni sıkacak bir şeyler söylediyse kusuruna bakma, e mi!"

"Hangi kusur Ahmet?" dedim, "her ikinize de sadece teşekkür borçluyum ben. Birdenbire gökten başınıza düşüverdim, bana evinizi açtınız, özellikle de sen her işime koşturdun."

"Ben cenazeye katılıp hemen döneceğim. Gelince ararım seni, kaldığın evde mutlu değilsen, bir başka çare buluruz."

"Tamam. Beni hiç düşünme... hayat bana her koşula uymayı öğretti," dedim, "annen gidene kadar biraz uzansa, toparlasa kendini keşke. Hatta yapacak işin yoksa sen de uzan biraz, üzüntü çok yorar insanı. Uyuyakalırsanız ben sizi bir saat sonra kaldırırım."

"Doğru. Uçuşa daha çok var, biraz dinlenelim ikimiz de," dedi.

Mutfaktan çıkıp salona yürüdüğümüzde, Perihan Hanım'ı başını koltuğun koluna dayamış, içi geçmiş bulduk. Her ikimiz de parmak uçlarımız basarak odalarımıza çekildik.

Kapımı kapar kapamaz Hakan Seymen'in numarasını tuşladım. Uzun süre çaldıktan sonra açtı nihayet, "Kusura bakmayın, banyoda Ada'yı yıkıyordum," dedi, "hayrola? Evde sorun yok, değil mi?"

"Evde sorun var! Birileri için hiç hayırlı olmayan bir şey, başka birilerinin hayrına olabiliyor. Ne acı değil mi?"

"İyice merak ettim şimdi..."

"Evlerinde kaldığım ailenin bir yakını vefat etmiş. Bu gece cenazeye yetişmek için İstanbul'a uçuyorlar. Evlerini de kapatmak istiyorlar. Elbette beni sokağa atmadılar ama yanınıza gelmem hızlandı ve kesinleşti gibi."

"Ne diyeceğimi bilemedim Esra," dedi, "tapınakta siz kendi dileğinizi tutarken, biz de baba-kız, arkanızda kendi dileğimizi tuttuk. İkimiz de aynı şeyi istedik. O dilek gerçekleşti diye vicdan azabı mı çekeyim ben şimdi?"

"Hayır," dedim, "vicdan azabı çekmeyin de, sadece kötü bir rastlantı oldu diye düşünün."

Kapattık telefonu.

Benim hayatımda her yönden hayırlı bir rastlantı hiç mi olmayacaktı acaba?

Nebahat

Üstüme gelindi miydi bir fırıldak döner içimde
gözüm hiçbir şeyi görmez olur...

Bizim Mahmut peynirli poğaça sever de, okuldan döndüğünde sıcacık yesin diye hamur açıyordum pencerenin önünde. Nedense cıvıdı hamur. Biraz daha un kattım, az daha yoğurdum sonra da gittim fırını yakıp 180 dereceye getirdim. Tam o sırada bahçe kapısının zili... çaldı mı, yoksa bana mı öyle geldi? Mahmut daha gelmez. Recep hiç gelmez, çim makinesini tamire götürdü Urla'ya. E, oraya kadar gitmişken bir de İsmet'in kahvesine uğrar tavla için. Akşam yemeğine yetişirse, öp başına koy! Zaten niye zili çalsın, anahtarı var onun! Başka da kim çalacak kapımızı, bana öyle geldi zahir!

Ezdiğim beyaz peynirin içine maydanozu incecik kıymaya başladım. Oturma odasında televizyon açık kalmış, oynak Karadeniz türkülerinin sesi mutfağa kadar geliyor. Alıp götürdüler beni ta nerelere bunca işimin arasında, savurdular hiç hatırlamak istemediğim gençliğimin orta yerine! Karadeniz'in türkülerinin çoğunu severim de, bir tanesine takıntılıyım! Çünkü ilk evliliğimin yürümemesinin vebali, benim aksiliklerim kadar, bir de bu türkünün boynundadır!

Mahmut'umun babası olacak herif Karadenizliydi. Ondan yadigârdır ara sıra dudaklarıma takılan bu oynak türküler. Hani bu türküler de olmasa, hiçbir şey kalmayacaktı ya o evlilikten, hatta eltim yardım etmeseydi, Mahmut'um bile kalmayacaktı!

Egeli bir kız niye Karadeniz'e gelin gitti diye soracak olana, kahpe feleğin oyunu diyorum! Askerliğini yapmaya bizim oralara gelen Dursun beni Ege'de buldu. Baktı çöpsüz üzümüm, babamın tek kızıyım, evimiz, bahçemiz bir de balıkçı teknemiz var, elimden iş geliyor, becerikliyim, ortaokuldan terk okur yazarım, elim yüzüm de düzgün, nah böyle zeytin gibi kara gözlerim var, artık beni mi beğendi, bana kalacakları mı bilemem, istedi babamdan. Babam da verdi çünkü hastaydı, altı aydır kanser teşhisi konmuştu, buralarda beni kimse almayacağı için, kızını geride yapayalnız bırakmak istemedi herhalde. Neden derseniz, ben hırçınımdır, üstüme gelinince dellenirim. Köyümde Deli Nebi derlerdi bana!

Kınayı bizim bahçede yaptık, düğünü de yaza rastlatıp yaylaya çıktık. Düğünde bıktırana kadar çalıp çığırdıkları türkünün sözleri aynen şöyleydi:

Yavuz geliyor Yavuz da suları yara yara

Kız ben seni alacağum başına vura vura da, başına vura vura!

Böyle türkü mü olur, be! Gençlik işte, kızdım, tepemin tası attı, niye başıma vura vura alıyor beni! Okşaya seve alsa ya! Haydi kalk sen de oyna dediler, gelin oynamalıymış kendi düğününde! Türkünün sözlerine kızdım ya, o deli inadım tuttu oynamadım. Düğün tatsız geçti. Gerdeğe girdik, ilk kavgayı nah oracıkta serili, gelin yatağının üzerinde yaptık. Dursun tutturdu kız niye oynamadın, diye. Zorla mı almış beni? Konu komşu ne zannetmiştir şimdi? Onu rezil etmişim! Dır dır dır! İlk gecemize böyle başladık ve bizim evlilik birbirimize bağıra çağıra sürdü gitti. Ne dayaklar yedim, ne sopalar indi sırtıma. Ama ben de boş durmadım. İtiraf ediyorum işte, üstüme gelindi miydi, bir fırıldak döner içimde, gözüm hiçbir şeyi görmez olur, kesin bir kaza çıkar elimden. Bir keresinde oklavanın ucuyla gözünü çıkartacaktım herifin de, ucu ucuna kaçırdım. Kör olacaktı az daha! Bastı sopayı, bastı sopayı! Ben de dayağı yedikçe onların mallarına zarar verdim, küçük yangınlar çıkarttım. Babama postalayacaklardı da, babam ölmüş, gitmiş! Atamadılar, satamadılar. Derken, hamile kaldım. Dayak durunca ben de sakinledim biraz. Mahmut doğdu. Bu sefer bende sebepsiz ağlama krizleri, karamsarlık, isteksizlik, bunalım! Ruh doktoruna götürdüler ite kaka. Olurmuş dediler doğumdan sonra ama bu kadar uzun sürmezmiş. Bir kadın doktor vardı, Mahmut'u aşıya götürdüğüm hastanede, halimi beğenmedi, beni başka doktorlara yönlendirdi, bana kan testleri yaptılar, önüme abuk sabuk resimler dizip bu neye benziyor, şu neye benziyor cinsinden saçma sapan sorular sordular. Sonunda gözlüklü doktor bana dedi ki, kızım sen deli değilsin, dedi, sadece bir şeylerin eksik. O eksiğin adını da söylediydi de aklımda kalmadı. Tıpkı şeker veya tansiyon hastaları ya da nefes darlığı çekenler gibi, ilacını alacaksın ve ilaç aldığın sürece iyi olacaksın, dedi. İhmal yok, unutmak yok, çünkü almadın mıydı, asabın bozulur, önüne gelenle kavga eder, çekilmez olursun dedi. Yazık değil mi, bak bir de oğlun var, onun hatırına muntazam iç ilaçlarını, dedi. Yani ben deli değil miyim dedim. Hayır, sadece işte o şeysin, dedi, ilaçlarını muntazam alırsan kimseden farkın kalmaz. Doktor bana böyle anlattı da, ben benim herife anlatamadım. Benden kurtulmak için işçi yazılmıştı Almanya'ya, sırası gelmiş, çekti gitti. İşte öyle kaçırttım ben kocayı ta Almanya'ya kadar! Ya bu karıyı öldürüp katil olacağım ya da karı beni öldürecek demiş, en iyisi ben çekip gideyim! Kocamın memleketinde de çıktı mı adım deliye! Ama bu sefer Deli Nebi değil, Deli Karı diye yayıldı şanım!

Bir yıl sonra da Mahmut'umu elimden almaya kalkmaz mı Dursun! Ben köyde kalacakmışım, oğlan yanına gidecekmiş!

"Yakarım evinizi de bahçenizi de, hayvanlarınızı da," dedim, "deliyim ya, her şeyi yaparım, yakar yıkarım, bana da bi' şeycikler olmaz!" Benim küçük eltim Fatik, evi yakarım diye mi korktu, yoksa ailede tek oğlan kendi oğlu kalsın diye mi düşündü bilemem, kaçmama yardım etti. Bir gece ev halkı yatmışken, Mahmut'la evden kaçıp, gece otobüsüyle İstanbul'a gittik. Babamın bir arkadaşı vardı İstanbul'da balık hâlinde çalışan, doğruca ona gittim. Yaşlıydı, karısı ölmüş, çocukları dört bir yana dağılmış. Onun evine sığındık, önceleri evi toparlayıp, çamaşırlarını yıkayıp, yemek yapıyordum boğaz tokluğuna. O bana balık halinde iş buldu, daha doğrusu, ben ne iş verdilerse yaptım. Temizlik işçiliğine halde başladım, sonra hanlardaki büroları temizlemeye, derken okul temizlemeye terfi ettim. Benim herif, ya bizi aradı da bulamadı, ya da hiç aramadı, çok emin değilim. Böylece ben ve oğlum kaldık baş başa ve beş parasız. Neyse ki eşek gibi çalışıp bakıyordum ikimize de. Babası olacak herif bir karı almış Almanya' da, çocukları olmuş diye duydum.

Bir Karadeniz türküsü nerelere götürdü beni! Yoksa aklımın ucundan geçmez o günler! Sevmem ayağımın geçmişime takılmasını.

Urla'ya geldiğimden beri Recep'le evliyim. O bu işi bulunca, düğünsüz, nikâhsız, Rabbimin huzurunda evlendik Recep'le. İstanbul'dan kalktık geldik bağ evine. Recep iyi bir insan, dayağı yok, küfrü, kötü lafı yok! Şimdi mutluyum. Sakinim. Etrafımda beni kızdıracak, kafamın tasın attıracak, fıttırtacak hiçbir şey olmadan huzur içinde yaşıyordum. Bu yüzden de ilaçlarımı kesmiştim altı ay önce artık gerek kalmadığı için. Beni kızdıran, fıttırtan biri olmadıktan sonra, her şey yolundaysa, niye boşuna alayım ki sürüyle hapı! Hem alabilmek için reçeteydi, rapordu, şuydu, buydu! Eczanelerde ver paranı al ilacını devrinde, işim kolaydı da... şimdi ilaç almak için bile uğraşmak lazım. Boş verdim gitti!

Ahh! Şu sıska, edepsiz kız olmasaydı... unut, hemen at kafandan Nebahat... unut... düşünme!

Oklavaya taktığım hamuru incelterek büyüttüm, ay şeklinde parçalara böldüm, ortalarına maydanozlu peyniri koyup, kapattım, tepsiye diziyordum ki, ah, o da nesi! Herifin biri bahçeme girmiş, camın önüne kadar gelmiş, sırıtıyor bana.

Oklavayı kaptığım gibi, mutfağın bahçeye açılan kapısına koştum.

"Kimsin sen? Nasıl girdin bahçeme?"

"Abla, tanımadın mı beni... hani geçende gelmiştik, polisle birlikte... indir o elindekini ablam..."

Yüzünü bir yerden çıkartacağım ama...

"Abla, ben İbo. İbrahim... hani polis gazetecisi... hani bir akşam gelmiştik, başınız sağ olsun, Derya Hanım için..."

"Öldü o," dedim.

"Biliyorum ablam. Ben de ona dair birkaç soru soracaktım."

"Ölmüş gitmiş! Soru niye ki?"

"Ya... şöyle... bizim gazetede bir yazı dizisi hazırlıyorum, Esrarengiz Ölümler başlıklı. Hani nasıl oldu, neden öldü gibisinden soracağım?"

"Ne bileyim ben! Yanında mıydım ki!"

"O zaman bana başka şeyler anlat. İyi biri miydi, hınzırın teki miydi? Yani düşmanı filan var mıydı, sana kızı anlattıracağım işte, ablam... Bana hikâye lazım."

"Sen önce söyle bakalım, buraya kadar nasıl geldin? Koca demir kapıyı kim açtı sana?"

"Ben önce zili çaldım da çaldım, bekledim yine çaldım... duyuramayınca bahçe sınırında az yukarı yürüdüm, duvar alçalıyor ya şu yanda (eliyle işaret etti) atlayıverdim. Bildim ama evde olduğunu, bak, kalplerimiz bir."

"Haydi şimdi geldiğin gibi git bakalım!"

"Ablam, motoruma koyduğum benzine acı. Boşuna mı teptim bu yolları ben?"

"Boşuna teptin! Kız öldü! Kazaymış! Cinayet filan yok!"

"Ama duydum ki bir başka kadın...

"Bir kadın çıkmış, abuk sabuk bir şeyler demiş. Meşhur olmak istemiştir, televizyona filan çıkmak istemiştir... Doğru değil söyledikleri, kızın ömrü bu kadarmış."

"Bari o kısa ömrüne dair bir iki laf edeydin. Nasıl biriydi?"

Lanetin biriydi dememek için zor tuttum kendimi, "Haydi oğlum, yoluna git, bak işim var benim."

"Tamam ablam madem anlatmayacaksın bari bir bardak su ver de içeyim..."

İçeri girdim, peşimden geldi, ayakkabılarını kapı önünde çıkarıp mutfağa girdi.

Oklavayı masaya bıraktım, buzdolabından su şişesini çıkardım, bardağa döküp uzattım.

"Poğaça açmışsın. Anam da açar. Peynirli mi?"

"Hıı. Haydi, iç suyunu da yallah! Bak daha pişecek bu oğlanım gelmeden."

Masadaki iskemleye çöktü içerken. Bir eli kafasında, bir dikişte bitirdi koca bardağı, bir daha istedi, belli ki içi yanmış!

"Nerelisin sen?" dedim.

"Buralıyım. Urla'nın içinde dededen kalma bir evimiz var. Teyzemlerde, o evde kalıyorum. Sen ablam, sen de buralı mısın?"

Evet diyecekken durdum. Şimdi köyü filan sorarsa... neme lazım, "Ben Karadenizliyim."

"Karadeniz ağzın yok ama!"

"İlla olması mı lazım! Sen de Egeliymişsin, bak sende de yok Ege ağzı."

"E, ben İstanbul'da büyüdüm. İstanbullu sayılırım ben."

"Ben de üç dört sene oturdum o şehirde."

"Beyimiz de Karadenizli mi ablam?"

"İlhami Bey mi? Yok, o halis İstanbullu."

"Senin beyi sordum... kocanı yani."

"Haa, Recep mi! O memleketin doğusundan."

"İlhami Bey, ölen kızın babası mı oluyor?"

"Neydi adın?"

"İbo."

"Haydi İbo, suyunu içtin, gitme zamanın geldi."

Bana heyheyler gelmek üzereydi, neyse ki uzatmadı,

"Tamam ablam," dedi, "izin ver bir de su dökeyim. İki bardak suyu içtim... yolum da uzun."

Mahcup gülümsüyor. Tuvaletin yerini işaret ettim ki işini bitirip gitsin, yoksa bahçede bir ağacın dibine işer bu.

"Mutfaktan çıkınca, sağdaki ikinci kapı."

O tuvalete gidince, ellerimi yıkadım, çöktüm yine hamurun başına. Dört tane daha ay şekillendirdim, sonuncuyu yaparken ve tam da nerede kaldı bu, kenefe mi düştü diye içimden geçirirken, geldi.

"Tuvalette asılı mont senin mi ablam?" diye sordu.

"Niye sordun?"

"Turuncu en sevdiğim renktir. Herkes giymez."

"Benim oğlanın."

"Haa! Nerden aldı acaba... hani kolay bulunan renk değil de, ben Agora'daki dükkânlara baktım geçenlerde, mor bile vardı, turuncu yoktu!"

"Patron yurt dışından getirdi."

"Cömert ve zevkli patronmuş. Güle güle giysin."

Yanıtlamadım. Bir çanakta hazır bekleyen çırpılmış yumurta sarısına batırdığım fırçayı, tepsiye dizili poğaçalara sürmeye başladım.

"Afiyet olsun size," dedi, "Sanki kokusu burnuma gelmiş gibi, valla ağzım şimdiden sulandı."

"İbo, haydi oğlum, kafamın tasını attırtmadan düş yola sen. Bizde âdetten değildir bir yabancının erkeği evde olmayan kadınların mutfağına postu sermesi. Bak sonra başın belaya girmesin... haydi... haydi..."

"Kapıdan mı çıkayım?"

"Damdan çık! Deli mi ne!"

"Ablam, duvardan atlayıp geldim ya... hani kapı varken...?"

"Git de nasıl gidersen git!"

"Suya teşekkür ederim."

"Afiyet olsun!"

"Allah'a emanet ol ablamm!"

Hiç yüz vermeye gelmiyor buna. Duymamış gibi yaptım. İçimden sayacağım ona kadar, çıktı şu mutfaktan, çıktı. Çıkmadıysa, günah benden gitti. Bir... iki... üç... dört... beş... altı derken neyse ki kafasına oklavayı yemeden, ayakkabılarını eline alıp mutfağın eşiğine indi. Besmele çekip oklavayı yerine kaldırdım, tepsiyi fırına sürdüm.

Öğleden sonra oldu ya, bir gün daha geçti sayılır! Hayırlısıyla bir gün daha geride kaldı o lanet günden! Beni çileden çıkarmasaydı, yaşıyor olacaktı. Kabahat kendinde! Sabah sabah geldi kuyruğuma bastı. Ben onun iyiliği için, "Kızım," demiştim, "çıkıp gidiyorsun başın alıp. Akşam saatlerine kadar dönmüyorsun. Ne yersin ne içersin, ne halt edersin bilmiyoruz. Baban seni bize emanet eti. Başına bir şey gelirse n'aparız? Bari yanına biraz yemek al, meyve al. Hani, sen sıskanın tekisin, yiyip içmiyorsun, yanındaki şu yavruya acı. Güneşte ısınmış suları içip duruyor..."

Başka şeyler de söylüyordum... yani onun ve bebeğinin iyiliği için, dil döküyordum ki, elini havaya kaldırdı, bir an sustum, keşke susmasaymışım, bana ne dese beğenirsiniz: "Sen Nebahat Hanım, haddini bil! Recep Efendi'nin eşisin sen, babamın değil! Yani bizim çalışanımızsın! Haddini bil, yerini bil! Şunu da bil, bu eve konmak filan bir yana, sen bu kafada gidersen, işini de kaybedebilirsin, burada yaşamak sana bir rüya olur!"

Sonra da bebek iskemlesinde oturan kızını kucakladığı gibi, fırladı çıktı mutfaktan.

Anında o fırıldaklar dönmeye başladı içimde! Gözlerim kararıyordu. Masaya tutundum. İçimden peşinden koşup o uzun saçlarını bileğime dolamak, tıpkı yıllar önce görümceme yaptığım gibi onu yere yatırıp, üzerine çıkıp ağzını burnunu dağıtmak geliyordu ama... işte o anda Recep girdi içeriye.

"Ne bu halin!" dedi.

Ben zangır zangır titriyormuşum, farkında bile değildim. Anlattım. Anlayışlı adam benim kocam. "Nebahat'im sen bu gün işi boş ver, keyfince takıl," dedi bana.

"Keyfimce mi? Keyfim mi kaldı?"

"Deniz sana iyi geliyor. Arabayı al, git balık tut bu gün. Sakinleşirsin," dedi, "bak titriyorsun..."

Titremem sürüyordu, sanki biri beni fişe takmıştı. Elim ayağım buz gibi olmuş, kan çekilmiş yüzümden, nasıl üşüyorum, karda kalmış gibi...

İlhami Bey'in Mahmut'a getirdiği, ona büyük gelen montu geçirdim sırtıma, yaptım Recep'in dediğini. Bizim köyden Enver vardır, motorunu kiralar, ben de alır balığa çıkarım balık lazım oldukça, aldım arabayı gittim onun bulunduğu koya, şansıma motorun işi yokmuş o gün. Atladım motora, gazladım. Ohh! Nasıl iyi geldi deniz havası anlatamam. Koy koy gidiyordum ki, aaa cenabet kız burada da çıkmaz mı karşıma! Kafasına sarmış bezini Derya Hanım, derya kuzusu gibi yüzüyor, denizin ortasında. Şimdi gitsem yanına, bebeğini ne yaptın, kime emanet ettin desem cevabı biliyorum, "Haddini bil!"

Haddini bil... haddini bil... haddini bil... kulaklarım uğuldamaya başladı, içimdeki fırıldak da hızla dönüyor bir yandan. Dur kız, ben bildireyim sana haddini dedim, yanından geçip gitmişken döndüm geri, sürdüm üzerine motoru. Beni fark etti, durdu, o el yine havaya kalktı, mutfakta tam haddini bil derken yaptığı gibi. "Haydi, sen de bil bakalım haddini," diye bağırdım, "bu kere de sen bil!"

Sanırım beni duymadı.

Yarın sabah erkenden kasabaya ineceğim, ilacımı almaya. Yok ama olmaz, reçetesiz vermezler ki! Doktorumu aramam lazım. Evde var o ilaçtan aslında ama kullanma tarihi geçmiş.

Mis gibi kokmaya başladı fırındaki poğaçalar... Mahmut çok sever, gecikmese bari...

Vural

Herkese ne aşklar veriyor Allah, bana ise sadece aşk olsun!

Konu komşuya yardıma koşturan anneciğimi, rahmetli babam, iyilikten maraz doğar diye her ikaz ettiğinde, ben de içimden ne saçma bir laf, diye geçirmişimdir. Oysa babam sağ olaydı eğer, bu akşamüstü evime dönmeden önce, elini öpmeye uğrardım, çünkü rahmetlinin dilinden düşürmediği atasözü, şu an benim gerçeğime dönüşmüş bulunuyor!

İyilikten maraz doğdu... ve ayağıma dolanmaya başladı bile!

Nereden bulaştım ben bu İbo'ya!

Kaç kere söyledim, oğlum beni mesai saatlerinde arama, diye! Demez olaydım! Herif sakızdan beter yapışkanmış, bu sefer de akşamları aramaya başladı. Bizim işlerde mesai saati mi var, akşama sarkmış en önemli toplantının tam ortasında, zırrr, zırrr, zırr, İbo!

Telefonu sessize aldım, mesaj attı! Okumadan sildim. Bu kez e-postası geldi. Hiç mi pes etmez yahu!

Sigara molasında toplantı odasından çıkıp çaldırdım telefonunu. Anında açtı.

"İbo, arama! ARAMA!"

"Hayati önemi var!" dedi.

"Neymiş?" dedim, "hayati önemi olan şey ne?"

Katili bulmuş! Sen kimsin de katili bulacaksın? Oğlum bu iş başka iş, sen burnunu sokma diyorum, laf anlatamıyorum. Bana bak, bilmediğin işleri kurcalama, kim vurduya gidersin, diyorum, dinlemiyor! Tutturmuş elimde delil var diye! Ne delili olacak senin elinde, be!

Sen kimsin? Polis misin? Hafiye misin? Nesin sen? İşten atılmış, bir polis muhabirisin... kılkuyruk bir gazeteci oğlansın! Kendini bir şey zannetmende kabahat kimin? Sana polisiye roman yaz diyenin! Seni adam yerine koyanın! Ama ben sana polislik yap demedim! Delil bul, hiç demedim!

"Şimdi seni dinleyemem İbo, toplantıdan çıkarttın beni Allah'ın cezası! Başka zaman anlatırsın," deyip kapattım telefonu.

Ertesi gün tam on iki kere aradı akşama kadar. Ben telefonlarını engellediğim için, sekreterimi aramış, onu bezdirmiş.

Akşam mesajı geldi telefonuma, madem ben ilgilenmiyormuşum, Urla'da, bana kapısında rastladığı jandarma komutanlığına gideymiş o halde, derdini komutana anlataymış.

İşte o zaman fıttırıyordum! İyi ki karşımda değildi yoksa elimden kesin bir kaza çıkardı!

Başıma bela kesildiği yetmezmiş gibi, bir de pimpirikli komutanı karıştıracak işin içine! Komutan yeniden sorgulamak için illa Esra'yı bulmaya kalkışacak olursa, haydi bakalım, buyurun cenaze namazına! Kız yine tamamen masumken bu kez de İbo'nun yüzünden "kaçak suçlu" durumuna düşecek!

Hemen geri aradım.

"Ulan İbo," dedim, "sana bir roman konusu çıksın da bir meşgalen olsun diye iyilik edeyim dedim, sen başıma bela oldun. Karışma oğlum, KARIŞMA! Sen kim oluyorsun da delil topluyorsun. Ne hakla! İçeri attırırım bak seni, sahtecilikten. Polisçilik oynamak suçtur, haberin var mı!"

"Suç mu kaldı müdürüm, çocuk becerenler bile affa uğruyor, hakkın hukukun çivisi çoktan çıktı!" demez mi!

"Bana bak İbo," dedim, "buna benzer bir cümle daha kur, seni Fetöcü diye içeri almazsam bana da Vural demesinler! Şu telefonda her sözün kayıt altında!"

O an kapattı telefonu ama bir gün dayanabildi. Başladı yine telefonlar, mesajlar. Kanıt varmış elinde! İbo pes etmedi, ben ettim!

"Anlat ulan," dedim sonunda, "anlayalım bakalım, ne delili toplamışsın?"

"Kadını buldum," dedi, "denizdeki genç anneyi öldüren kadını..."

"Nerede buldun?"

"O beraber gittiğimiz bağ evi var ya, orada işte!"

Nereden bahsediyordu acaba? Nereye gittik ki... ah! Hatırladım peşimden geldiği o geceyi.

"Saçmalama İbo!"

"İki gözüm önüm aksın müdürüm. Biz tepede bir eve gitmiştik ya o gece bağların arasında, hani ben sizi motorumla takip etmiştim... İşte orada küçük bir ev daha varmış meğer..."

Dalgamı geçtim, "Yavru ev mi varmış?"

"Evet. Bunların oturduğu..."

"Bunlar dediğin, kim?"

"Katillerin işte..."

"Katillerin derken?"

"Kızı öldüren kadının evi... hani şu bize kahve pişirenin. Gece vakti, görmedik biz o evi, gündüz gözüyle tabak gibi ortadaydı ev."

"Ve evin üzerinde Katilin Evi yazıyordu, öyle mi, İbo?"

"Bir şey yazmıyordu ama ben o eve girdim... Kadın evdeydi... şey... ayıptır söylemesi, çişim geldi diye güya, tuvalete gittim ve banyoda turuncu montu da gördüm. Hani kazaya şahit olan kız söylemiş ya, motoru sürenin üzerinde turuncu mont vardı diye... ifadesinde yazıyormuş..."

"Bu mu delilin, İbo? O monttan numunelik tek bir tane yapmışlar ve onu da bekçinin karısı... neydi adı Melahat mıydı neydi?.."

Atıldı, "Nebahat!" dedi.

"İşte o karı satın almış! Yani Nebahat'a özel bir mont yapmışlar, denizde kızları öldürürken giysin diye! Bravo! Delil harika!"

"Başka delil de var. Kadının başına sardığı bez motorun pervanesine dolanmış."

"Eee?"

"İşte kocaman bir delil daha! Ölen kızın başında bir örtü sarılıymış ya sarı renkli... ifadede var... kazayı gören kızın yazılı ifadesinde."

"Nereden biliyorsun?"

"Komutanlıkta birini tavladım, tutanağa baktı benim için."

"Oğlum, iyi de, pervaneyi nerede buldun? Deniz motoru kullanabilecek köylü karıyı nerede buldun? Sen şu içinde yaşadığın hayal dünyasından bir çık hele, bizim dünyamıza giriş yap, ayakların yere bassın, sonra konuşalım! Beni de meşgul etme gözünü seveyim, çok işim var, İbo, çok!"

Bir şeyler söyleyecek oldu, "Bana bak," dedim, "kurgun güzel. Mantıksız ama sürükleyici. Otur yaz, bitir, söz veriyorum hikâyeni yayımlamadan önce, tatilime rastlarsa gönder bana, okuyacağım. Aykırı yerlere işaret ederim."

"Ama Kom... mü..."

"Beni bir daha arama İbo! Kitabını bitirmeden arama oğlum. Haydi eyvallah!"

"Pervaneyi sordun da... Enver'in motorunun pervanesi. Enver kaçakçılık yaparmış eskiden... şimdi plajcı olmuş ama..."

Gerisini dinlemedim, kapattım telefonu. Geri döndüm toplantıya ama aklımı bir türlü toparlayamıyorum. Arkadaşlar da alıştılar bu halime de, vallahi saklıyorum iyiye gittiğini ablamın çünkü dalgınlığımın sebebi kalmayacak, öğrenirlerse. Bu kez, âşık bu diye dalga geçmeye başlarlar hemen! Bizlerin arasında âşık olan, hemen alay konusu da olur çünkü!

Akşam eve gidince mesajlarıma baktım, yine İbo'dan name var! Uzun uzadıya anlatmış, her kimse bu Enver, onu da, motora dolanan bezi de, Nebahat'ın evine girip sağı solu kolaçan etmesini de! Bir de, Nebahat'ın Ege köylerinden birinde, bir balıkçının kızı olduğunu, çocukluğundan beri babasıyla balığa çıktığı için motor kullanmasını çok iyi bildiğini yazmış!

Geri dönmedim İbo'ya ama gece uykum kaçtı. Bir kuşku düştü içime. Ya bana yazdıkları doğruysa! Saat ikiye mi geliyordu ne, çıktım yataktan, buna mesaj attım. Komutana filan gitmeye kalkışma, ben bizzat araştıracağım, diye. Koynunda bilgisayarla mı uyuyor bu İbo, gecenin üçünde hemen yanıtı geldi. Asrın cinayetini çözmek üzereymişiz! Mişiz! Yani o ve ben, birlikte! E, ne demişler yüz ver ayıya...

Ertesi sabah işe çok erken gittim, kadınla kocasının adını ifadelerini aldığım akşam yazmıştım bir kenara, buldum çıkardım kayıtlardan, verdim bizim çocuklara araştırmaları için. İşin bokunu çıkartmadan, kimseye duyurmadan öğrenin diye de tembih ettim, sıkı sıkıya. Ne de olsa İbo'nun beyanı üzerine araştırıyorduk!

Akşama kalmadı, önümde kocaman bir rapor!

Ben ki şu meslek hayatım içinde hiçbir şeye şaşmamayı öğrenmiştim, gelen bilgiler karşısında afallamadım desem, yalan olur!

Ne gizemlerle, sırlarla doluymuş meğer, İlhami Bey'in evi!

İlhami Bey öncelikle Bora adında bir gencin katil zanlısı olarak hapis yatmış aylarca. Sonra o ölen gencin can arkadaşı Recep Kasapoğlu, ki İlhami'nin bağının bekçisi oluyor, şahitlik etmiş İlhami'nin lehine! Olay gecesi ben Bora'nın evindeydim, Bora'nın balkondan düşmesi tamamen bir kazaydı. İlhami Bey, Bora düştükten çok sonra gelmiş olmalı diye ifade vermiş. İlhami böylece paçayı kurtarmış. Demek ki sonradan bağına bekçi olarak aldı Recep'i.

Recep'in karısı diye ortalıkta dolanan Nebahat da, meğer nikâhlı karısı değilmiş Recep'in. O gece göz ucuyla gördüğüm çocuk, müşterek çocukları değil, kadının oğluymuş. Nebahat'ın araştırılmasının sonucunda ise, iyi hali görülerek, ilaçlarını muntazam alması şartıyla hastaneden ailesine teslim edilmiş, akıl sağlığı bozulabilir biri olduğu çıkmaz mı!

Acilen çözmeye çalıştığım düğüm, Nebahat'ın da işe karışmasıyla arapsaçına dönüşmüştü. Olaya her an yeni bulgular ve kişiler katılıyordu. Benim içinse, öncelik her zamanki gibi Esra'nın temize çıkarılmasıydı... Onun temize çıkana kadar her tehlikeden uzak tutulması, sağ salim vatanına geri getirilmesi, üzülmemesi, daralmaması! Esra da Esra!

Kendine gel Vural, dedim, kendine gel! Ama yine de Esra'ya bir mesaj yollamaktan geri kalmadım, sırf karamsarlığa kapılmasın, diye.

"*Bazı ilginç gelişmeler oluyor,*" diye yazdım, "*yakında sana iyi haberlerim olacak belki de bir bayram müjdesi veririm.*"

Bu yeni gelişmenin arkası fos çıkar korkusuyla fazla da köpürtmek istemedim umudunu. Ne olur ne olmaz, yola çıkış noktam İbo ile Enver denen kaçakçının anlattıklarıydı. Yani tam da şıracının şahidi bozacı durumu. Bu nedenle, bir araştırma da Enver için istedim bizimkilerden.

Rahmetli babamın iyilikten maraz doğar lafına gelince, bana maraz çıkaran sadece İbo olsa, öpüp başıma koyacağım. Ama benim, saçının teline zarar gelmesin diye uğruna mesleğimi bile zamanı geldiğinde tehlikeye attığım Esra da bana kafa tutmaya kalkmaz mı! Nasıl olur da ben onu uçakta Derya Seymen'in pasaportu ile uçurur muşum? Neden böyle bir şey yapmışım? Ne hakla!

Başka ne yapacaktım acaba?

Bir iki gün içinde ona vize çıkartacak, peşinde olduğunu var saydığım katillere ve Ege sularında turlayıp duran devriyelere çaktırmadan, Yunan adalarından birine kaçıracak, oradan da bir Avrupa kentine gönderecektim, öyle mi? Anasının yanına yollasam şıp diye bulurlardı. Başka bir ülkeye yollasam, gittiğim yerde nasıl geçinirim, bir Türk'e Avrupa'da kim iş verir, hele de hemen her ülkeyle münasebetlerin en gergin olduğu şu günlerde diye sormak yok! Üç gün içinde Ali'nin külahını Veli'ye giydirdin, hem izimi kaybettirerek, hem de beni Çin'e sorunsuzca sokarak hayatımı kurtardın, demek yok!

Teşekkür beklemiyordum ama azar işitmeyi hiç beklemiyordum! Kendi yaşında ve boyunda bir genç kadının "oturma vizesi" hazır pasaportunu eline vermişim; bir mucize gerçekleştirmişim yani! Bir dostumun sayesinde de, gideceği ülkede mis gibi işini hazır etmişim ki eline, kendine yetecek kadar cep harçlığı geçsin. Bu kadar kısa sürede dünyanın hiç kimsenin akıl edemeyeceği bir köşesinde onu kesin emniyete aldığım için bana teşekkür etmesi gerekirken, yaptığına bakın!

Ahmet'in eniştesinin cenazesi için anasıyla birlikte Türkiye'ye dönmesini fırsat bil, sen git Hakan Seymen'in evine yerleş! Üstelik Ahmet'e de bir akrabamda kalacağım diye yalan söyle!

Oraya istihbarat görevlisi diye yolladığımız Ahmet, budala gibi inanmış Esra'nın yalanına, bana da diyor ki, "Merak etmeyin müdürüm, ben dönene kadar bir yakın akrabasının evinde kalacakmış..."

"Kimmiş bu aile?" diye gürledim telefonda.

"Kadın kuziniymiş, kocası da mimarmış. Ha, bir de bebekleri var ailenin, hiç merak etmeyin, Esra emin ellerde. Döndüğümde memnun değilse, ona yeni bir yer ayarlarım ben."

"Ahmet, kocasının adı ne, sormadın mı?"

"Sordum. Adı, Hakan Seymen. Çalıştığı firmayı da araştırdım, itibarlı bir mimarlık firması. Bir akıllı mahalle inşa ediyorlarmış ve her şey..."

"Aferin Ahmet!" diyerek kapattım telefonu. Yüzüne kapatmış oldum ama kafamın tası iyice atmıştı, o anda! Esra'yı aradım hemen!

"Yahu Esra, sen ne yaptığını sanıyorsun?" dedim. "Deli misin sen? Divane misin? Ne işin var Hakan Seymen'in yanında!"

Ne dese beğenirsiniz? Bu kaderi ona, uçakta onu Hakan Seymen'in yanına oturtarak ben yazmışım! Oysa ben özellikle Hakan Seymen'in yerini öğrenip, Esra'yı uçağın öteki ucuna yerleştirmiştim ki, tuvalet kuyruğunda bile karşılaşmasınlar! Ben ne bileyim son dakikada uçağın değişeceğini.

"Esra," dedim, "Tarık'ı da mı senin kaderine ben yazdım? Sen belanı kendin arayıp buluyorsun her seferinde! Ne diye oturmadın Ahmet'in evinde. Cenazeye gittiyse, elbet birkaç gün içinde dönecekti. Bekleseydin! Tek başına Mardin'de yaşadın, Yeryüzü Doktorları'na katılmaya kalktın da... söyletme beni şimdi, Şangay'da tek başına üç gün geçiremedin mi? Başına gelen her beladan beni sorumlu tutacaksan, ne halin varsa gör! Benden bu kadar!"

"Benden de bu kadar Vural Bey," dedi, "Hakan Seymen'in kızına baktığım için bana ödediği maaşı kuruşuna dokunmadan biriktiriyorum. Biletimi alabildiğim gün, ver elini İstanbul! Kim istiyorsa buyursun gelsin, vursun beni! Umrumda değil. Ben yıllarımı vermiş, doktor olmuşum, başıma gelene bakın, Çinlilere *Kanadı Kırık Kuşlar*'ı okutacakmışım! O kırık kuş benim, ben! Daha ne kadar kıracaksınız kanatlarımı, yolacaksınız tüylerimi! Biletimi aldığım gün kimse beni tutamaz! Bir daha da sizden yardım istersem, kapınızı, telefonunuzu çalarsam ben de Esra değilim!"

O bağırdı, ben bağırdım. Bir yerde hak vermiyor da değildim kıza, işim ne benim Şangay'da diyordu. Üstelik o telefonda birbirimize bağrışırken, Ahmet'in dedikodu olur diye onu evinde istemediğini de öğrenmiş oldum. Esra'nın kendine bir yuva bulmak zorunda kaldığını gerçekten bilmiyordum, Ahmet, Esra kendi arzusuyla akrabalarının yanına gitti diye nakletmişti bana! Öğrenince üzüldüm ve Esra'ya hemen bir mesaj attım, yeni gelişmeler var, yakında müjde vereceğim diye.

Yanıt bile vermedi. Belli ki bana küs! Belki böylesi, ben peşindekileri yakalayana kadar daha iyi oldu. Çünkü peşindekileri yakalamak konusunda umutlarım azaldı, hapse tıktıklarımın ağzından, ne yaparsam yapayım, tek laf alamadım! İbo'nun haklı çıkması bir hayal... de... bir mucize olur, bekçinin karısı katil çıkarsa, bayağı rahatlayacağım. Şu veya bu şekilde. Esra'nın tehlikede olmadığına kanaat getirdiğim an, onu vatanına döndürüp, bu defteri kapatacağım.

Esra'nın dosyası da kapanacak, kalbimdeki defteri de dürülecek!

Gönül ferman dinlemez derler ama çaresiz dinleyecek, bu sefer!

Kararlı girdim yatağa! Sabaha karşı dalmışım. Saat yedide saatim çaldı. Gözlerimi zor açtım, telefonumda mesaj ışığı... Esra'nın gece ben uyurken attığı mesajı gelmiş. Uyku sersemi okudum:

"Katilin bulunduğundan benim niye haberim yok! Kim o kadın? Beni daha ne kadar karanlıkta bırakacaksınız? Aşk olsun size!"

Evet, aşk olsun bana!

Herkese ne aşklar veriyor Allah, bana ise sadece *aşk olsun*, Esra'dan!

Buna da eyvallah Esra, dedim aşk olsun da senden olsun!

Recep

Ölüm haberi vermek ölüm haberi almaktan daha zormuş!

Kadın milletini anlamak zor! Ne isterler, neye kızarlar, ne zaman memnun olurlar? Şu yaşıma geldim, daha çözemedim. Zaten hayatım boyunca tek bir kadın tanıdım ne istediğini bilen, onu da ecel aldı götürdü gencecik yaşında. Yok yok, bizim Derya Hanım'ı değil, bu garibandı... Benim köyden.

Neyse... hatıralara dalmanın sırası mı şimdi! Ölüp gitmiş olanın değil, evde beni bekleyenin derdine çare bulmam lazım! Nebahat'ın, nefret ettiğini bildiğim Derya'nın ölümünden beri ağzını bıçaklar açmıyor. Hani, canavar değilsen elbette sevinmezsin, zil takıp oynayacak halin olmaz ama en azından sevmediğin o kişinin ölümüne de bu kadar da üzülmezsin değil mi! Bir gün hepimiz aynı yere gideceğimize göre, Allah rahmet eylesin, rahat uyu, dersin biter gider. Oysa bizimkinin yası ağırlaşarak devam ediyor.

Zaten geçimsiz biri oldu çıktı ne zamandır. İlk tanıdığımda da melek değildi ama ben onun kara gözlerinin yanı sıra, o erkeksi hallerine, sert tavırlarına da vurulmuştum! Büyüdüğüm yörede kadına pek laf düşmez, boyunu eğiktir kadın kısmının, belki de

Nebahat'ın dediğim dedikliği o yüzden hoşuma gitmişti, değişik gelmişti bana! Şahsiyetli kadındı yani, ama bu kadar hırçın değildi. Hatta bağ evine geldiğimiz ilk birkaç yıl, kuzu gibiydi Nebahat.

Günün birinde Derya kapımızda bittiğinde onun bizim eve yerleşeceğini hiç düşünmedik. Gencecik bir kız, yaşlı babasıyla ne yapsın dağ başında, az biraz kalır, gider diye düşündük; ne var ki her geçen gün daha da kalıcı oldu kız, bu da evin hakimi Nebahat'ın hiç hoşuna gitmedi. Huyu değişti adeta! Bu arada öğrendim ki, benim karının gençliğinden beri sinir hastalıkları varmış, ara sıra depreşen. Hapları vardı hep yuttuğu. Bu yüzden Urla'ya sağlık ocağına gidiyorduk reçete almaya. İşte o gidişlerin birinde öğrendim tansiyon değil, sinir hapları olduğunu ama yüzüne vurmamıştım. Madem benden saklamış, onu mahcup etmeyeyim, demiştim.

Rahmetli Derya, kocası Çin'e gittikten sonra yanımıza yerleşti ya, Nebahat'a işte o zaman oldu olanlar! Hap map hak götüre... sinir küpü kesildi. Biraz da hakkı yok değil çünkü kız da rahat durmuyordu, sürekli şikâyet, ukalalık, tepeden bakmalar filan. Fakat bizim karı da buluttan nem kapmaya başlamaz mı, her gün bir mesele çıkıyordu aralarında. Nebahat zıvanadan çıkmak üzereydi. Sabahtan akşama kadar, geberesice diye bas bas bağırıyordu bizim küçük evde. O kadar ki, kaza gecesi evimize dönerken, arabada söylenmiştim, en az kırk kere geberesice dedin bak öldü işte rahat ettin mi şimdi, diye, sanki söylemekle ölünürmüş gibi! Sonradan çok pişman oldum çünkü Derya öldü öleli, bu kez başka bir tuhaf haller geldi Nebahat'a, ağzını bıçak açmaz oldu! Evde şarkı türkü çaldırmıyor, Zavallı Mahmut kulaklıklarını çıkaramaz kulaklarından, televizyon seyrederken bile rahatı yok! Evde ses istemiyor anası! Ona da gına geldi anasının bitmeyen yasından, asık suratından, bana da!

Kızı sevmiyordun, gebersin diyordun. Öldü işte, rahat etsene! Hayır, bu kez de bunalıma girdi.

Ben de çok üzüldüm. Gerçekten çok üzüldüm, babası gencecik yaştaki evladına doyamadan, tuhaf bir kazada öldü gitti. Ama biz Doğu'nun insanları yazıya inanırız. Rabbim verdi, Rabbim aldı, o ne yaptığını bilir, deriz. E, ben de öyle dedim sonunda. Veren, aldı dedim... de... ah keşke onu o haliyle görmeseydim! Hep aydınlık, güleç yüzüyle hatırlasaydım!

Parçalanmış başı gözlerimin önünden gitmiyor bir türlü. Bazen rüyama bile giriyor hâlâ!

Ama bu felaketin beni en zorlayan tarafı Derya'yı teşhise gittiğim o akşam, haberi kızın babasına vermekti. Üstüme düşen ne varsa yaptım da bir onu beceremedim.

Ölüm haberi vermek, ölüm haberi almaktan çok daha zormuş meğer. İnsanın yüreğine bir suçluluk hissi gelip oturuyor, sanki o kişinin ölümüne kendi sebep olmuş, sanki dudaklarından dökülmese, bir cümle haline gelmese, ölmüş olan yaşamına devam edecekmiş gibi geliyor. Bir türlü telefonu açıp söyleyemedim, mesaj çektim bu yüzden, kızın kocası Hakan'a... O da Nebahat'la birlikte Ada'yı teslim alıp eve getirdikten sonra, ancak!

Zavallı yavru yolda uyuyakalmıştı Nebahat'ın kucağında. Biz mi gidip Ada'nın odasında yatalım yoksa onu mu bizim eve alalım, diye sormuştu Nebahat. Bu gece bizim evde kalsın. Ben yatağını söker getiririm, demiştim. Şimdi biz orada kalsak, ya İlhami Bey'in ya da Derya'nın odasında yatacağız... bunu istemedim. Ayrıca bizim Mahmut da evde yalnız kalacak ki, o da çocuk daha, yalnız bırakılmaz. Neyse, Nebahat ile çocuklar bizim müştemilatta yatarken ben eve gittim, bağlantı güçlüdür orada, işte bu kahrolası mesajı attım rahmetlinin kocasına. Sonra içim rahat etmedi, bir de telefon ettim... Herhalde yeni uyanmıştı, belli ki henüz okumamıştı mesajımı. Ne demek istediğimi bir türlü anlayamadı. Kaç kere söyledim... anlamadı... anlamadı... Kapattım telefonu, ikinci mesajı çok açık seçik yazdım. "Derya'yı kaybettik" filan diye edebiyat yapmadım. Harbiden, hem de büyük harflerle, KAZA OLDU DERYA ÖLDÜ yazdım, BABASINA HABERİ SİZ VERİN.

Sonra, hazır evde tek başımayken, morgda yapamadığımı o anda yaptım. Avazım çıktığı kadar bağırdım, ağladım, duvarları yumrukladım. Sakinleşince yüzümü yıkayıp evime gittim. Çocuklar uyuyordu. Nebahat yatakta yastıklara sırtını dayamış, gözlerini bir noktaya dikmiş, hiç kırpmadan bakıyordu.

Kaç zaman oldu, hâlâ onu böyle gözlerini bir noktaya dikmiş bakarken yakalıyorum sık sık.

Ona haber vermeden sağlık ocağına gidip sordum, acaba ilaçları mı böyle durgunluk yaptı diye... olabilir dediler.

Keşke hep öyle kalaydı çünkü bir gün eve döndüm ki, yine zıvanadan çıkmış bizimki, homur homur homurdanıyor. Ben yokken biri gelmiş eve, buna sorular sormuş rahmetli Derya ile ilgili. Ne diye aldın elin herifini eve, dedim! Kendi atlamış yukarı taraftaki duvarın alçak kenarından. Polis çağıraydın ya, dedim. Yabancı sayılmazmış, sivil polisin gelip de soruşturma yaptığı akşam o genç de aralarındaymış. Gazete haberi yazacakmış da, rahmetli Derya hakkında... Bizimki hiçbir şey anlatmamış. Oğlan iki bardak su içmiş, şişedeki gibi durur mu su, bir de işemiş bizim helaya girip, sonra da çekmiş gitmiş. Eee, ne var bunda? Ama Nebahat'a Derya dendi miydi kendini kaybediyor. Söylendi de söylendi. O koyu yeşil şişedeki, adını unuttum şimdi, sakinleştirici sudan içirdim kaşık kaşık.

Neyse, aradan beş altı gün geçti geçmedi, bizimki sakinlemiş, durulmuştu, öğlene doğruydu galiba, ben bağda ilaçlama yapıyordum ki, bahçe kapımızın önünde birden bir kıyamet koptu! Sirenler, kornalar! Ne oluyor diye maskem yüzümde koşturdum. Polisler doluşmuş bizim ön kapıya! Elim ayağım buz gibi oldu. Bu sefer de İlhami Bey yaban ellerde vefat etti diye korktum ama haberini polis getirmez ki hastanede yatan adamın. Maskeyi çıkarttım, açtım kapıyı. Nebahat Çelik içerde mi, diye sordular. Hemen yanıtlamadım, ben ne olduğunu anlamaya çalışırken, baktım koşup gelmiş Nebahat, arkamda duruyor.

Öne çıktı, "Buradayım," dedi.

"Seni Derya Seymen'i üzerine deniz motoru sürerek öldürmekten tutukluyoruz," dediğini duydum polislerden birinin.

Gerisi yok bende!

Ben hayatımda ilk defa kendimi kaybetmişim birkaç saniyeliğine. Kendime geldiğimde alnımda, şakaklarımda buz gibi soğuk ter taneleri... başım Nebahat'in kucağındaydı, Allah cezanızı versin, adamın yüreğine indirdiniz işte, diyordu polislere...

Yüreğine inen adam ben miydim, İlhami Bey miydi, acaba polisler onun vefat haberini mi getirmişlerdi, kulaklarım uğuldadığı için tam anlayamıyordum...

İki polis ayağa kalkmama yardım etti, alçak duvara oturttular beni. Nebahat'ı aralarına aldılar, kapıya doğru yürüdüler.

"Nereye götürüyorsunuz karımı?" diye bağırdım arkalarından, "beni de beklesenize."

"Sen evde kal, Mahmut'u bekle," dedi Nebahat. İnanılmaz derecede sakindi... Hayatta hiç olmadığı kadar. Polislerden biri döndü, bana nereye gittiklerine dair bilgi verdi. Kapıya koştum, Nebahat'ı arabaya bindirirlerken bir polis tıpkı hep televizyon dizilerinde izlediğim gibi elini Nebahat'ın başıyla arabanın tavanının arasına soktu. Dizi çekiliyordu da ben izliyordum sanki... üç araba arka arkaya dizildi, çekip gittiler.

Ben çöktüm kapının dibine, bundan sonra yaşayacaklarımı görmek istercesine, yeşili sararmaya başlamış yayvan tepelere doğru baktım. Hayatımın yeşili de mi soluyordu, yaz sonu çimenleri gibi?

Ürperdim.

Esra/Hakan

Hayatımız belli düzeninin içinde heyecansız,
renksiz ve sessiz akıyordu...

Hakan Seymen'in evinde geçirdiğim dördüncü haftam bugün doldu.

Telefonumdan iki gün sonra, baba-kız birlikte gelip almışlardı beni. Ada'nın neşeli çığlıklarının eşliğinde sohbet ederek, yoğun iş çıkışı trafiğinde dura kalka varmıştık, bundan böyle kalacağım eve. Şimdi geriye baktığımda, o evdeki ilk haftam göreceli olarak keyifli geçmiş... hele de ilk gecem!

Ada ayaklarımın arasında emeklerken ben eşyalarımı dolabıma yerleştirmiştim, babası da mutfakta akşam yemeğini hazırlamıştı. Sonra, Ada'yı mama iskemlesine oturtmuş, hep beraber mutfaktaki küçük masanın etrafına sığışmıştık. Yemeğimizi bir şişe beyaz şarabın eşliğinde keyifle yemiştik ve Ada yatağına her zamanki saatinden yarım saat geç yatırılmıştı.

Babasıyla ben, salonda karşılıklı birer kahve içerken önce Ege ve Akdeniz kıyılarında doğanın ve denizin güzelliğinden, oralardaki yaşamın hoşluğundan söz etmiş, sonra da yüreğimizi acıtan memleket meselelerini konuşmuştuk. Ama esas konumuz

Ada'nın gündelik programıydı. Ada bebek ne yer, ne içer, nelerle oyalanır, kaçta sabah uykusuna yatar, banyosunu nasıl yapar, Hakan Seymen bana tüm bunları anlatmış ve en önemlisi eğer bahçeye veya sokağa çıkacaksa, günün hava kirliliği oranını nasıl öğreneceğimin adeta sunumunu yapmıştı. Şangay'da bebekler ve yaşlılar için şart olan bu tedbiri çok önemsiyordu.

Seymenlerin evindeki ilk gecem, ev sahibi ile en uzun sohbeti yaptığım günmüş meğer!

Ada'nın yatağına dakika şaşmadan yatırılmasının, babasının da yemekten kalkar kalmaz çizim masasının başına çökmesinin, bundan böyle akşamların değişmez akışı olacağını, ben ertesi gün öğrendim. Bu durumda bana da akşam yemeklerinden sonra, odama çekilmek düşüyordu!

Odamda kulaklıklarımı takıp müziğimi dinliyor, uzmanlık sınavım için indirdiğim bilgilerden notlar çıkarıyor ve ayrıca üniversiteler açıldığında okutacağım kitap üzerinde çalışıyordum. İki hafta boyunca kitabı birkaç kere değişik bakış açılarıyla okuyup, notlar almış, sorular hazırlamış, öğrencilere konuyla ilgili bir *workshop* yaptırabilir kıvama gelmiştim.

Mutsuz sayılmazdım. Ama üniversitesini başarıyla bitirip doktor çıkmış bir genç kız için, gecelerin renkli ve eğlenceli geçmesi gerekirken, ben alakasız bir şehirde, alakasız bir ailenin yanında, odama kapanıp alakasız çalışmalar yapıyordum. Mutlu da sayılamazdım, kısacası.

Neyse ki gecelere oranla gündüz saatlerim biraz daha hareketli geçiyordu.

Yardımcımız Ma eve sabah tam yedi buçukta gelir gelmez, eğer benim Yazarlar Birliği'nde dersim varsa, evden Hakan Seymen'le birlikte çıkıyorduk. O beni Yazarlar Birliği'ne yakın bir noktada bırakıyordu, dönüşte öğlene doğru metro kullanıyordum.

Hafta sonlarında Ada, babası ve ben; hep birlikte civardaki parklara, müzelere veya ilginç gökdelenleri gezmeye gidiyorduk. Şangay bir gökdelen cennetiydi. Akla hayale gelebilecek her biçim ve şekilde, yüzlerce yüksek binanın bir mimarın merakını çelmesi doğaldı. Ayrıntıları yakından görmek isteyen Hakan Seymen'in peşinde Ada'yla birlikte her birinin en tepe katına çıkıyor, nehirde gezen teknelere çok yüksekten bakıyor ve güneş puslu ufukta batarken, Hakan Seymen'le birlikte hayıflanıyorduk şimdi vatanın herhangi bir şehrinde, hele de İstanbul'da olsak, güneşi ne güzel batırırdık diye!

Evimize parklarda, caddelerde dolaşmaktan yorgun dönüyorduk. İçeri girer girmez, ben ailemden, arkadaşlarımdan ve elbette Vural Komiser'den gelmiş haberler için postalarıma bakmaya koşuyordum. Gerçeği bilen anneannem hariç herkese, Şangay'da Yabancı Diller Üniversitesi'nde okutmanlık yapan bir arkadaşımın ricasıyla, yaz döneminde onun yerini doldurmaya geldiğimi yazmıştım.

Bir doktor adayından Türkçe okutmanlığı!

Hiçbiri inanmamıştı herhalde ama inanıp inanmamaları zerre kadar umurumda değildi. Şangay'ın Çin mahallesinde çekilmiş fotoğraflarımı yollamıştım her birine. Karşılığında annemle babamdan Baltık denizinin çeşitli limanlarında çekilmiş fotoğraflar, arkadaşlarımdan azıcık dedikodu ve birçok soru, yakın arkadaşım Güzin'den sitem, anneannemden özlem dolu satırlar gelmişti. Vural'dan ise hep aynı sözler: *Sabır Esra! Yakında sana iyi haberlerim olacak!*

Hayat bu minval üzerine devam ederken, ben hep o iyi haberi bekliyordum, dört gözle!

Vural'ın iyi haberi ulaşamadan, sanırım kötü bir şey oldu!

Türkiye'den Hakan Seymen'e bir mesaj veya bir telefon mu geldi bilemiyorum fakat bir akşam üstü eve döndüğünde gözleri kıpkırmızı, yüzü ise bembeyazdı.

İş dönüşlerinde Hakan Seymen'in ilk yaptığı iş, salondaki battaniyenin üzerinde oynayan kızını kucaklamak olurdu. Hayır, bu sefer öyle yapmadı, dosdoğru odasına koştu. Bir süre dönmeyince, kapısının önüne gidip içeriye kulak verdim, su sesi geliyordu. Duş alıyor diye düşündüm. Akşam yemeğine kadar çıkmadı odasından. Yemeği hazır edince kapısını tıklattım.

"Siz yiyin Esra, ben aç değilim," dedi, "zahmet olmazsa Ada'yı da siz yediriverin."

Şaşırdım çünkü bebeğe günün son mamasını hep kendi yedirmek isterdi.

"Hakan Bey iyi misiniz? Size bir fincan çay veya ıhlamur yap..." Sorumu tamamlayamadım.

"Yok getirmeyin Esra. Başım ağrıyor, erken yatacağım."

Salona geri döndüm. Aguli'yi kucaklayıp mutfağa götürdüm, mamasını verdim, ben de bir şeyler atıştırdım, sonra bebeği mecburen kendi banyomdaki duşta yıkadım, temiz bir havluya sarıp tekrar babasının kapısını tıklattım.

"Ne var?" dedi, bezgin bir ses.

"Ada'nın yatma saati geldi, hatta geçti de... Yatağına mı yatsın, bu geceyi benim odamda mı geçirsin?"

Kapı açıldı. Erken yatacağını söyleyen adam soyunmamış bile!

"Pardon Esra, uyuyakalmışım. Ada her zamanki gibi kendi yatağında uyusun."

"Hakan Bey, ne oldu? Belli ki bir sorun var, benimle paylaşmak ister misiniz?"

"Yok bir şey," dedi.

"Size küçük bir tepsi hazırlayayım mı?"

"Hayır, hazırlama!" Kızını aldı kucağımdan, "İyi geceler," deyip kapattı kapısını. Kös kös salona döndüm, Ada'nın döküntülerini toplayıp odama gittim. Gece uyku tutmadı, Hakan Seymen'in sıkıntısı beni ilgilendirmemeliydi ama yine de acaba işinde mi bir terslik oldu diye düşünmeden edemedim.

Ertesi sabah dersim yoktu, saat ona doğru uyandığımda, Hakan Seymen çoktan gitmiş, Ma saatler önce gelmiş, Ada'yla ilgileniyordu.

O gün Hakan Seymen'in hangi ruh haliyle eve döneceğini görmek için, akşamı iple çektim. Akşam üstü fazla gecikmeden geldi, kızıyla bir süre oynadı, mutfaktaki masada hemen hemen hiç konuşmadan akşam yemeğini yedi ve çizim masasına dahi oturmadan odasına kapandı.

Sonraki günlerde de bir değişiklik olmadı. İş dönüşlerinde o kızıyla oynarken, ben baba-kız baş başa kalsınlar diye odama çekiliyordum. Kızına banyosunu tek başına yaptırmayı tercih ettiği için, ona yardım da etmiyordum. Bazen de yemeğini dışarda yemiş olarak geliyordu. Eğer yememişse mutfaktaki küçük masada Ma'nın hazırladığı yemeği yine aramızda fazla konuşmadan birlikte yiyorduk. Sonra o oturma odasındaki çizim masasının başına, ben de kendi odama geçiyordum!

Hayatımız belli düzeninin içinde heyecansız, renksiz ve sessiz akıyordu.

Aguli'nin çıkardığı neşeli sesler de olmasa, bu evde insanların değil de hayaletlerin yaşadığını sanabilirdi komşular.

Her ne olduysa, Hakan Seymen suratsız ve kederli bir adamdı artık!

Karısının ölümünden hiç söz etmemesi, durgunluğu, hüzünlü bakışları çok büyük bir acı çektiğinin delilleriydi ama onun neden birden için kapandığını bilmiyordum. İçini dökebilse, kaybından duyduğu elemi dillendirebilse, acısını akıtsa eminim ruh haline faydası olurdu. Oysa yasını tutarken, herhangi biriyle uzunca bir diyaloga girmekten çekiniyor gibiydi, sanki konuşma sırasında yeri gelir de gülüverirse örneğin, ölüsüne çok ayıp olacakmış gibi... Beni onlarla kalmaya kendi ikna etmiş olmasına rağmen, yoksa genç bir kadınla aynı damın altında yaşıyor diye mi böyle tedirgindi?

İşin içinden çıkamıyordum.

Ona sormayı, "Hakan Bey, artık bana ihtiyacınız kalmadığını düşünüyorsanız açıkça söyleyin lütfen," demeyi düşündüm. Defalarca provasını bile yaptım. Ya "Evet gitmeniz iyi olacak," derse ne yapacaktım? Üç dört öğrencinin ödediği ücretle ev değil, kümes tutamazdım. Ahmet'in evine de geri dönemezdim.

Kendime, bu duruma aslında sevinmem gerekir diye telkinde bulundum; Hakan Seymen'le arkadaş olmamalı, samimiyet geliştirmemeliydim ki bir gün karısının benim yüzümden öldüğünü öğrenecek olursa... yok, hayır! Öğrenmeyecek! Asla!

İyi de gerçeği öğrenmesinden bu kadar koruyorsam, benim ne işim vardı, bu adamın evinde?

Kendimi zorlayarak yanıt aradım sorularıma. Ve sonunda, Derya Seymen benim yerime öldürüldüğü için, payıma düşen cezayı çekmek üzere, ilahi bir adalet tarafından sürgüne mahkûm edildiğime karar verdim.

Sürgün cezasına katlanmak, vicdan azabı çekmekten bin kat iyiydi!

Sabırla ceza süremin dolmasını bekleyecek ve bir gün mutlaka özgür kalacaktım.

İşte o günün hayaliyle sürdürmeye devam ettim bu evdeki hayatımı. Çünkü artıları da yok değildi, derli toplu temiz bir evde kalıyordum, kendime ait bir odam vardı, Ma'nın izinli günlerinde sorumluluğunu yüklendiğim Ada, dünyanın en şeker bebeğiydi ve babası haftada iki, üç gün ona baktığım için, bana iyi bir ücret ödüyordu!

Varsın yüzü de gülmeyiversin!

İki hafta daha geçti. Ma'nın izin günlerinden biriydi. Ada biraz ateşli olduğu için gece kötü uyumuş, henüz uyanmamıştı. Uyanmasını beklerken vakit geçsin diye, elime bir bez tutuşturup kütüphanenin tozunu almaya başladım. Önce kitapları sonra da önlerinde duran birkaç aile fotoğrafını ki, daha önce elbette gözüme çarpmışlardı ama hiçbirine dikkatle bakmamıştım doğrusu, rahmetli Derya'nın çerçeve içinde üç ayrı resmi vardı; Hakan Seymen'le birlikte sarmaş dolaş gözlerinin içi gülerek objektife baktığı nikâh fotoğrafı, diğerinde kollarında yeni doğmuş bebeği ile, üçüncü çerçevedeki ise, saçları rüzgârda uçuşurken ağaçların arasında çekilmiş... sanki önünde durduğu elma ağacının yeni filiz vermiş bir dalı gibi, hayat dolu. Resme böyle yakından bakınca tuhaf bir şekilde benzeştiğimizi de fark ettim, saçlarımızın doğal hali, duruşumuz, gülümsememiz...

Acaba Hakan Seymen'e karısını hatırlattığım için mi elem veriyorum, o nedenle mi kabuğuna çekildi diye düşündüm, sırf kızının hatırına mı katlanıyor varlığıma?

Fotoğrafı yerine koyup, diğer çerçevelerdeki fotoğraflara baktım. Hakan Seymen'in annesi babasıyla birlikte, rengi uçmuş bir mutlu aile fotoğrafı! Bir başka çerçevede ise bir grup erkek toplu halde. Siyah-beyaz resimdeki giysilerine bakılırsa, yirmilerin sonu ya da otuzların başında çekilmiş olmalıydı. Nemli bezi fotoğrafın üstünde gezdirirken fark ettim, Atatürk de varmış aralarında! Hiç dikkat etmemişim, şu ana kadar, tanımadığım insanların resmi ilgimi çekmemişti doğrusu. Çerçeveyi elime alıp yakından baktım, her biri dönemin en moda giysileriyle son derece şık, bir binanın merdivenlerinde dizilmiş duruyorlar.

Anneannemin albümlerinde ne çok vardı buna benzer fotoğraflardan... Yelek cepleri köstekli, ceketli, kravatlı, çoğu fırça bıyıklı son derece ciddi ifadeli erkekler! İşte o fotoğraflardan bir tane daha çıkmıştı karşıma! İyi de Atatürk'ün işi ne bu fotoğrafta? Kim bu insanlar nedense çok merak ettim, acaba Hakan Seymen geldiğinde sorsam söyler mi yoksa geçiştirip, hemen çizim masasına mı çöker?

Yatak odasından Ada'nın sesi geldi. Uyanmış. Koştum yanına, her zamanki güleç yüzü biraz solgun, yatağının içinde oturmuş beni bekliyordu. Kucaklayıp yatağından çıkardım, babasının yatağına yatırdım altını değiştirmek için. Bir de ne göreyim, Hakan Seymen'in başucu masasındaki iki fotoğraftan biri, az önce grup resminde gördüğüm iri yarı ve uzun boylu olduğu fotoğrafta bile belli, ciddi yüzlü genç adamın resminin büyütülmüş hali! Fotoğrafı elime alıp kütüphaneye koştum, her iki resme de dikkatle baktım, yanılmamışım gerçekten fotoğraf aynı kişiye aitti. Hakan Seymen'in karısıyla kızının resminin yanında ne işi vardı bu adamın? Herhalde büyükbabasıydı. Fotoğrafın alt tarafına el yazısıyla bir de ithaf yazılmış. Yazılar solmuş, kolay okunmuyordu. Pencerenin önünde gidip, gün ışığında okuyamaya çalıştım. *Sevgili ve değerli kerimeme* gibi bir şey yazıyordu, imzayı hiç okuyamadım. Altını değiştirirken Ada'ya sordum, "Bak Aguli, şu çerçevedeki resimlerden biri, anneciğinle sana ait," dedim, "öteki fotoğraf kime ait, sen biliyor musun?"

Bacaklarını havada sallayarak "Gaga go gugi," diye bağırdı, Ada. "Sana ne!" demek istemişti, herhalde!

Aynı akşam küçük mutfak masasında Hakan Seymen'le her zamanki gibi sessiz sedasız yemeğimiz yerken cesarete gelip, "Bir şey sorabilir miyim Hakan Bey?" diye girdim lafa, "kütüphanenizin raflarında fotoğraflar var ya... birini çok merak ettim, hani aralarında Atatürk'ün de olduğu o beyler... kim onlar? Sabah Ada'yı yatağından alırken, içlerinden birinin büyütülmüş resmini sizin başucu masanızda da gördüm. Büyükbabanız mı?"

Bana, sana ne demesini beklemiyordum ama bir kuru evet ya da hayırla geçiştirirse, hiç şaşmayacaktım. Oysa Hakan Seymen beni, "O beyler Atatürk'ün beyin takımı," diyerek şaşırttı, "başucumdaki resim de Mustafa N'ye ait. Kendisi anneannemim dayısı olur. Atatürk'ün Milli Eğitim bakanlarından biridir."

"Aa! Eğitimci bir aileden geliyorsunuz siz, öyle mi?"

"Ailede eğitimci olan sadece işte o büyük dayımdı. Çok büyük hayalleri, idealleri varken, genç yaşta vefat ettiği için olmalı, beni çok etkilemiştir."

"Genç yaşta mı ölmüş?"

"Otuz dört yaşındaymış. Üç yıllık Milli Eğitim Bakanı'yken, tam da Millet Mektepleri'ni açacağı gün vefat etmiş. Bakanlığı sırasında bir milyondan fazla kişiyi okur yazar kılmış bir eğitimci, düşünsene Esra, yaşasaydı neler yapmazdı!"

"Yazık olmuş! Bir de Reşit Galip vardır değil mi, yine çok genç yaşta öldüğü için eğitim alanındaki atılımları yarım kalan?"

"Esra, sen nereden biliyorsun Reşit Galip'i? Yaşın hiç müsait değil de..."

"Atatürk'ün bu ele avuca sığmaz Milli Eğitim Bakanı'nı nasıl bilmem, ben de eğitimci bir aileden geliyorum Hakan Bey! Kütüphanenizdeki o resme, bu sabah tozunu alırken yakından bakınca, zamanın içinde geriye doğru yolculuğa çıkmış gibi oldum. Evimizdeki albümler böyle fotoğraflarla doluydu. Benim büyük dedemle arkadaşları da hep böyle yelekli, köstekli, kravatlıdır fotoğraflarında. Piknikte bile üstlerinde uzun kollu gömlek, kravat... hani insanın sorası geliyor, yatağa da mı yelek ve ceketle yatıyorlardı diye! O zamanın eğitimcileri işte... Örnek olacaklar ya topluma... giysileri hep özenli olmalı"

"Eğitimci derken?" Sesinde bir canlanma oldu sanki Hakan Seymen'in, laf ola değil de gerçekten merak etmiş gibiydi.

"Hocalar yani... sözünü ettiğim büyük dedem Hitler'in zulmünden kaçtığı yıl, Atatürk'ün davetiyle Türkiye'ye yerleşen bilim adamlarından biriydi."

"Öyle mi! Kimdi deden?"

"Profesör Gerhard Schilliman, İstanbul Tıp Fakültesi'nde Patoloji kürsüsünü kuran kişi. Türk uyruğuna geçince Şiliman adını almış. Benim anneannem, onun kızıdır. İstanbul'a geldiklerinde bir yaşındaymış anneannem, Türk uyruğuna geçtiğinde ise, beş yaşında mı ne."

"Almansınız yani..."

"Türk'üz! Anneannem Alman asıllıdır ama onun Türkiye sevgisi, vatan millet diye öyle cart curt ötenlerden bin kat fazla ve sahicidir. Kocası, yani dedem Türk. Anneannemle İstanbul'da aynı apartmanda büyümüşler... Çocukluk aşkı işte, büyük aşk! Ben de dedemle anneannemin evinde büyüdüm. Her ikisi de üniversite hocasıydılar. Biri yüzlerce mühendis yetiştirdi diğeri de yüzlerce edebiyatçı."

"Niye hiç söz etmedin bunlardan!"

"Siz hiç konuşkan değildiniz son günlerde. Ne zaman edeydim ki?"

"Haklısın Esra, çok zor bir dönemden geçiyorum ben... Hele de şu son haftalarda. Neyse, biz şimdi bir şişe şarap açıp, bu değerli büyüklerimize birer kadeh kaldıralım mı, ne dersin?" diye sordu.

"Çok iyi olur, derim!"

Yerinden fırladı, şarap şişesini getirmeye mutfağa doğru yürüdü. Aniden uçakta tanıdığım adama dönüşmüştü. İki ruhlu mudur nedir? Elinde bir şişe beyaz şarap, iki de kadehle geri geldi. Şarap açacağını unuttuğu için, ben bir koşu mutfağa gidip getirdim.

Kadehlerimizi tokuştururken Hakan Seymen, "Eğitime emeği geçen aile büyüklerimize ve onlara ilham veren Atatürk'ümüze," dedi.

"Hepsi nurlar içinde yatsınlar," dedim ben de.

Bir an bakışlarımız karşılaştı. İkimiz de içtenlikle gülümsedik.

Bütün havası değişmişti Hakan Seymen'in, kış uykusundan uyanmış, yeniden can bulmuş gibiydi. Yemeğimizi iştahla yedik, keyifle konuştuk. İlgisini çeken bir konu, tesadüfen açılıvermişti madem, ona Şiliman dedemin Frankfurt'u bir saat içinde terk edip ailesiyle birlikte Zurih'e kaçışının ve sonra da tesadüflerin yardımıyla Ankara'ya gelip Milli Eğitim Bakanı Reşit Galip'le tanışmasının öyküsünü anlatmaya başladım.

"Otuzlu yıllarda geldiklerini duymuştum da, ayrıntılarından haberim yoktu," dedi, "Almanya'dan gelen bu grupta çok değerli bilim adamlarının olduğunu elbette bilirim. Demek deden ayarlamış gelişlerini."

"Şöyle olmuş; dedem ailesiyle Almanya'yı terk edince, Zürih'te yine kendi gibi patolog olan kayınpederinin evine yerleşmiş. O günlerde Hitler'den kaçmış yüzlerce insan, deli gibi iş aramaktaymış. Hepsi de Yahudi değil illa, aralarında sol görüşlü olanlardan tutun, Hitler karşıtı Hristiyan Almanlar'a kadar tüm muhalifler varmış. Neyse, büyük dedem işte bu Hitler mağduru akademisyenlere kürsü bulmak üzere, kayınpederiyle birlikte bir dernek kurmuş. Sonra dedem Prof. Schilliman, kurdukları dernek adına, sadece üç hekim arkadaşı için görüşmeler yapmaya birkaç günlüğüne Türkiye'ye gelmiş. O sırada Reşit Galip de Milli Eğitim Bakanı'ymış. Bu ikisi tanışınca, İstanbul Üniversitesi'nde, üç yerine otuz kişiye kürsü temin edilmiş."

"Vay canına! Demek bu bilim adamlarının gelişini, senin deden ayarlamış!"

"Öyle olmuş, dedem ve elbette bu işe çok sıcak yaklaşan Reşit Galip... Üstelik öykü orada bitmiyor, Reşit Galip'in çabalarıyla yüzü aşkın kişinin daha, çeşitli kürsülere tayiniyle devam ediyor, Hakan Bey. Tıp fakültesinde yepyeni kürsüler açılmış, öğrenciler üzerlerine çöken miskinlikten ve ezbercilikten kurtulup, soruşturmaya, araştırmaya, yeni metotlar üretmeye başlamışlar. Ama zavallı Reşit Galip, sanki dünyaya sırf bu iş kotarmak üzere yollanmış gibi, kısa bir süre sonra genç yaşında ölüvermiş."

"Benim büyük dayı gibi ona da çok yazık olmuş. Kim bilir daha başka ne ilginç hikâyeler vardır!"

"Ben onların hikâyelerini o kadar sık dinlemiştim ki dedemle anneannemden, Almanya'dan kaçarak gelenlerin çoğunun öyküsünü ezbere bilirdim. Aralarında çok değerli hekimler, fizikçiler, mühendisler, ekonomistler, hukukçular, müzisyenler, botanikçiler, tarihçiler hatta Türkologlar varmış. Dedem derdi ki, Cumhuriyetin ilk beyin takımını, işte bu adamların otuzlu, kırklı yıllarda her alanda yetiştirdiği öğrenciler oluşturdu."

"Ne tuhaf Esra, her ikimiz de biz dünyaya gelmeden yaşamış bu iki insanın tuhaf bir şekilde tesirinde kalmışız. Senin Reşit Galip'i bu kadar iyi bilmen mesela... Oysa yaşıtlarının haberi bile yoktur! Benim ondan haberdar olmam ise, sadece resimlerinden tanıdığım büyük dayım sayesinde!"

"Ben dayınızın adını hiç duymamıştım ama ailemin İstanbul'a yerleşmesi Reşit Galip'in sayesinde olduğu için, onu iyi bilirim. Yaşasaydı der anneannem, bizim Arthur fizik alanındaki icatlarını Türkiye'de gerçekleştirir, kazandığı ödüllerin payesi de İstanbul Üniversitesi'ne yazılırdı; üniversite dünyaca ünlenirdi. Yazık oldu, der!"

"Kimmiş bu Arthur?"

"O da, bu Alman hocalar arasında nasibine iftira düşmüş biri!"

"Anlayamadım!"

"Hitler mağduru hocaların kiminin acıklı, kiminin de komik serüvenleri var Türkiye'de. Fizikçi Prof. Arthur von Hippel mesela, iftiraya uğramış."

"Nasıl yani?" Güldü, "O yıllarda Fetöcüler henüz iş başında değildiler ki!"

Ben de güldüm, "Ama kumpas, iftira hep var bizim toplumda, ayrıca yalan söylemek de hiç ayıp sayılmıyor, nedense! Neyse, işte bir öğrencisinin iftira atması sonucu, bu değerli fizikçiyi, Türkleri hor görüyor diye, rektör anlaşmasını feshedip işten çıkartmış."

"Küçümsemiş mi sahiden Türkleri?"

"Olur mu hiç! Von Hippel, Türkiye'ye gelenlerin arasında Türkleri gerçekten samimiyetle seven, İstanbul'da yaşamaktan son derece mutlu olan biriymiş. En büyük hayali de... gülmeyin ama... bir gün Atatürk'le birlikte kırlarda at koşturmakmış. Fakat atlar illa da beyaz olacak! Ben beş yaşındaymışım, aralarında konuşurlarken bunu duyunca, beyaz oyuncak atıma von Hippel adını takmıştım."

"O öğrenci niye böyle bir şey yapmış acaba? Niye iftira atmış hocasına? Kıt not yüzünden mi?"

"Ben de sormuştum aynı soruyu. E, o zaman da eski düzeni muhafaza etmek isteyenler varmış, reformlara karşı olanlar. Bunların elindeki en müthiş silah da kumpas, dedikodu, iftira! Şimdi adına algı operasyonu diyorlar ya günümüzde..."

Hakan Seymen ara sıra sorular sorarak beni ilgiyle dinliyordu ve şarabın sonuna geliyorduk. Meyve getirmek üzere mutfağa gitmek için kalktım.

"Havamı değiştirdin Esra, sağ ol," dedi, "sofrayı toplamak için acele etme, var mı başka hikâyelerin?"

"Olmaz olur mu!" dedim.

Benim kulaktan dolma anılarımın arasında sadece buruk değil, komik öyküler de vardı. Ekonomi profesörü Ernst Hirsch, mesela, kuyruklu piyanosunun, vapur iskelesinden ta Moda'daki evine daracık bir keçi yolunda, adlarını 'cambazlar' taktığı iki hamalın sırtında taşıtmış. Piyanoyu, hamallar sırtlarında taşındığı için, adamların bacaklarından başka hiçbir yerleri görünmüyormuş... Düşünsenize, dalgalanarak yokuşu tırmanan sekiz bacaklı bir koca piyano. Şiliman dedem, Moda halkının yolun iki yanına dizilip, ha düştü ha düşecek piyanoyu film seyreder gibi heyecanla takip etmelerini anlatırken, gülmekten dinleyenlerin gözlerinden yaş gelirdi, derdi.

Ben bunları Hakan Seymen'e naklederken, biz de çok gülüyorduk. Birkaç kadeh şarap ikimize de iyi gelmiş, gerginliğimizi almıştı.

Benden sonra, bu kez sazı o aldı eline. Aynı heyecanla o da bana büyük dayısını anlattı. Benim naklettiğim günlerden geriye, yirmili yılların sonlarına gittik ve ben Hakan Seymen'den, Cumhuriyetin kuruluş yıllarında Türk insanının gayretini, zamana karşı yarışını ve yakaladığı ivmeyi, bir kere daha nefes almaya korkarak dinledim.

Nasıl dinlemem! Adam günlerce süren suskunluktan sonra nihayet açılmış, büyük bir heyecanla konuşuyordu! Ne anlatsa dinleyecektim de... o bana, çocukluğumdan beri defalarca hiç usanmadan dinlediğim, nerdeyse ezber ettiğim peri masalını anlatıyordu; beşte dördü kaybedilmiş imparatorluktan arta kalan topraklarda, yüzde doksanı okumaz/yazmaz halkın Gazi'nin (dedem ona dâhi derdi) kurdurttuğu karma okullarda, insanüstü çabalarla eğitilmesinin, çağı yakalamasının efsanevi öyküsünü... hem de ne büyük bir heyecanla!

Haydi ben, kuşaklardır kendilerini bilime adamış insanların, öğretmenlerin, hocaların sülalesinden geliyordum, normaldi Cumhuriyet eğitiminin yakın tarihinden sıkılmamam! Oysa, ondan hiç beklemiyordum, eğitim konusundaki bu heyecanı ve bu bilgi birikimini!

Şaşırmıştım!

İyi de, zaten ne biliyordum ki ben bu adam hakkında, yeni kaybettiği bir karısı ve henüz bir yaşına basmamış bir bebeği olduğunun dışında? Şu ana kadar hiç söz etmemişti kendinden. Başından kalkmadığı çizim masası da olmasa, mimarlığından bile emin olmayabilirdim! Ama şimdi birden bire, bir özelliğini, hatta bir zaafını öğreniyordum... Büyük dayısını!

Onu bana anlatırken, yer yer sesi titriyor, bazen coşuyor, bazen hüzünleniyordu:

"Büyük dayımın günlüklerini annem bana liseye geçtiğim yaz vermişti. Mustafa N'nin yeni Latin alfabesiyle yazdıklarını çok zor okumuştum. I harflerinin hepsinin üzeri noktalıydı mesela, belli ki yazı tam oturmamıştı henüz. Her neyse, ben o günlükleri okurken nasıl gururlandım anlatamam Esra, neler yapmamış ki dayım! Sadece okul çağındakiler için de değil, Türkiye sınırları içinde yaşayan her birey okuyup yazabilsin diye, mahallelere kendi projesi olan Millet Okullarını açtırmış."

"Millet Okulları mı? İşte ben de bunu hiç duymamıştım!"

"Nerden duyacaksın! Bu uygulama 1928'de başlatılıyor. Seninkilerin gelişi beş-altı yıl sonra. Onlar geldiğinde, kadın-erkek her yaştan insan okur yazar olmuştu bile. Çünkü bu benim çılgın dayım, öğrenciler dışında, on beş ile kırk beş yaş arası okur yazar olmayan herkesi, dört ay süren bu okullara devam ettirtmiş. Hesabına göre, üç yıl içinde bir milyon kişi okur yazar olacakmış... ama..." sustu, yutkundu Hakan Seymen.

"Hesabı tutmamış mı?" diye sordum.

"Yo, hesabı tutmuş ama o görememiş!"

"Aa! Neden? Görevden mi alınmış?"

"Kader izin vermemiş, Esra! Bu okullarının resmi açılışı, 1929 yılının 1 Ocak günü yapılacakmış. Dayımın bir haftadır çektiği ve çok işi olduğu için ihmal ettiği sancıları tam da açılış günü dayanılmaz hale gelince, arkadaşları onu zorla hastaneye götürmüşler. İnsan illa vatanı uğruna savaşırken ölürse mi şehit olur, sence? Vatanı uğruna çalışırken de ölürse şehit sayılmalı. Eğitim ordusunun şehididir benim büyük dayım, kendini bu uğurda feda ettiği için..." Sesi titrediği için bir an soluklandı.

"İnanmıyorum! O gün mü ölmüş, açılışı yapamadan?" diye sordum,

"Maalesef! Hastanede hemen ameliyata almışlar. Apandisit iltihaplıymış, kurtaramamışlar. Vefat haberini verdiklerinde, Atatürk'ün gözünden yaş geldiğini söylerler."

Masanın üzerinde duran elini tutup sıktım.

"Doğru, eğitim şehidi olmuş dayınız," dedim.

"Neyse ki arzusu ölümünden sonra da olsa, gerçekleşebilmiş huzurlu bir şehit, hiç olmazsa! Çünkü üç yıl içinde hiç okula gitmemişler arasında okur yazar sayısı, öngördüğü sayıyı da aşmış, bir milyon üç yüz bini bulmuş!"

"Keşke görebileydi eserini."

"Hayatlarımız keşkelerle dolu! Keşke feci ağrılar çeken dayım, işlerinden vakit ayırıp doktora bir gün önce görünseydi! Keşke ülkemde okur yazar olmayan tek bir kul kalmasaydı... Özellikle de tek bir kadın, çünkü işte ancak o zaman Türkiye bambaşka bir yerde olurdu. Keşke toprak ağalarının inadını kırıp, toprak reformunu gerçekleştirebileydik, keşke gücünü cehaletten alanlar gerçeği görebilselerdi! Benim keşkelerimin sonu yok, Esra."

"Hepimiz için öyle Hakan Bey, siz yalnız değilsiniz o konuda. Hepimizin bir keşkesi var!"

Hakan Seymen, bardağında kalan son şarabı da içti ve gözlerimin içine baktı,

"Ama benim öyle bir keşkem daha var ki... Ölümcül bir keşke! Lanetli bir keşke! Keşke ben karımın sözlerine kulak vereydim, anlattıklarını ciddiye alaydım, keşke benimle buraya gelmesini şart koşaydım da, o gün o denizde yüzmüyor olaydı! Ahh keşkeeee!"

Nefesimi tuttum, bir süre ne diyeceğimi bilemedim. Sonra usulca sordum, "Ne oldu, sizi hangi rüzgâr attı Şangay'a, Hakan Bey? Niye böyle tek başınıza kalkıp geldiniz buralara? Evliliğinizde sorun mu vardı?"

"Sorun bendeydi. Ben hem eylemci hem muhaliftim Esra, bu yüzden işimden atıldım ve bir daha da hiçbir firmada mimar olarak iş bulamadım. Ege' ye taşındım. Birkaç villa yaptım eşime dostuma, sonra Derya'yı tanıdım, evlendik, Ada doğdu, para kazanmam şart oldu. Başvurmadığım mimarlık firması kalmadı, desem yeridir. Başvuruma nihayet uluslararası bir firmadan olumlu yanıt alınca da kalkıp geldim buraya. Karımla çocuğum da yakında gelecеklerdi."

Sustu, mutfağa gidip açılmamış yeni bir şişe şarapla döndü. Ona masada duran şişe açacağını uzattım. Açtı şişeyi, ikimizin kadehine de biraz şarap koydu, birkaç yudum daha içti kadehinden.

"Gurbete katlanmak için mi acaba, ben kendimi buraya ait olduğuma adeta inandırmak istedim? Şimdi güleceksin bunu duyunca ama anlattıklarımdan şu büyük dayımın üstümdeki etkisini anlamış olmalısın... Ben 2018 yılında Şangay'da mecburen yerleşmiş yaşarken, 1920'lerdeki Mustafa N gibi, çok acı çekmiş, çok savaş görmüş bir halkın uyanışına tanıklık ettiğimi düşünüyorum. Bir zamanların afyondan uyuşmuş geri kalmış Çinlileri, silkinmiş, şahlanmış, gözümün önünde koşar adımlarla dünya liginde birinciliğe oynuyor. Sanatın her dalında, sporda, tıpta, teknolojide, tüm bilimlerde ve kozmosta en önde koşmayı hedefliyor. Düşünsene, geçen yüz yılın müstemlekesi, kimseye müdana etmeden, kimseden yardım almadan, robotları ve yapay zekâyı günlük hayatına sokmayı başardı, yahu! Ben de yaklaşık yüz yıl önce, Atası 'İstikbal Göklerdedir' diyebilmiş bir milletin ferdi olarak, Çin'in bu nefes nefese koşusunu gıptayla seyrediyorum. Tabii kalbim de fena burkuluyor bir yandan... Biz neleri hedefleyip... ne hale gelmişiz! Ama olsun, emperyalistlerin sömürgesi Çin'in hızlı gelişmesi bana kendi acımı unutturuyor."

Sustu, şarabının bardağında kalan son yudumunu da içti ve pencerenin ardındaki lacivert karanlığa baktı Hakan Seymen.

"Ben böyle teselli bulurken... teselli bulduğumu zannederken diyelim, bir gün bir haber aldım Esra, Çin'deki gelişmeler filan bir anda vız geldi! Hayatın nasıl ve nerede sona ereceği hiç belli değil, biliyor musun!. Gerçek hep kocaman bir keşke oluyor!"

"İşte tam da bu nedenle, ölümleri vakitsiz de olsa kabullenmek en doğrusu," dedim, "çünkü hayat kalanlar için devam ediyor."

"Bir kaza veya hastalık sonucuysa, ölümü kabullenmek daha kolay ama insanın kendi payı da varsa bir ölümde... işte o zaman kabullenmek çok zor! Hatta çok..."

Cümlesini tamamlamadan, başını masaya uzattığı kollarına dayadı, omuzlarının sarsıldığını gördüm. Ağlıyordu koskoca adam. Hiç suçu olmadığı bir ölümden kendine pay çıkarmış, benim yerime o ağlıyordu. Ürperdim! Hayat kurtarmak için en mukaddes yemini etmiş benim düştüğüm hale bakın hele! Bir kocaman yalancı! Yalancıydım ben! Birden içimden her şeyi itiraf etmek geldi. Yapamadım. Önümde suçluluk duygusuyla kıvranan adama, karın benim yerime öldü, senin hiç suçun yok, diyemedim. İskemlemi yanaştırdım, usulca omuzuna dokundum ve özeline girmemiş olmak için, "İçki çarptı size," dedim, "farkına varmadan fazla içtik galiba. Hakan Bey, yıllar geçmiş vefatının üzerinden ama dayınız için de üzüldünüz bu gece..."

Başını kaldırdı yüzüme baktı, yaş içindeydi gözleri,

"Ben dayıma değil, karıma üzülüyorum. Her gün ve her gece ona üzülüyorum!" dedi, "Derya'ya kulak vereydim, ölmeyebilirdi. Şımarıklık yapıyor sandım. Kaç kere dert yandı, ben duymak bile istemedim. Hakkı varmış meğer! Ben bu vicdan azabıyla nasıl yaşayacağım, Esra?"

Ne diyor bu adam! Vicdan azabı çekmesi gereken benim, o değil ki!

"Anlamadım," dedim, "anlayamıyorum!"

"Ben de anlamadım işte... Bir türlü anlayamadım. Çünkü dinlemedim onu. Dinlesem ölmeyecekti."

"Hakan Bey, eşinizin ölümüyle ilgili yeni bir gelişme mi oldu? Ölümü kaza değil miymiş? Birileri canına mı kastetmiş?"

Ellerimi titredikleri için kucağıma koydum.

"Bir deniz kazasına kurban gittiğini zannettik... Öyle demişlerdi... Söylediğini ispatlayamayan bir tanık varmış ama polis o kadının ilgi çekmek için abarttığına hükmetti. Kanıt yok, ondan başka gören yok! Çok araştırdık, hiçbir şey bulamadık, dediler. Kim çarptıysa kayıplara karışmış! Herhalde göremedi Derya'yı, çarptı sonra da korkup kaçtı! Bulsalar ne olacak ki, giden gitti!"

Bir sıcak bastı bana. Halt etmiş polis demek isterdim ama çok yavaş sesle, "Ya, öyle mi?" diyebildim. Duymadı bile beni.

"Çok zamansız bir ölümdü... Hayatının baharında... Ada'sına doyamadan! Katlanması çok zor bir acıydı. Fakat Esra, tam da az önce dediğin gibi, kabullenip hayata devam etmem gerekiyordu çünkü minicik bir kızım vardı... ama... ama..."

"Ama ne? Ne oldu, ne öğrendiniz Hakan Bey?" Kalbim öyle hızlı atıyordu ki duymasından, sana da ne oluyor diye sormasından korkuyordum.

"Güya, babasının evindeki bekçinin karısı öldürmüş Derya'yı. Kadını gözaltında almışlar, soruşturması, delillerin toplanması devam ediyor."

"Ne! Evini... evi... evinizde çalışan kadın mı öldürmüş eşinizi? Neden ama? Nasıl?"

Yanımda oturan adamın sesi uzaktan gelmeye başladı kulağıma... Bir uğultu vardı beynimin içinde... Şimşek çakar gibi, bir anlığına üzerinde sarı benekli bikinisiyle gencecik bir kadın geldi geçti gözlerimin önünden, bana babamın evindeki yardımcıyla pek aramız yok, o yüzden sabahları evden erkenden çıkıyoruz kızımla, diyordu! Aramız yok... aramız yok... aramız yok... kulağımda sesi uğulduyor, içim geçiyor, ellerim uyuşuyor. Normal davranmalıyım, sakin olmalıyım... sakin!

"Ben de inanamadım önce. Sağlam deliller var, dediler. Zanlı, akıl hastanesinde müşahede altındaymış şu anda. Sonuç duruşmada belli olacakmış!"

"Ne zaman öğrendiniz bunu?"

"Ne bileyim, bir hafta oldu... hatta daha fazla galiba. Bunu bana bildirdiklerinden beri deli gibiyim. Uyku uyuyamıyorum geceleri."

"O kadın... bekçinin karısı yani... niye öldürsün ki eşinizi?"

"Akıl hastası olma ihtimal varmış! Eğer doğruysa kendimi asla affetmem! Çünkü kaç kere söyledi bana Derya, bu kadın beni sevmiyor, benden nefret ediyor, dedi. Onu ciddiye almadım. Dinlemedim."

"Evin hanımını sevmiyor diye öldürmek... yok, mantıklı değil! Birileri şaka yapıyor, dalga geçiyor olmasın, sizinle?"

"Böyle şaka mı olur!"

"Yani... demek istiyorum ki, birisi sizi işletiyor olmasın..."

"Kim işletecek?"

"Bilemem ki... Evde çalışan köylü kadın motor kullanmayı ne bils..." Sustum, sonra "Kim söyledi bunu size?" diye tamamladım cümlemi, "Allah aşkına kim verdi size bu bilgiyi?"

"Önce Urla Merkez Komutanlığı'ndan aradılar, daha sonra da savcılık aradı, bilgi verdi. Kanıtlar inceleniyor, deliller toplanıyormuş. Mahkeme günü belli olunca haber verecek avukatım."

"Henüz hiçbir şey belli değilken, üzmeyin kendinizi boşuna... Neyse, ben mutfağı toparlayıp yatayım artık. Geç oldu."

"Güzel bir akşamı berbat ettim Esra, kusura bakma. Bu haberi aldığımdan beri aklım başımda değil zaten. Bir insanın kendini suçlaması ne zormuş, bilsen!"

Bilmez miyim! Ah, bilmez miyim! Hakan Seymen, sadece kontrolünü kaybettiği için mahcuptu bana karşı. Oysa o benim mahcubiyet nedenimi bir bilse!

Benimle birlikte o da ayağa kalktı, "Masayı öylece bırak, yarın geldiğinde Ma toplar," dedi, mutfaktan çıkarken.

O gidince elim ayağım titreyerek tekrar çöktüm sandalyeme ve uzun süre öylece kalakaldım. Kalp atışlarım normale dönünce, Vural'ın bu gelişmeyi neden bana haber vermediğini düşündüm. Ya bana Hakan Seymen'in yanına taşındığım için hâlâ çok kızgındı ya da Vural bilmediğim bir başka bir oyunun içindeydi.

Acaba benim sonsuza kadar Şangay'da mı kalmamı istiyordu?

Yok artık! Benim için yapmadığı kalmamış Vural Komiser'in iyi niyetinden bile şüphe ediyorsam, sorun bende olmalıydı... Zaten Tarık'ın yüzünden bulaştığım beladan beri kimseye güvenmiyordum artık. Şüpheci, gergin, kızgın bir insan olmuştum. Şu anda Türkiye'de saat tutsa, hemen arayacaktım Komiseri, aramızdaki gerginliğe boş verip, şimdi duyduklarımı soracaktım. Benden niye sakladın Derya'nın katilinin bulunduğunu, maksadın neydi, diyecektim.

Kirli tabakları mutfağa taşıyıp bulaşık makinesine koyarken hatırladım, geçenlerde bana bir e-posta atmıştı, yeni bir gelişme var, kesinleşince haber vereceğim, hatta sana bir bayram müjdesi bile yapabilirim diye... Bu müjde, az önce Hakan Seymen'in bana sözünü ettiği gelişme olmasın! Ama bir daha hiç ses çıkmamıştı Vural'dan... Zaten bir hizmetçi kadının deniz motoru kullanması, hanımı sinirine dokunuyor diye, motoru onun üzerine sürmesi... Yok, gerçekten çok saçma bir senaryoydu bu... Ola ki o hizmetçi kadın da peşimdeki çeteye ait olsun!

Yok, olamaz da, bir an için, doğru olduğunu varsaysam ve bu bilginin Vural'ın da önüne gittiğini düşünsem... Ne yapardı Vural acaba? Araştırırdı kesin! Herhalde şu anda, bekçinin karısı kimliğine bürünmüş o kadının gerçek kimliğini araştırmakla meşguldü ve bana söylemek için, haberin doğruluğundan emin olmayı bekliyordu! Eğer doğru ise, o zaman Derya'nın ne alakası vardı bu işlerle? O kadın niye Derya'nın evindeydi? Kimdi Derya?

Gencecik karısını hiç beklenmedik bir kazada pat diye kaybeden Hakan Seymen, kederiyle boğuşurken bu saçma senaryoya inanması kaçınılmazdı ama ben, onun kadar saf değildim... Hele de geçen yıl yaşadıklarımdan sonra, her köşede bir şüpheli, bir suçlu arıyordum. Yok, bu senaryoyu ben yutmadım!

Kafam karmakarışık olmuştu!

Aksi gibi yarın sabah da iki Kazan Türkü öğrenciyle dersim vardı! Beni nasıl uyku tutacaktı da bu gece, yarın erken kalkıp derse gidecektim?

Yatmadan önce telefon etmedim ama Vural'ın bana özel haberleşmeler için verdiği numarasına bir mesaj attım.

"*Katilin bulunduğundan benim niye haberim yok! Kim o kadın? Beni daha ne kadar karanlıkta bırakacaksınız? Aşk olsun size!*"

Şimdi o düşünsün, bunu nereden öğrendiğimi!

Saatimi kurdum, yatağıma girdim ve kendimi tüm tehlikelerden korumak istercesine, tepeme kadar çektim pikemi!

Hakan/Esra

Denize doğru akarken birbirine karışan nehirler gibi...

Bir akşam eve bir buket çiçekle geldi Hakan Seymen.

"Ne güzel çiçekler bunlar," dedim buketi elinden alırken, "mutfaktaki dolapta bir vazo olacaktı, hemen suya koyayım da solmasınlar."

"Sonra da o vazoyu odana götür Esra, çünkü çiçekleri senin için aldım."

Kızardığımı hissettim. "Teşekkür ederim ama ne gerek vardı?"

"Beni içine düştüğüm karanlıktan çıkarmayı başardın. Suçumu fokurdatıp duruyordum içimde. O gece, hani eğitimci aile büyüklerimiz olduğunu öğrendiğimiz gece, giderek habisleşmeye başlamış bir ura, sen belki farkına bile varmadan bir iğne batırdın. İlk kez suçumu sesli olarak itiraf ettim, o akşam yemek masasında seninle uzun uzun konuştuk ya, beni zehirleyen cerahat dışarı aktı."

"Ne iyi olmuş!"

"Karımı dinlemediğim için hâlâ çok pişmanım ama..." Sözünü kestim, "Hakan Bey, kader diye bir olgu var. Olacağa mani olamıyoruz hiçbirimiz."

"Beni buna ikna ettiğin için çiçek getirdim sana."
"Sağ olun. Ama lütfen salonda dursunlar, üçümüz de görelim."
"Tamam," dedi.

Hakan Seymen ile ilişkimiz, gerçekten de eğitimci aile büyüklerimizden konuştuğumuz o akşamdan beri, yeni bir sinerji kazanmıştı. Bir bilim adamının torunu olduğumu öğrenince, bana çok mesafeli davranan adamla aramızdaki buzlar eriyivermişti. Türk halkının eğitimi için ömür heba etmiş iki rahmetli hoca yani onun büyük dayısı ile benim büyük dedem, sihirli bir tutkalla ruhlarımızı birleştirmişti de sanki, aramızdaki bu tek ortak paydayı canlı tutmak için, akşam yemeklerimizde dönüp dolaşıp hep aynı konuyu konuşuyorduk. Önce, Türkiye'nin bugün artık günümüz gençlerine pek bir şey ifade etmeyen, oysa büyüklerimizin bize heyecanla naklettikleri o eşsiz "küllerinden doğuş" günlerini anıyor, sonra da nerede yanlış yapmış oluğumuzu, nasıl toparlayacağımızı, ters yöne dönmüş treni nasıl doğru rotaya çevirebileceğimizi uzun uzadıya tartışıyorduk. Ben yakın tarihimizin, mesela Kurtuluş Savaşımızın, gelecek kuşaklara bundan böyle gerçekleri yansıtarak aktarılmayacak olmasına çok üzüldüğümü söylüyordum, o da beni, gerçek hep aynı yerde durur ve bir gün mutlaka ortaya çıkar, diye teselli ediyordu. Ve sonunda, politikacı ya da sosyolog olmadığımız halde, üstelik yurdumuzdan bu kadar uzaktayken, hep aynı konuyu deşip durduğumuz için kendimizle dalga geçerek bitiriyorduk geceyi.

Bir başka konumuz da Ada'nın her geçen gün bir yenisine şahit olduğumuz marifetleriydi. Yatağının içindeki yastıkları, örtüleri üst üste yığıp, üzerlerine basarak yatağından çıkmaya çalışmasını, babasına ba-ba, Ma'ya Ma, bana Ede, kendine de Aguli demesini, hiç sıkılmadan tekrar edip duruyorduk ve sıra, benim çaktırmadan Derya'yı sorgulamama geliyordu.

Katilinin bekçinin karısı olması ihtimalini öğrendiğimden beri, Derya kafamda kocaman bir soru işaretine dönüşmüştü. Hakan Seymen'i kuşkulandırmadan karısı hakkında bilgi sahibi olmaya çalışıyordum.

Kimdi Derya? Benim peşimdekilerle ne ilgisi vardı? O da mı bilmeden birtakım casusluk işlerine bulaşmıştı? Kendimi Şangay'da koruma altında zannederken, tehlikenin tam ortasında oturuyor da olabilirdim. İşte bu nedenle Derya'nın sırrını çözmek benim için farz olmuştu. Bir akşam, uykusunda ağlayan Ada'yı teskin edip uyuttuktan sonra, elimde bir ıhlamur fincanıyla, masasında çizim yapan Hakan Seymen'e yanaşıp, ıhlamuru usulca masasına bıraktım. Niyetim onu yine karısı hakkında konuşturmaktı.

"Zahmet etmişsin, teşekkür ederim," dedi.

"Çalışmanızı bölmezdim ama Ada ağlayınca dikkatiniz dağıldı diye düşündüm de..."

Gülümsedi, "Aynen öyle oldu!"

"Zavallı çocuk, herhalde annesinin kokusunu özlüyor. Biz ne yapsak yetmiyoruz ona."

"Sanmıyorum Esra. Ada henüz hiçbir şeyin farkında değil. Derya onu değil de, beni ve babasını yaktı. Ama gün gelecek, arayacak soracak annesini, ona ihtiyacı olacak. Ada'nın çilesi işte o zaman başlayacak."

"Asıl siz karınızı çok özlüyor olmalısınız. Nasıl biriydi? Resimlerinden çok güzel olduğunu görüyorum ama kimliğine dair hiç fikrim yok."

İliştim kanepenin bir ucuna. Hakan Seymen de elinde ıhlamuruyla gelip öteki uca oturdu.

"Çok değişik biriydi. Zeki, merhametli, biraz uçuk..."

"Uçuk derken?"

"Heykeltıraştı Derya, soyut çalışırdı. Biz Urla'da tanıştığımızda Londra'dan yeni gelmişti. Olaylar değişik gelişeydi, hemen geri dönecek ve Whitechapel Gallery'de bir enstalasyon sergisi açacaktı. Allah bilir belki de meşhur olurdu, çok yetenekliydi çünkü."

"Londra'da mı yaşıyordu?"

"Evet. Londra'da ressamlar, heykeltıraşlar genelde şehrin doğu yakasında otururlar ve bohem takılırlar. Onlardan doktorların, avukatların, mühendislerinki gibi disiplinli bir yaşam bekleyemeyiz. Derya da mantığından çok sezgileri ve duygularıyla hareket eden ama iç dünyasını işine başarıyla yansıtan bir sanatçıydı. Evlendikten sonra Karaburun'a yerleşmeye karar verince, birlikte evini kapatmaya Londra'ya gittiğimizde işlerinin çoğunu görmüştüm. Hepsi çok iyiydi."

"Sergi açacaktı dediniz ya, niye açmadı o sergiyi?"

"Uzun hikâye. Urla'da birkaç yıldır görmediği babasını arıyordu, bulunca çok sevindi ama tam da o sırada annesi vefat etti. Derya çok sarsıldı, o ruh haliyle babasıyla ve benimle Türkiye'de kalmayı tercih etti."

"Kayıp mıydı babası?"

"Yok canım, sadece inzivaya çekilmiş."

"Neden acaba?"

"Hiç sormadım Esra. İnsanların özeline pek meraklı değilim, şahsen."

İleri gittim. Polis gibi sorguluyorum. Yapmamalıyım böyle! Ama bu bana bir ipucuydu, yalnız yaşayan bir adam! Neden acaba?

"Benim babam da bir nevi inzivadadır da... o yüzden sordum yani."

"Baban annenle birlikte değil mi?"

"Yok. Hep ayrı yaşadı onlar. Karı kocadan çok iki yakın arkadaş gibidirler. Siz kayınpederinizle aynı evde mi oturuyordunuz?"

"Kayınpederim Urla'da bağcılık yapıyor. Biz kendi evimizde oturduk, Karaburun'da bir köyde. Ben botanikçi de sayılırım azıcık. Doğaya, ağaçlara meraklıyım. Bu merakımı Derya'ya da aşılamıştım. Bahçemizde yetiştirmediğimiz ot yoktu!"

"Hoşunuza gidecekse, halk pazarında saksı içinde her türlü otu satıyorlar, hemen alayım yarın, arka bahçemizde yetiştiririz."

"Ne iyi olur!" dedi.

Derya'nın geçmişini bu gecelik yeteri kadar deştiğimi düşünüp Hakan Seymen'in boşalan ıhlamur fincanını aldım, "İyi çalışmalar," dedim, "ben yatıyorum."

"Teşekkür ederim, hem ıhlamura hem de sohbete," dedi, "Derya'yı anmak, anlatmak çok iyi geldi. Sağ ol Esra."

"Size iyi geliyorsa Derya'yı yarın yine anlatın bana. Sık sık konuşalım. Seve seve dinlerim."

Ertesi gün yine punduna getirip, bazı sorular sorarak Derya'nın esrarını araştırmayı sürdürdüm. Öğrenebildiğim hayat dolu, kafasına göre takılan, neşeli ama sanırım azıcık da şımarık bir genç kadın olduğuydu. Ada'sına çok düşkünmüş, annelik konusunda karım kendini aştı, demişti Hakan Seymen. Şangay'a gelmekte ayak diremesi de, bu şehirdeki hava kirliliği ile Uzak Doğu'ya ait birtakım zehirli sinekler, böceklermiş. Ada'nın zarar görmesinden korkmuş. Belki de ilk bebeklerini hayata getiremeden kaybettikleri içindi Ada'ya aşırı düşkünlüğü.

Hakan Seymen'in bana anlattıkları Derya'nı esrarını çözmeye yetmemişti. Ama adını gündemde tutmaya bir vesile olur diye, pazardan saksı içindeki otları alıp getirdim, arka bahçede yetiştirmeye ve yemeklere kullanmaya başladım.

Benim korkularıma rağmen, Ada ve babasıyla yaşadığımız ev, gencecik karısını korkunç bir kazada kaybetmiş acılı bir koca ile, öldürülme korkusuyla bu şehre kaçırılmış bir genç kadının sığındığı gönülsüz sürgün yeri değil de, giderek mutlu bir ailenin yaşadığı sıcak bir yuvaya dönüşüyordu. Yine de, Hakan Seymen ve ben, birbirimize olan saygı sınırını asla aşmıyorduk.

Elimde çiçekleri koyduğum vazoyla geri geldim oturma odasına. Vazoyu özenle Derya'nın resminin önüne yerleştirdim. Hakan Seymen çizim masasının bacağına tutunarak ayağa kalkan kızını kucağına aldı ve "Bugün biraz erken yatıralım Ada'yı," dedi.

"Neden? Yorgun mu görünüyor?"

"Yo, hayır. O çok iyi de, bizim konuşmamız lazım Esra."

"Hayırdır?"

"Laf bölünmesin diye, Ada yattıktan sonra konuşalım. Banyosunu biraz erken yaptırayım bu akşam." Kızıyla birlikte yatak odasına yürüdü.

"Bari ben de yemeğini hazırlayayım," dedim, mutfağa giderken.

Yüreğime bir ağırlık bastı, acaba ne söyleyecekti bana Hakan Seymen? Evimden çık git, demeyecekti herhalde, çiçek getirmişti bana. Tanrım, çiçekler tam da bu nedenle getirilmiş olmasın! Bu kapı da kapanırsa yüzüme, Vural Komiser'le de papaz olduğum için, bana Türk Konsolosluğu'na sığınıp, yüzümü kızartarak babamdan bir dönüş bileti istemek ve memlekete dönmek düşecekti!

Belki de hakkımda hayırlı olacaktı... Ağustos ayındaki uzmanlık sınavımı verirdim, kimse beni vurmazsa!

Ma'nın sabah pişirdiği yemeği biraz telaşla ısıttım, küçük masaya sofrayı kurdum, Ada'nın mamasını hazırladım ve yedirmek için yanlarına gittim baba-kızın.

Şişesini elimden hop diye kaptı Ada. Gittikçe akıllanıyordu bu çocuk ve ben de ona her gün biraz daha bağlanıyordum da, bu akşam Ada'nın mama faslı bana çok uzadı gibi geldi çünkü aklım babasıyla yapacağımız konuşmadaydı.

Çocuk nihayet yattı ve Hakan Seymen'le ben, küçük mutfak masasındaki yerlerimizi aldık.

"Sizi dinliyorum," dedim.

"Esra, ben bir şey rica edeceğim senden. Sen kabul etmek istemezsen, Ma ile konuşurum..."

Ada'ya bakmanın yanında, bana yemek ve ev işi de mi yaptıracak, diye geçti aklımdan. Ses etmeyip, sabırla bekledim.

"Benim birkaç günlüğüne Türkiye'ye gitmem gerekiyor. İşimden yıllık iznime mahsuben müsaade istedim. Kayınpederim Derya'nın vefatını öğrenince kalp krizi geçirmişti. Hayati tehlikeyi atlatmış ama geriye nasıl bir adam kaldı bilemiyorum. Neyse, onu İstanbul uçağından alıp, Urla'daki evine kadar ben götüreceğim. Birkaç gün de miras meseleleriyle uğraşmam lazım. Derya'dan bana kalanları babasına ve kızımıza devretmek için, avukatlarla görüşmem, vekâlet vermem çarşambaya sarkabilir. Bu işleri tamamlamam gerekiyormuş, yoksa cezası varmış... bir sürü gereksiz bürokratik işlem, anlayacağın!"

"Ada'yla kalmamı mı istiyorsunuz?" diye kestim sözünü.

"Kalır mısın Esra? Bir haftayı bulmaz dönüşüm ama... bürokrasi bu, sarkarsa..."

"Bir haftayı geçse de fark etmez, yalnız bana kesin tarih verin ki, ders verdiğim öğrencileri haberdar edeyim."

"Derslerini evde de verebilirsin."

"Yok Hakan Bey, tanımadığımız gençleri sokmayalım evimize."

"Ben yokluğumda kaybedeceğin ücreti telafi ederim."

"Nasıl laf bu! Duymamış olayım," dedim.

"Ma zaten gün aşırı gelmeye devam edecek."

"İyi. Ben Ada'yla meşgulken alışverişi o yapar."

"İçim çok rahat etti, Esra. Sana Ada'nın doktorunun telefonunu ve adresini de bırakacağım."

"Merak etmeyin, Ada'ya hiçbir şey olmayacak."

"Onunla kalmayı kabul etmeseydin, Ada'yı yanıma alacaktım. Büyükbabasına da moral olurdu ama malum yol uzun. Çocuğun gecesi gündüzüne karışacak, hırpalanacaktı. Belki onu büyükbabasına önümüzdeki yaz sen götürürsün."

"Daha da iyisi," dedim ben, "büyükbaba buraya gelir torununu görmeye."

"Görüntülü konuşmalarda çok bitkin görünüyordu. Kayınpederimin o kadar güçleneceğini hiç sanmıyorum."

"Ben de önümüzdeki yaza kadar kalacağımı sanmıyorum, Hakan Bey. Ağustostaki sınavımı kaçırıyorum ama şubattakini mutlaka vermem lazım."

"Ne sınavı?"

Ah, ne yaptım ben! Geveze... geveze Esra!

"Şey işte... üniversite."

"Ben üniversiteyi bitirdiğini sanıyordum."

Yetti yalanlar. Sevmiyorum yalan söylemeyi!

"Tıp fakültesini bitirdim. Sadece uzmanlık sınavım kaldı. Eylüldeydi ama... hayatın bizi nereye savuracağı belli olmuyor işte. Neyse ki mayısta bir hakkım daha var."

"Doktorsan burada niye edebiyat okutuyorsun. Anlayamadım!"

"Yeryüzü Doktorları'na başvurmuştum, güya Kenya'ya gidecektim. Formaliteler uzadı ve bu arada tesadüfen bu şehirde okutmanlık yapan bir arkadaşım bir dönem için yerini doldurmamı rica etti. Niye olmasın dedim, hem yeni bir ülke görürüm, hem de harçlığımı çıkartırım. Bu yaşta anne-babadan para istemek olmuyor çünkü. Ve işte buradayım!"

"Bir başka hastanede de çalışabilirdin. Edebiyat... ne bileyim, bambaşka bir disiplin."

"Hayatımın geri kalan kısmında emekli olana kadar hastanelerde çalışacağım için, bu değişiklik hoşuma gitti. Kaldı ki, ben sadece bir kitabın okumasına yardımcı olacağım ve bu iş için de, beş yaşına kadar Shakespeare'i dedesi sanan bir çocuk olarak, Türkçem fazlasıyla yeterli. (Gülümsedim) Edebiyatçı bir anneannenin evinde büyüdüm ben."

"Nereden nereye! Ama sen memnunsan, mesele yok!" dedi.

"Kader bize hiç beklemediğimiz oyunlar oynuyor, diyelim..."

Bir sessizlik oldu, biraz fazla süren.

"Hâlâ bakmamı istiyorsanız, siz dönene kadar gözüm gibi bakacağım Ada'ya. İçiniz rahat etsin," dedim ben.

"İçim rahat Esra," dedi, "niye öyle söyledin?"

"Doktor olduğumu söyleyince aklınızı karıştırdım gibi geldi."

"Yo, aklım karışmadı, çocuğumu bir doktora emanet etmek, aslında daha da rahatlatıcı... sadece baştan söylemediğin için... şey ettim biraz..."

Baştan söylemediklerimi, dua et de sana asla söylemek zorunda kalmayayım diye geçirdim içimden, denize doğru akarken birbirine karışan nehirler gibi, seninkine dolanmış yaşam öyküмü sen hiçbir zaman öğrenme Hakan Seymen!

Esra, Vural, Aguli ve Diğerleri

Ben seni hiç unutmayacağım, sen beni hiç hatırlamayacaksın.

Agulim, baban belki hoşlanmıyordur, Ma'nın da aklı karışmasın diye dikkat ediyorum onların yanında sana Aguli dememeye. Ama madem bugün baş başa ve özgür kaldık seninle, gün boyunca, sen Aguli'sin; çünkü seni ilk gördüğüm andan itibaren, senin bendeki adın, o!

Şimdi beni iyi dinle Aguli, önemli şeyler söyleyeceğim sana!

Baban seni bana emanet edip gitti ya, o dönene kadar sen benim kıymetlimsin. Sen sen ol, bu fırsatın hakkını ver, şımar şımarabildiğin kadar. Baban dönünce, saat tam onda meyve suyunu içer, saat tam on ikide öğle yemeğini yer, ikiden dörde öğlen uykunu uyur, tam altıda banyonu yapar, akşam yedide de gece uykuna yatarsın. Bu ordu düzeni için babanın kusuruna bakma sakın çünkü seni çok seviyor da, şu anda iyi baba olma adına, sadece bunları biliyor. İyi baba olmanın inceliklerini zaman içinde öğrenecek, inan bana! Bak benimki bayağı büyük bir gecikmeyle ancak yirmi yıl sonra iyi baba olabildi... nihayet! Ama oldu, şükür!

Bu hafta biz ikimiz, babanın yokluğunda, keyfî ve keyifli takılacağız!

Söyle bakalım şimdi sen ne yapmak istiyorsun, bahçeye çıkmak mı? Çıkardığın sesler, evet anlamına geliyor ama biz önce günün hava kirliliği derecesini öğrenelim... Nerede şu televizyonun zamazingosu? Buldum Aguli! Ba..kı..yo..rum! Tamam, her şey yolunda! Dışarı çıkıyoruz! Hemen! Aaa, şu işe bak, telefonum çalıyor bebeğim, izin ver konuşayım, herhalde baban arıyordur, açmazsak, merak eder adamcağız.

"Alo! Aloo? Sesiniz gelmiyor... Hakan Bey? Duyamıyorum... Haa! Vural Abi! Hay Allah, siz miydiniz?"

......

"Yo estağfurullah, sadece şu anda sokağa çıkmak üzereydim, sizin oralarda saat kaç ki?"

......

"NE! NASIL YANİ! Dur Vural Abi, heyecanlandım, önce oturayım bir yere de..."

Yatağın ucuna iliştim. "Evet... evet, söyleyin şimdi. Kim öldürmüş?"

......

"Bekçinin karısı! Kesinleşti mi o bilgi?"

......

"Neden ama?"

......

"İnanılır gibi değil! Deliyse, işi neymiş dışarda? Yani ben şimdi tamamen normal hayatıma dönebi..."

......

"Sınavım ağustostaydı..."

......

"Bana bilet mi yolladınız çarşamba gününe? Sınava yetişeyim diye mi?"

......

"Ahh, Vural Abi, aksilik işte! Gelemem ki!"

......

"Ne demek nasıl gelemem? Bayağı gelemem işte! İşim var, sorumluluklarım var..."

......

"Ne dediğinizin farkında mısınız? Elbette sorumluluğum Hakan Seymen değil! O zaten burada bile değil. O Türkiye'ye uçtu dün gece. Romantik kurgunuz boşa gitti, kısacası."

......

"Kime mi? Sorumluluğum onun minik kızına, şu anda bacaklarıma tutunarak ayağa kalkmaya çalışan... dur Aguli, rahat ver! Yok size demedim Vural Abi, şimdi size söylüyorum; babasına, o dönene kadar çocuğunu bekleyeceğime söz verdim!"

......

"Ne demek nesi oluyorum? Bir şeysi olmam mı gerekiyor? İnsani görevim bu benim!"

......

"Elbette ben dadı değil doktorum da, insan hayatını önemsemeye yeminli bir mesleğim var. Bizim işimiz, yaşatmak, gözetmek, kollamak üzerine inşa edilmiş bir meslek, üstünüze alınmayın ama öldürmek, vurmak, kırmak üzerine değil!"

......

"Ağır olduysa oldu! Sizin bana söylediğiniz de hafif sayılmazdı yani!"

......

"Zarar yok, ben de sınava bir sonraki dönemde girerim, siz dert etmeyin bunu çünkü zaten annem, babam, anneannem ve yakın arkadaşlarım, yeterince dertleniyorlar bu konuda. Bir de siz eklenmeyin bu küçük orduya, bunca işinizin arasında."

......

"Orduya dedim, orduya. Nasıl bir kaderse benimki, peşimde sürekli ya benim için endişelenenlerin ordusu var ya da beni illa öldürmek isteyenlerin!"

......

"Ama Vural Komiser, haksızlık edi... Vural Ko... Müdürüm, elbette size teşekkür borçluyum ama ben istedim mi sizden dönüş bileti?"

......

"Tamam efendim, siz o bileti iptal edin! Ben, bana emanet edilmiş bebeğin babası evine dönünce kendi biletimi alır gelirim vatanıma! Ha, bir de sorum var size, burada ayarladığınız okutmanlık ne olacak?"

......

"Haa! Onu dahi ayarladınız siz! Ama işte ben uyumsuz Esra Atalay Solmaz, o ayarı bozuyorum, elimde olmayan sebeplerle."

......

"Evet var bir kadın, temizliğe filan geliyor fakat olmaz! Ada benim sorumluluğumda! Söyledim ya size, babasına o dönene kadar Ada'ya göz kulak olacağıma söz verdim!"

......

"E, ne yapayım yani Vural Abi? Çocuğu sokağa mı bırakayım? Kedi yavrusu mu bu? Keşke öyle olaydı, çantama sokar, yanıma alırdım!"

......

"Evet, son sözüm bu!"

......

"Tamam, aramam bir daha sizi. Her şey için teşekkürler. Sizi istemeden kırdım, kızdırdım, bir saygısızlık ettimse özür dilerim."

......

"Ne demek! Size de iyi şanslar, Vural Abi!"

Kapattım telefonu. Sinirden titriyordum. Adamın küstahlığına bak ya! O ne derse, öyle olacak! Ben sanki kölesiyim onun! Üstüne vazifeymiş gibi, biletimi hazır etmişmiş! Memleketime dönüş yapıp hemen sınavıma gireymişim. Madem ayırdığı bileti kullanıp o tarihte dönmüyormuşum, artık tek başımaymışım.

Bir daha ondan bir şey istersem... onu ararsam! Gırtlağıma bıçak dayasalar aramam artık!

Tanrım ne korkunç bir dünyada yaşıyoruz! Aslında her an hiç ummadığımız biri gırtlağımıza bıçak dayayabiliyor! Derya'yı, bir terör örgütü, bir çete, bir hırsız değil de, babasının kızını emanet ettiği insanlardan biri öldürmedi mi! Bu kadarı kimin aklına gelirdi, Allah aşkına!

"Aguli, ne var, ne diyorsun yine gag gug? Çıkacağız bahçeye ama izin ver de önce babamı arayayım ben... yok bu saatte aranmaz, en iyisi bir mesaj atayım, uyanınca görsün! Ağlama ama Aguli!"

Ada'yı kucaklayıp salona götürdüm, çitinin içine, oyuncaklarının yanına bıraktım.

Sonra da odamdan bilgisayarımı alıp, yanına geldim çocuğun. O gözümün önünde çitinde oyuncaklarıyla oynarken, ben babama uzun uzadıya bir mesaj çektim. Olan biteni anlattım ve babamdan on gün sonrası için bir dönüş bileti istedim. Tam gönderecekken, beklemeye aldım mesajı. Önce Hakan Seymen'in kesin dönüş yapacağı günü öğrenmeliydim. Bu akşam o beni mutlaka arardı ve inşallah döneceği tarihi kesinleştirirdi.

Aguli'yi çitinden çıkardım. Giydirdim. Üzerime bir şeyler geçirmek için odama yürürken Aguli emekleyerek peşimden geliyordu. Odama girdim, dolabımı açtım, sokağa çıkmak için giyeceğim giysileri seçip yatağa bıraktım... Bir tuhaflık var... agu gagu sesleri kesilmiş. Döndüm baktım, çocuk odada değil. Salona koştum, ne göreyim, Aguli geri gelmiş, benim kanepenin üzerinde bıraktığım bilgisayarın başına çökmüş, tuşlara basıyor. Kucaklayıp odaya getirdim, kapıyı da kapattım ki, yine salona kaçamasın, ben giyinirken yanımda beklesin.

Güneşli, güzel bir havaydı. Şangay'da güneşin yüzünü gösterdiği ender günlerden birindeydik. Bir saatten fazla dışarda kaldık çocukla. Parkın içinde uzun uzun yürüdük. Daha doğrusu ben hem yürüdüm hem bebek arabasını ittim, bir yandan da artık bir kuş gibi özgür olduğum için, ne yapmam gerektiğini düşündüm. Doktorlardan yanıt hâlâ gelmediğine göre, umudumu kesip, Londra'da anneannemin ayarladığı işe mi başvuraydım acaba?

Her ne yapacaksam, önce İstanbul'a dönmeliydim.

Bir güzel ağaç altı seçtim parkta, Aguli'yi indirdim arabasından, çimenlere saldım. Hemen emekleyerek dört nala uzaklaştı, sonra durdu, hiçbir yere tutunmadan ayaklandı, ileri doğru bir adım attı ve poposunun üzerine düştü!

Tanrım! Aguli yürüdü! İlk adımını benim önümde attı.

Çığlıklar atarak ona koştum, kucaklayıp öptüm, kokladım, havalara fırlattım. Ama hep içimde bir incecik sızı... Anneciği göremedi yürüdüğünü, babası da ilk adımını göremedi. Bu ayrıcalık bana nasip oldu ki haksızlık bu! Ben onu terk etmeye hazırlanıyordum çok yakında.

Hiçbir yere tutunmadan başka adımlar atmasını istemedim. Bu ilk adımından da bahsetmeyeceğim babasına. Hakan Seymen evine döndüğünde, kızını yürürken görürse, ilk kendi şahit oldu zannetsin!

Aguli'yi tekrar çimenlere salmadım, artık. Kucağımda arabasına kadar taşıdım, arabanın ardına bıraktım, o arabayı tutarak, ben de çok yavaşça iterek yürümeye başladık, ta parkın kapısına kadar. Eve geri döndüğümüzde, Aguli arabasında uyuyakalmıştı. Arabasını oturma odasına sürdüm ki, varsın istediği kadar uyusun; bir gün de geç yesin mamasını, babasının dakik programına inat!

Telefonum çalmaya başladı. Aa! Babam! Bu saatlerde hiç aramaz ki beni, çünkü uyanmaz saat dokuzdan önce. İçime bir sıkıntı bastı birden, yine bir kötü haber mi geliyordu bana!

Açtım.

"Babaaam! Sana da günaydın! Hayrola, bu saatte aramazdın! Ne oldu?"

"Mesajını aldım," dedi babam, "Esra, döneceğine çok sevindim canım!"

"Baba ben mesaj atmadım ki sana."

"E, atmadınsa kim yolladı o postayı?"

Kim mi yolladı? Kim yollamış olabilir ki? Elbette Aguli! Ben onu bilgisayarımın başına çökmüş bulmadım mı, sokağa çıkmadan önce!

"Dönüş tarihimi kesinleştirmeden yollamayacaktım... demek yanlışlıkla yollamışım!"

"İyi etmişsin," dedi babam, "anneannene, annene de bildirdin mi yoksa ben mi haber vereyim?"

"Sen o işi bana bırak baba... şey, annemle birlikte olamadığınıza üzüldüm."

"Üzülme, seneye yaza yine beraber bir yerlere gideceğiz ama evli evinde köylü köyünde, daha mutluyuz biz. Bir sorun yok, her şey yolunda. Bizi bırak da sen kendinden söz et, Esra. Şangay'da mecburi bekleme sürecinin hayırlısıyla sona ermesine çok sevindim. Dönünce ne yapmayı düşünüyorsun?"

"Uzmanlık sınavımı kaçırıyorum. Yeryüzü Doktorları'ndan da henüz bir ses gelmedi. Ben de bilmiyorum ne yapacağımı. Gerçekten ilk defa çok umutsuzum, hayatıma bir türlü yön veremedim, boşlukta gibiyim adeta."

Bir sessizlik oldu... uzadı sessizlik.

"Baba, hatta mısın?" dedim.

"Esra... sana bir şey söyleyeceğim ama... aramızda kalması şartıyla..." sesi sıkıntılıydı.

"Elbette."

"Aramızda kalacak. Söz mü?"

"Tabii ki söz! Çok merak ettim şimdi, annemle mi ilgili? Yoksa anneanneme mi bir şey oldu?"

"Yok, yok! Kötü bir şey yok Esra! Şey... çok kararsız kaldım söyleyip söylememekte ama bence bilmek hakkın! Beklediğin yanıt geldi de, anneannen sakladı senden."

"Hangi yanıt?" diye bağırdım.

"İşte o doktorlardan beklediğin yanıt vardı ya..."

"Baba! Yeryüzü Doktorları'ndan son onay mı geldi... öyle mi baba?"

"Bak Esra, beni anneannenle papaz etme sakın! Telefon etmeden önce, mail attım sana. Doktorlardan gelen belgeleri ilettim... Doğru mu yaptım emin değilim, kaç gündür düşünüyordum da, hayatına fazla karıştığımıza karar verdim. Hiç öğrenmeseydim keşke, ama durumu annenden duyunca... Tam da o sırada annen İstanbul'daydı, anneannende kalıyordu. Bana o haber verdi, aramızda tartıştık bu konuyu, ve o annesiyle arasını açmak istemediği için, belgeleri bana yönlendirdi, sana söyleme sorumluluğunu ben üstlendim de... ya Esra, neden sen kendi adresini vermedin bu adamlara?"

"Burada e-posta sistemi çok zor işliyor, baba. *Google* yasak, pek çok site yasak. Yasağı delmek için çeşitli yollara başvuruluyor, sonuçta deliniyor ama şimdi doktorların bana yollayacakları posta, bakarsın gecikir, elime geçmez filan diye korktum, bari anneannemin maili vereyim dedim. En kötü ihtimalle, o beni telefonla haberdar eder diye düşünmüştüm! Şu işe bak baba ya! Anneannemin bana attığı kazığa bak!"

"Anneanneni anlayışla karşıla, çok yaşlı ve senin için endişeleniyor. Üstelik geçen yıldan beri başına gelmedik kalmadığından, seni dizinin dibinde istemesi normal. İngiltere'ye gitmeni bile istemiyor artık. Kızma ona sakın!"

"Baba... anneme bana haber verdirttiği için ona da teşekkür ettiğimi söyle, e mi."

"İkimiz de bu kararı sen vermelisin diye düşündük, kızım. Yanıtlaman için çok az vaktin kalmış, yoksa şansını kaçıracaktın. Şimdi ben kapatıyorum, sen mailini aç, yolladıklarımı oku, son kararını ver ve beni ara. Gitmeye kararlıysan ben biletini ayırtacağım."

"Sen önce benim Türkiye'ye dönüş biletimi şey et..."

"Tarihi bildir, hemen yaparım... Aaa! Ağlıyor musun sen? Ağlama Esra, üzülme değil, sevinme zamanı! Bak kurtuldun işte, hayatını istediğin gibi tanzime hazırlanıyorsun. Haydi ama... ağlama. Gün içinde tekrar görüşmek üzere kızım," dedi babam.

Benim gözlerimden sevinç yaşları boşanırken, Ada'nın da içerden giderek yükselen sesi geliyordu. Çitinden çıkmak istiyordu zavallı. Telefonu kapatıp salona koştum.

"Sen ne kutlu bir çocuksun Aguli," diye bağırdım, "yaramazlığın bile işe yarıyor senin!"

Eğildim çitin içinde oturan çocuğun tepesine kocaman bir öpücük kondurdum. Tutunarak kalktı, dudaklarını uzattı bana.

Doktor olmasam, ona geçirebileceğim mikroplara aldırmadan, dudaklarını da öperdim.

"Sen şimdi biraz tek başına oyalan," dedim bilgisayarıma doğru yürürken, "benim birdenbire çok mühim işlerim çıktı, Aguli. Sen halden anlarsın, birtanem!"

Önceliğim, babamdan gelen postayı açıp, bana gönderdiği formu incelemek ve hemen yanıtlamaktı. O işi tamamlayınca, ikinci işim, Hakan Seymen'e mesaj yazmak oldu. Ona, Yeryüzü Doktorları'ndan nihayet beklediğim yanıtı aldığımı ve işimin başında olmam gereken tarihi yazdım. En geç önümüzdeki cuma günü o mutlaka Şangay'a dönmüş olmalıydı, çünkü ben de Türkiye'ye dönüş biletimi cuma akşamına kestirecektim. Neyse ki Avrupa tarafından gelen uçaklar bu şehre sabahın erken saatlerinde iniyor, akşam saatlerinde de buradan hareket ediyorlardı. Cuma günü Ada'nın aramızdaki devir teslimden sonra, ben hafta sonunu İstanbul'da anneannemle hesaplaşarak geçirmek üzere uçağıma binerdim. O hafta içinde de Kenya'da işbaşı yapardım. Hakan Seymen'in gecikme nedeni ancak miras işlemlerinin uzamasından olabilirdi ki, çok gerekiyorsa, sorunu birine vekalet vererek halledebilirdi.

Yazdığım metni dikkatle okudum. Biraz buyurgandı ifadem. Hakan Seymen'e resmen, cuma günü mutlaka Şangay'a gelmiş olmasını buyuruyordum. Belki biraz ayıp oluyordu ama ben artık önüme açılan son fırsatı kaçırmamak ve hayatımın iplerini kendi ellerime almak istiyordum! Başkaları için yaşamak, çalışmak, didinmek, sürekli birilerinden kaçmak, ölüm korkusuyla yaşamak... yetti be! Gerçekten yetti!

İkinci mektubu anneanneme yazmaya hazırlanırken, vazgeçtim. O kadar doluydum ki, onun yaşlı kalbini kırmamak için araya biraz mesafe koymaya, sinirimin geçmesini beklemeye karar verdim. Babamın dediği gibi, ne yaptıysa benim iyiliğim için yapmıştı, başıma bunca gelenden sonra bir de Afrikalarda başka tehlikelere maruz kalmayayım diye ve tabii ki bana olan o okyanuslar gibi engin, sarıp sarmalayan, kollayan, gözeten sevgisinden!

İyi de bu kocaman sevgi menüsünde payıma küçücük bir porsiyon da saygı düşemez miydi? En azından beni ikna yoluyla vazgeçirmeye çalışamaz mıydı, arkamdan iş çevireceğine!

Tanrım, zamanın kumpasçı ruhuna anneannem dahi kapıldıysa, öleyim ben!

O anneannem ki, ben onu ve dedemi yere göğe sığdıramazdım. Hayatta en çok onları sevdim, onlara güvendim. Dedemin ölümünden sonra, benim sığınacağım, dayanacağım tek kale anneannemdi. Sevincimi, heyecanımı, korkularımı, hatta aşklarımı... her ama her şeyimi, arkadaşlarımdan çok anneannemle paylaşmıştım. Acılarımı onun kollarında dindirmiştim. Beni en iyi o anlar zannetmiştim. Aklımın ucundan geçmezdi arkamdan iş çevireceği.

Anneme gösterdiği hoşgörüyü, ona tanıdığı özgürlüğü neden benden esirgedi ki?

Kızının başına buyrukluğunun acısını torunundan mı çıkarmaya karar verdi acaba?

Yok... ona bu ruh haliyle yazmamalıydım. Biraz sakinleşeydim. Sonradan pişman olmayaydım yazacaklarım için.

İçimi Güzin'e döktüm ben de. Tıp fakültesini birlikte bitirdiğim sevgili arkadaşıma kustum bütün hırsımı. Ve Şangay'a geldiğimden beri ilk kez, üzerimdeki baskı kalkmış olduğu için, burada bulunuşumun gerçek sebebini de itiraf ettim ona. Okutmanlık teklifi aldığım için filan değil, bu şehre beni öldürmeyi kafaya takmış ve yine peşime düşmüş olanlardan saklanmak için, Vural tarafından gönderilmiş olduğumu yazdım.

Oh, rahatladım!

Güzin elbette Tarık'ı tanıyordu, Vural'ın kim olduğunu da biliyordu. Şimdi, niye ona doğruyu en başında söylemedim diye gücenecekti bana ama, o benim gibi ölümle burun buruna gelmediği için, ne söylesem anlayamazdı!

Neyse, bana gücenecek de olsa, bir arkadaşıma başıma gelenleri anlatmak, iyi geldi. Ben, bizlerin durmadan psikolog kapısı aşındırmamamızı içimizi dökebildiğimiz, acımızı, sevincimizi hatta suçlarımızı paylaşabildiğimiz yakınlarımızın olmasına bağlarım. İşte bir kere daha görmüş oldum, güvenilir bir arkadaşla sır paylaşmanın faydasını ve keyfini!

Ben Güzin'in uzun mektubunu yazıp bitirene kadar, Hakan Seymen'den bana yanıt gelmiş!

Dönüşünü o zaten cuma gününe planlamış ama benimle aceleye getirmeden konuşabilmek için bir gün önceye aldırıyormuş biletini, çünkü madem bu kadar çok müşterek noktamız varmış, birbirimize iyi geliyormuşuz, Ada da beni çok seviyormuş, bundan sonraki hayatımızı tasarlamak için, uzun uzadıya konuşmamız lazımmış.

Eyvah!

Aceleye getirmeden konuşmamız gereken, benim onun kızına bakmak üzere, bundan böyle onların evinde eski zaman dadıları gibi hayatımı Aguli'ye adayarak yaşamayı kabullenmem ise, ben bu işte yokum! Zaten ben kabul etsem, hayatımı benim için tasarlamaya meraklı ve arkadan iş halletme ustası olan anneannem, bir pundunu bulur, işi bozar ve hakkından gelir Hakan Seymen'in!

Yazdıklarına bakılırsa, benimle konuşmak istemesinin bir diğer ihtimali de Hakan Seymen'in kalbini değil mantığını dinleyerek, beni kendine hayat arkadaşı olarak seçmiş olmasıydı ki, eğer öyleyse; Hakan Seymen yanlış kıza oynuyordu.

Hemen çektim önüme bilgisayarımı ve ona, biletini sakın değiştirmemesini tavsiye ettim, çünkü hiçbir konuşma beni yolumdan çeviremezdi. Kaldı ki, aramızda, aceleyle veya sabırla çözebileceğimiz bir konumuz yoktu! Şangay'da ve Seymenlerin hayatında, ben kalıcı değildim. Ben Yeryüzü Doktorları'na katılmaya gidiyordum.

Yazdıklarımı baştan sona okuyunca rahatsız olmadım değil. Fakat anneannem tarafından ihanete uğramış olmaktan o kadar incinmiştim, Vural'a da o kadar kızgındım ki, o anda özensiz sözlerle benim de bir başkasını incitebileceğimi düşünemiyordum. Yolladım yazdıklarımı.

Bu arada Aguli'yi tamamen ihmal etmişim. Zavallı bebecik, çitinin içine kıvrılmış, uykuya dalmıştı. Mutfağa koşup mamasını hazırladım, salona geçtim. Hâlâ uyuyordu. Uyandırmaya kıyamadım, yine bilgisayarımın başına gittim, babasından kısa ve net bir yanıt gelmiş!

Mesaj alındı. Cuma sabahı görüşmek üzere selamlar.

Gücenmiş belli ki! Acaba bu kadar keskin ve kesin bir yanıt fazla mı kaçtı diye düşünürken, bir başka ileti düştü bilgisayarıma. Açtım. Vural'dan geliyordu. Uzunca bir yazıydı,

"*Sevgili Esra,*" diye başlıyordu, "*Telefonda haddimi aştımsa, hoş gör. Seni şaşırtan aşırı tepkim seni korumanın, tehlikelerden uzak tutmak kaygımın dışında, zaman içinde sana tutulmamdan kaynaklanıyor. Bu sabahki telefon konuşmamız sırasında duygularımı kalbime gömeceğime, elimde olmayarak açığa vurdum.*

Evet, geçen yıldan beri tehlikeli bir oyunun içinde birlikte savrulup durduk. Pek çok tatsız şey yaşadık. Bir polisin koruması altındaki kişiyle duygusal anlamda yakınlaşmaması gerekir. Ben görevimi asla kötüye kullanmadım ama, kalbime de söz dinletemedim. Hakan Seymen konusundaki tepkim, tamamen elimde olmayan kıskançlıktandı. Bu yüzden senden özür diliyorum.

Şimdi, duygularımı açıkça itiraf ettikten sonra, senden gelecek yanıtı bekliyorum.

Ya, seninle birlikte kendime bir yol çizeceğim ki, telefon konuşmamızdan bunun mümkün olmadığını az biraz sezmiş bulunuyorum, ya da dosyanı kapatırken, kalbime de bir kilit vuracağım.

Senden olumsuz yanıt gelirse, bir daha görüşme imkânı bulabilir miyiz bilemiyorum. Bu nedenle sana son sözlerimi söylemek isterim. Beni sana âşık eden güzelliğin değil, hayata karşı duruşun, cesaretin, umudunu kaybetmeyişin ve dürüstlüğün oldu. Senin gibi birini daha önce hiç tanımamıştım. Sana hayran kaldım, diyebilirim. Hikâyemiz benim istediğim gibi bitmez ise, bari şu dileğim yerine gelsin, bundan böyle artık başına hiçbir kötülük gelmesin, hep mutlu ol Esra!

Vural."

Önümdeki yazıya bakakaldım. Nutkum tutulmuş gibi, hiçbir şey yapamadım bir süre. Âşık olmadığım bir adamın aşk itirafı beni neden böyle sarsmıştı, gerçekten bilmiyordum. Belki de söylediği gibi, iki yıldır çok şeyi paylaştığımız için...

İyi de ben kör müydüm bunca zaman? Neden anlayamadım? Hiç mi hissettirmedi bana duygularını? Ya da benim o taraklarda bezim olmadığı için mi, konduramadım! Bana hep şefkatli bir ağabey gibi davranmış, benim için gerçekten fedakarlıklara katlanmış birinin... Şu en son olayda bile, Derya'nın pasaportuyla beni yurt dışına çıkartması, bunca şeyi ayarlaması, bana hiç mi bir ipucu vermedi? Tarık nasıl da köreltmiş benim gönül gözümü!

Ah Vural Abi! Ben ne diyeyim şimdi sana, nasıl bir yanıt vereyim?

Aguli yardımıma yetişti. Uyanmış, "Ede Ede," diye bağırıp duruyordu. Mamasını kapıp yanına koştum, onu çitinden çıkarıp bağrıma bastım.

Ne çok sevgi biriktirmiştim bu iki yıl içinde. Doktorundan polisine, minicik bebeğine kadar ne çok gönül kazanmış ve kalp kırmıştım. Hep tek bir adamın... tepeden tırnağa yanlış bir adamın yüzünden! Ah Tarık!

Belki de ben uzun bir süre uzak durmalıydım erkeklerden.

"Ne dersin Aguli?" diye sordum, "Bana yaramıyor galiba aşk?"

Hiçbir şey söylemedi Aguli, kocaman gözleriyle baktı sadece. Sonra ben,

"Baban geliyor cuma günü," dedim.

"Ba..ba..baba.. gagu gu ga ga..." Kolları ayrı, bacakları ayrı oynadı çocuğun, yüzünde güller açtı sanki. Resmen ne dediğimi anladı!

"Dur, çırpınma kız," diye bağırdım, "sütünü dökeceksin!"

Şişesini hemen bana uzattı. Vallahi bir zeka küpü bu çocuk.

Aguli üç buçuk ayın içinde, gözlerimin önünde büyüdü, gelişti, akıllandı. Laf anlar hale geldi. Bana bağlandı. Fakat beni hiç hatırlamayacak bir daha görüşmezsek. Oysa ben onu, kumlu poposunu plajda bana yasladığı andan itibaren, her haliyle hatırlayacağım... Şangay'da geçirdiğim her anı, ayrıntılarıyla hatırlayacağım gibi... ama Aguli'yi hep sevgi ve hasretle! Hastanede yatan Tarık'ın başına koştuğum günden bu yana yaşadıklarım nasıl kazındılarsa belleğime, bu günler de harddiske girdi, bende.

Neyse ki bu kez, kötü hatıram hiç yok! Vural'ın sayesinde, Şangay'ı da görmüş oldum,

Hakan Seymen gibi düzgün bir adam tanıdım, dedemin bir bilim adamı olarak bana bahşettiği onura bir kere daha tanık olmakla kalmadım, Hakan Seymen'in gözündeki itibarımı da onun sayesinde kazandım. Çok hoş insanlarla da tanıştım ki Ali, Ahmet ve öğrencilerim de cabası...

Ahmet'i ve Ali'yi mutlaka arayacağım bu şehirden ayrılmadan. Bana çok hakları geçti. Biri evini açtı, yedirdi, içirdi, diğeri geçici olarak bana işini ikram etmekle kalmadı, kahrımı çekti, arkadaşım oldu, beni gezdirdi tozdurdu. Her ikisiyle de ayrı helalleşmeli, vedalaşmalıyım. Ama her şeyden önce, aramızda o tatsız konuşma hiç geçmemiş gibi, Vural'a bir teşekkür mektubu yazmalıyım. Değerli insanları tanımama vesile olan Şangay macerası için ona minnet borçlu olduğumu söylemeliyim.

Bir işim daha var gitmeden önce yapmam gereken; adeta gökyüzünden pat diye kucağıma düşüp üzerime işeyerek hayatıma giren ve Çin'e savrulmama neden olan Agulime, şu son hafta içinde gözümü arkada bıraktırmayacak birini bulmalıyım. Ma, bir kuzini olduğundan söz etmişti. Haber vereyim de yarın gelirken onu da getirsin. Gözüm tutarsa Hakan Seymen'e bildiririm. Onunla kızının bakımını üstlenecek kişi üzerine konuşmak zor değil de, bana attığı mesajla ilgili konuşmak kolay olmayacak herhalde. Ben aramızda öyle bir yazışma hiç olmamış gibi davranacağım. Eğer Hakan Seymen tahmin ettiğim kişilikteyse, onun da öyle yapacağından şüphem yok.

Aguli mamasını, havucunu bitirdi. Yemek öncesinde çitinde uyumuş olduğu için, cin gibi, hiç uykusu yok, yatağına girmek istemiyor. Onu tekrar bahçeye çıkardım. Çimenlerin üzerinde alt alta üst üste yuvarlanırken, çılgın kahkahalar attı. Bir deli kadın yüzünden öksüz kalan çocukla oynaşırken, benim yerimde şu anda annesi olmalıydı diye geçti içimden ve gözlerim doldu. Aynı gün içinde, bir sevinçten ağla, bir hüzünlenip gözlerim dolsun... amma da sulu göz oldum ben! Oysa hiç hoşlanmam ağlak insanlardan.

Aguli minicik parmağıyla dokundu gözümden süzülüveren gözyaşına... "Aga... agu... ga, Ede," dedi. Herhalde "ağlama" demek istiyordu, "ne de güzel eğleniyorduk, niye ağlıyorsun ki Esra!"

"Çünkü Agulim," dedim, "ben seni hiç unutmayacağım ama sen beni hiç hatırlamayacaksın!"

Hakan

Ada'nın içinde eminim derin bir iz bırakmıştı Esra,
tıpkı benim kalbimde bıraktığı gibi.

Yolumu aydınlatan Çoban Yıldızım Mustafa N dayım, sana ne çok öykündüm ömrüm boyunca, hayatımın önemli kararlarını sana sorarak aldım ya, birileri okuyabilse düşüncelerimi, beni deli zannedebilirlerdi, bir ölüye danıştığım, onunla dertleştiğim için! Ama hiç aldırmam buna. Sen benim yol gösterenimdin!

Ne haddini bilmezlikmiş benimki!

Zamanın Başbakanı İsmet İnönü'nün cenaze merasiminde senin için söylediği gibi, sen "*Cumhuriyet çocuklarının en önemli görevi ülkeyi, passız birer çelik gibi pırıl pırıl ilmin, bilimin kültürün doruğuna ulaşmış insanların yurdu yapmaya çalışmak*" olduğunu, çok kişiye ilham edebilmiş, başarılı bir öğretmensin sen!

Bana mı düşerdi senin müridin olmak!

Ben ancak cehalete, zevksizliğe ve iki yüzlülüğe kafa tutan bir mimar olabildim, üstelik yanlış yer ve saatte ötmüş olmalıyım ki, ışığım kendi dibimi bile aydınlatamadı.

Başarım sıfır! Ama işte yine ocağına düştüm bu gece!

Çünkü şu anda, tıpkı senin gibi yapayalnızım ve ayrıca yine senin gibi aşkta beceremedim.

Halide Nusret Hanım senin duygularını nasıl yanlış anladıysa, Esra da beni yanlış anladı dayı, zannetti ki kızıma baktırmak için onunla evlenmek istiyorum. Yanıldı!

Senin hüzünlü aşk hikâyeni baştan sona anneannemden dinlemiştim.

Komşu oldukları için yan yana evlerde beraber büyümüş, birbirine kardeşten de yakın iki arkadaşın çocukları olarak, siz de Halide Nusret Hanım ile aynı kaderi paylaşmış, birlikte büyümüş ve yıllarca için için sevmişsiniz birbirinizi. Bu sevgi gözlerinize, vücut dilinize ve gizli imalarla yazışmalarınıza yansırmış. Sonra sen, evlenme teklif etmişsin ona, doğru kelimeleri kullanamadığın için, kabul etmemiş. Senin ona ikinci ve son evlenme teklifin, babanın ölüm döşeğinin yanı başında olmuş dayı, öyle söylemişti anneannem.

Şöyle olmuş: Anneannem, hasta babaları ağırlaşınca, sonun yaklaştığını anlayıp, uzaktaki yakınlarına haber salmış. Oğlu Mustafa N, Milli Eğitim Bakanlığı yaptığı Ankara'dan, kızı gibi sevdiği Halide Nusret Hanım da öğretmenlik yaptığı Edirne'den kalkıp İzmir'e gelmişler.

Sen baba evine vardığında dayı, Halide Nusret Hanım'ı hastanın baş ucunda bulmuşsun.

Akşam olup, herkes odasına çekildiğinde, o refakatçi olarak, hâlâ babanın başını bekliyormuş.

"Nusret," demişsin babanı uyandırmamak için fısıldayarak, "biliyorsun babam bizim evlenmemizi çocukluğumuzdan beri çok isterdi. Dün akşam da yalnızken bana son arzusunun bu olduğunu söyledi. Yarın nikâh memurunu çağıralım mı, ne dersin?"

Halide Nusret Hanım donup kalmış, çünkü sen ona yıllar önce, ta 1919 yılının Eylül ayında İzmir'den Balıkesir'e tayinin çıktığında, onunla yollarınız ayrılırken, yine romantizmi eksik bir evlenme teklifinde bulunmuş, "İlerde seninle evlenmeyi düşünüyorum, sen de evlenmemizi ister miydin?" diye sormuşsun meğer.

O, on sekiz yaşındaki romantik genç kız, bir ilan-ı aşk beklerken, böyle buyurur gibi hem de ötelenmiş bir evlenme teklifi karşısında, çok üzülmüş, ters bir yanıt vermiş sana.

Nerden bilsin sevdiği için, Balıkesir'in İzmir'den çok farklı şartlarında zorlanır mı, yıpranır mı diye endişe ettiğini! Onun verdiği olumsuz yanıt, kalbini kırmış ama hiç belli etmemişsin dayı.

On yıl sonra, evlenme teklifi yine beklediği gibi romantik sözler ve bir aşk ilanı ile gelmeyince, Halide Nusret Hanım, bu kez kesin bir 'hayır' çekmiş ama anneannem, babanın cenazesini kaldırdıktan sonra, senin İzmir'den ayrıldığın gün, Halide Nusret Hanım'ın sabaha kadar uyumadığını, odasına kapanıp ağlayarak şiirler yazdığını ve sonra da o şiirleri yaktığını anlatırdı. Yani, sevgili dayım, Halide Nusret Hanım'a duyduğun derin aşka rağmen, yüzüne gözüne bulaştırmışsın sen bu işi!

Armut dibine düşer gibi, ben de aynını yaptım!

Aynı damın altında aylarca yaşadığım kıza, ışıksız, ruhsuz satırlarla bir mesaj attım.

Oysa birlikte geçirdiğimiz zaman içinde, ona önce hayran sonra da âşık olmuştum ve bundan çok utanıyordum. Çünkü dayı, değil duygularımı ona açmak, kendime itiraf etmek için dahi çok erkendi. Derya'nın ölümünün üzerinden altı ay bile geçmemişti. Açılmak için doğru zamanı bekliyordum.

Esra nasılsa bir dönem okutmanlık yapacaktı üniversitede. Zaman içinde beni sevebilir, Ada'ya daha çok bağlanabilirdi. Zaman lehime işliyor sanmıştım.

Ama olamadı! O da bana, tıpkı Halide Nusret Hanım'ın sana verdiği yanıtını andıran bir mesaj çekti.

Aramızda uzun uzun konuşma gerektiren bir durum yokmuş!

Kırıldım. Üzüldüm.

Fakat sonra, dönüş uçağımda Şangay'a uçarken uzun uzun düşündüm, senin başına gelenlerden ders çıkartıp, kalbimi açmaya karar verdim Esra'ya.

İzmir'den İstanbul'a uçarken, poşetler dolusu incir, üzüm, fındık fıstık almıştım, ona vatanından tatlar götüreyim diye. İstanbul'daki havaalanında da, koşturdum *Duty Free*'den ona piyasaya yeni sürülmüş bir koku aldım. Şangay'a indiğimizde de şarap almaya koştum bu sefer. Evime, akşam üstüne doğru, elimi kolum bu alışverişlerle, ayrıca çocuğuma aldığım oyuncaklarla dolu geldim.

Hava güzeldi, Esra ve Ada evde değildiler. Esra'nın armağanlarını mutfak masasının üzerine, Ada'nınkileri çitinin içine bıraktım. Biraz sonra kapının dışında seslerini duydum. Kapı açıldı ama içeri girmediler.

"Haydi Aguli... haydi göster babana," deyip duruyordu Esra. Merakla kapıya yürüdüm. Bebeğim beni görünce sevinçle birkaç adım attı bana doğru. Kızım YÜRÜYOR!

Esra'yı selamlamayı unutup, "Ne zaman yürüdün sen?" diye bağırdım sevinçle.

"Şimdi," dedi Esra, "ilk adımlarına tanık oluyorsunuz!"

Sarıldım Ada'ya. "Sahi, şimdi mi yürüdü?"

"Ben anahtarımı ararken ilk adımını attı."

"Ah çok sevindim! Yaşa benim kızım, babanı beklemişsin! İlk adımı kaçırsam üzülürdüm!"

"Tam vaktinde gelmişsiniz," dedi Esra.

İçeri girdik hep beraber. Ada, çitinin içindeki parlak kâğıtlara sarılı paketleri hemen gördü. İki üç adım atıp yere kapaklandı. Nefesimi tutup bekledim, dört ayak olup doğruldu, iki, üç adım daha attı, bu kez poposunun üstüne oturdu pat diye. Onu kucaklayıp çitine bıraktım. Ada hediyelerinin kâğıtlarını parçalarken,

Esra mutfağa yürüdü, masanın üzerinde duranları gördü. "Bunlar nedir?" diye sordu.

"Onlar senin," dedim ben, "yiyecekleri vatanından tatlar özlemişsindir diye getirdim, eğer kalırsan yiyesin diye. Diğer paket ise, gidecek olursan sana güle güle armağanım, Ada'ya ve bana ayırdığın değerli zamanın için küçük bir teşekkür niyetine..."

"Asıl ben çok teşekkür ederim, zahmet etmişsiniz. Ben yarın akşam uçuyorum Hakan Bey. Doktorlardan beklediğim yanıt gelince, babam İstanbul biletimi ayırtmış... yazmıştım ya size."

"Buradaki okutmanlığın ne olacak?"

"O iş halledildi. Benden önce okutmanlık yapan arkadaşla devam edecekler, yerine biri bulunana kadar. Herhalde Türkçesi ileri derecede olan öğrencilerden biri üstlenir, sonunda."

"Tamam da pek anlayamadım, böyle çabucak değişimler yapılabiliyor mu? Tuhaf!"

"E, buralarda Türkçe bilen kıtlığı olunca... ne yapsınlar! Asıl benim sizinle konuşmak istediğim bir konu vardı... acaba Ada lafımızı bölmesin diye onu yatırdıktan sonra mı konuşsak?"

Bir umut mu doğuyordu bana?

"Kesinlikle öyle yapalım," dedim, "iki şişe şarap aldım havaalanından çıkmadan önce. Şöyle güzel bir akşam yemeği yiyelim, şaraplı filan ve bölünmeden konuşalım, olur mu?"

"Olur. Ma da siz dönüyorsunuz diye döktürdü zaten bugün," dedi, sanki bana o sert satırları yazan kendisi değilmiş gibi.

Ben Ada'nın yanına gittim. O sofrayı hazırlamak için mutfakta kaldı. Az sonra elinde parfüm şişesiyle oturma odasına geldi, "Hakan Bey, hiç gerek yoktu... çok incesiniz... çok teşekkür ederim," dedi, "nefis bir koku seçmişsiniz."

"Esra, bu bizim son geceniz madem, işveren-çalışan ilişkimiz bitti sayılır. Lütfen bana Hakan Bey deme. Biz burada iki arkadaş gibi yaşadık, birbirini andıran aile geçmişlerimizi ve yalnızlığımızı paylaştık. İşler benim istediğim gibi gitmedi ama biz iki eşit insan, iki dost olarak ayrılalım. Artık Hakan diye çağrılmak istiyorum."

Hiçbir şey söylemedi.

"Lütfen!" diye ısrar ettim.

"Nasıl isterseniz."

"Siz'i de kaldıralım... belki birkaç kadehten sonra, sen rahatlayınca."

Güldü, "Bakarız," dedi.

Esra odasına çekilince ben akşamüstü yaptığım gibi kızımı kucaklayıp, onu banyosunu yaptırmaya götürdüm. Akşam yemeğini mutfakta yedirdim, o kadar çok özlemiştim ki o uyuyana kadar, yatağının yanındaki yatağıma uzanıp, uykuya dalmasını bekledim.

Mutfağa geçtiğimde Esra güzel bir sofra hazırlamış, şarap şişesini buza oturtmuş, Ma'nın pişirdiği yemekleri ısıtıyordu. Şarabı açtım, kadehini doldurup ona uzattım ve "Bölünmeden anlatmak istediğin konu neydi?" diye sordum, yarın gidiyor olsa bile, ilerisi için bir ışık yakmasını bekleyerek.

"Gideceğim kesinleşince, Ada'ya bir bakıcı bulunması için sizin yokluğunuzda kendimce bir araştırma yapmaya çalıştım Hakan Bey," dedi.

"Hakan Bey değil, Hakan," dedim, sesimdeki hayal kırıklığını saklamaya çalışarak.

"Tamam! Neyse, internete baktım ama Ada'yı tanımadığım insanlara emanet etmeye içim el vermedi. Ma'nın bir kuzini var, birkaç kere uğramıştı, iş çıkışında birlikte bir yere mi gideceklerdi ne, hatta bir keresinde mutfakta çay içmiştik. Liseyi bitirmiş, aklı başında bir kız, Ada'ya da bayılıyor. Her sabahın köründe kreşe bırakılmasına gönlüm razı gelmiyor, bu kızla konuşmak ister misiniz Hakan? Ben Ma'nın ağzını aradım o da olumlu yaklaştı."

"Bu muydu benimle konuşmak istediğin?"

"Evet. Kızı benim gözüm tuttu, bunu söylemek istemiştim size."

"Hani sen diyecektin, bana."

"Hakan'la yetineyim şimdilik, (güldü) aşırı dozu kaldırmayabilir bünyem."

"Öyle olsun Esra," dedim, "madem senin gözün tuttu, elbette görmek isterim kızı. Hiçbir şekilde Ada ve benim için senin yerini dolduramaz ama ben de istemiyorum Ada'nın tüm gününü kreşte geçirmesini."

"Tamam o zaman. Yarın Ma geldiğinde ben söylerim ona."

Esra, Ma'nın pişirdiği tatlı-ekşi tavuklarla sebzeleri tabaklarımıza, yumurtalı pirinci de küçük bir kâsede masaya koydu.

"O zaman Agulimin yeni bakıcısının şerefine," dedi ve kızararak ekledi, "pardon Hakan, bu saçma sapan ismi... sizin yanınızda kullanmamalıydım... Ada'nın yeni bakıcısına yani."

"Beni hiç rahatsız etmiyor. Aslında sana dair hiçbir şey beni rahatsız etmiyor, Esra," dedim ben, "Sende yanlış bir intiba bırakmış olabilirim, sen zannedebilirsin ki ben seni sırf Ada'nın bakımı için..." Sözümü tamamlamadan atıldı, "Hayır, Hakan Hayır... Asla öyle düşünmedim. Ama benim de, herkesten bağımsız bir hayatım olmalı. Kendi irademle seçtiğim bir yolum, mesleğimi yapabileceğim bir alanım... öyle değil mi?"

"Elbette. Seni anlıyorum. Fakat, seninle geceler boyu konuştuğumuz şu büyük dayım var ya... onun hatasını tekrarlamamak için, izin ver ben de içimi dökeyim. Sonra ebediyen susayım."

"Sakın ebediyen susmayın Hakan, ama madem istiyorsunuz, dökülün bakalım! Dinliyorum."

"Ben sana âşık oldum."

"Yok artık!"

"Evet. Fakat ilk görüşte vurulmak filan değildi bu. Zaman içinde ve özellikle ailelerimizden söz ettiğimiz o geceden sonra, sen yavaşça sızmaya başladın kalbime. Sanki bir kapı aralanmıştı da her geçen gün biraz daha fazla açılıyordu bu aralık... sen büyüyerek, çoğalarak bana doğru akıyordun o kapıdan."

"Hakan, lütfen!"

"Bırak bitireyim, Esra. Sana hiçbir şey belli etmedim çünkü zamansızdı. Ben korkunç bir kazada kaybettiğim karımın yasını tutuyordum. Pişmanlıklarımla kavruluyordum. Ama gönlüme de söz geçiremiyordum. Belki de iyi oldu gidiyor olman Esra, yoksa ben erken öten horoz gibi açılıvereydim sana ve sen o yüzden gideydin, kendimi hiç affetmezdim. Yine söyledim ama sen zaten gidiyorsun... Belki kalırsın diye işte... Kalsan çok mutlu olurdum... olurduk, Ada ve ben... Biliyorum çelişkiler içindeyim, saçmalıyorum... fakat gerçek bu işte, kızımla ben seni seviyoruz!"

Hiçbir şey söylemedi. Bir süre ikimiz de hiç konuşmadan şaraplarımızı içtik. Tabaklarımızdaki yemekler soğudu. Sonra Esra kalkıp tatlıyı getirdi. Ben kirli tabakları musluğun yanına taşıdım, "İkinci şişeyi de açıyorum," dedim ona, "galiba ikimizin de ihtiyacı var."

Bardağına şarap doldururken itiraz etmedi. Karşısına, yerime oturdum yine.

"Şimdi tüm bu söylediklerimi unutup, her ikimiz için de güzel günlere içelim. Dilerim her şey gönlünce olur, işlerin hep rast gider," dedim ben, "ve eğer izin verirsen sana Ada'dan haberler, resimler yollarım."

Bir süre daha geçti, hiç konuşmadan, sonra "Hakan, size bir şey söylemek istiyorum," dedi.

"Söyle!"

"Nasıl karşılayacağınızı bilemiyorum. Bir itiraf olacak bu."

Gözlerini kaldırıp bana bakmıyordu. Sesi tuhaftı. Ellerini kucağında yumruk yapmış, ovuşturup duruyordu.

"Esra... istemediğin bir şey söyleme... yani seni üzecekse..."

"Beni üzecek! Seni de üzecek ama söyleyeceğim."

Sen dedi bana! Esra bana ilk kez 'sen' diye hitap etti!

"Anlat," dedim ve onun kırık dökük sözcüklerle bir araya getirdiği hikâyesini dinlemeye başladım. Bana sabrımı zorlayan, inanması güç bir masal mı anlatıyordu, bir martaval mı? Bir yangın başladı içimde. Midemden boğazıma doğru yükselen bir ateş, gözlerime, beynime doğru yayılıyordu! Doğru muydu duyduklarım! Bizim kim olduğumuzu bilerek, evimizde nasıl yaşamış... yaşayabilmiş benimle ve Ada'yla? Niye susmuş?

Ben nasıl bir yalanın içinde yaşamışım!

"Uçakta biliyor muydun bunu? Yanıma özellikle mi oturdun?" diye sordum.

Hayır, uçakta tamamen masummuş. Hatta benim ağzımdan duyana kadar, Ada'nın babası olabileceğime de inanmak istememiş.

Pekiyi ya sonra? Niye anlatmamış bana? Niye gerçeği söyleyememiş, üstelik Derya'nın kendi yüzünden öldürüldüğüne inandığı süreç içinde niye suskun kalmış?

Art arda sorduğum bu soruları yanıtlayamadı. Ben de ona sözünü ettiği Tarık hakkında hiçbir şey sormadım. Hikâyenin orası beni hiç ilgilendirmiyordu. Hafıza kaybı sırasında neler çektiği, peşinde onu öldürmek isteyen adamların korkusuyla yaşadığı, tüm bu anlattıkları, değmiyordu bile bana. Ben sadece tek bir şey düşünüyordum, peşindekiler kimlerse, ya Ada'ya zarar vereydiler!

O ihtimal varken, Esra nasıl kalabilmişti benim evimde!

Kendini hiç savunmadı, sadece "Çünkü," dedi, "benim Şangay'a geldiğimi kimse bilmiyordu Vural'dan başka. Ben yoktum, yeryüzünden silinmiştim. Zaten karını, peşimdekiler değil bambaşka biri öldürmüş!"

Bir süre hazmetmeye çalıştım duyduklarımı. Sonra, parmağımı ona doğru sallayarak, "Sen bunu en başında bana söylemeliydin, Esra," dedim, "bunu bana bildirmeye mecburdun! Yapmadın. Madem yapmadın, niye şimdi söylüyorsun?"

"Çünkü bize iyi gelmeyecek aşkları kalbimizden silmek için, acı gerçeklerle yüzleşmek zorundayız Hakan. Bu geceyi yaşamasaydık, sen bana tüm iyi niyetinle açılmasaydın, kalbini dökmeseydin... ve de Ada'nın babası olmasaydın... hiçbir zaman bilmeyecektin bu anlattıklarımı. Ama ben Agulimin babasını, yüreğinde hep sızlayacak bir yarayla bırakarak gitmek istemedim. Buna benzer bir acıyı yaşadığım için biliyorum, âşık olduğum adamı ancak onu bağışlayamayacağımı fark ettikten sonra unutabildim. Benim yaram küllenebildi, şükürler olsun. Şimdi Hakan, sen de benden nefret et ki, beni unut ve kendini çok güzel bir başka birlikteliğe hazırla... Elbette hemen değil, ama bir gün! Aklın bende hiç kalmadan, sağlıklı bir ilişki kurasın diye anlattım sana, başıma gelenleri. Bana karşı o kadar iyi ve dürüsttün ki, ben de sana karşı..."

"Eksik olma beni düşündüğün için, ama sanırım biraz geç kaldın," diyerek lafı ağzına tıktım, sesimde alaycı bir tınıyla. Sonra zorlukla ayağa kalktım, odama gittim, çocuğuma eğilip, saçlarını öptüm, "Allah seni korumuş, Ada'm," dedim ve yatağıma attım kendimi, kâbuslarla geçecek bir geceye başlamak için.

Doktor olmasına karşın bir çocuğun bakımını üstlenecek kadar alçak gönüllü, yaşıtlarından çok daha olgun ve donanımlı, dünyanın bir başka ucuna tek başına gidebilecek kadar cesur, çalışkan, uyumlu ve dürüst bir kız zannettiğim kişinin, peşinde çetelerin dolaştığı bir yalancı olmasını kabule hazır değildim!

Aşırı tepki mi veriyordum acaba!

Ertesi sabah ben evden çıkarken Ma gelmişti, Ada ve Esra henüz uyuyorlardı.

Ma ile kuzinini konuştuk ve benimle tanışmaya gelmesi için bir gün kararlaştırdık ama ben uyurgezer gibiydim. Büroda da gün boyu aklım başımda değildi.

"*Esra bunu benden nasıl gizledi?*" ve "*Ya Ada'ya bir şey olaydı!*"- Şeytan, bu iki cümleyi sürekli tekrarlayarak dans ediyordu kafamın içinde. Hiç susmuyordu.

İşten geç ayrıldım. Eve döndüğümde, havaalanına gitmesi için saatin henüz erken olmasına rağmen, Esra gitmişti ve o ortalıkta olmadığı için huysuzlanan Ada'yı, canından bezmiş Ma bekliyordu. Beni görünce, her ikisi de çok sevindiler.

"Esra keşke gitmeseydi," dedi Ma, "Ada yürümeye başladığından beri peşinden birinin sürekli koşması gerekiyor."

"Dün yürümedi mi ilk kez?"

"Yo! Kaç gündür yürüyor! Aaa, pardon! Esra babasına söylemeyelim, ilk adımlarını kaçırdığı için üzülmesin, demişti. Benim aptallığım işte... pardon, efendim."

Ada'yı kucaklayıp odama yürürken düşündüm, ben üzülmeyeyim diye bir beyaz yalan söylemiş yine. Ben çocuğumun ilk adımını gördüğümü zannedip sevineyim diye... Benim iyiliğim için.

Odama girdim. Hiç beklemiyordum ama bana bir zarfın içinde mektup bırakmış, mektubu da Mustafa N'nin çerçevesine yaslamış.

Çocuğumu yere bırakıp, mektubu açtım.

"*Haklısın Hakan, gerçeği saklamanın yalan söylemekten farkı yok! Ama benimki, 'beyaz' bir 'saklama' idi, tıpkı kimseyi üzmemek için söylenen 'beyaz yalanlar' gibi.*

Bana, seninle ve Ada'ya birlikte geçen günlerimden sadece güzel anılar kaldığı için her ikinize çok teşekkür ediyorum. Umarım gün gelir bağışlarsın beni." diye yazmış!

Umarım bağışlarım, dedim, seni gidi *'Beyaz Yalancı'.*

İşte böyle Dayım, sevgiliden yana şansım seninkine çok benziyor! Her iki seferdir, elde var hüsran! Dilerim ömrümün süreci seninkine benzemez çünkü Ada'mın bana daha çok uzun yıllar ihtiyacı var.

Esra'nın gittiği o akşam, çocuğuma banyosunu yaptırıp yatırdıktan sonra, mutfakta yemeğimi tek başıma oturup yemek, gelmedi içimden. Çizim masasında uzun süre çalıştım. Saat on ikiyi geçiyordu, midem kazınmaya başladığı için mutfağa geri gittiğimde. Buzdolabından yiyecek birkaç şey çıkardım. Şarap arandım, kalmamış. Ne varsa içmişiz bir gece önce. Çay suyu koydum kendime. Saatime baktım, Esra'nın uçağı kalkmış olmalıydı. Dayanamadım, internete girip uçağın bilgilerine ulaştım. Evet, kalkmış uçak ve şu anda herhalde evimizin üzerinden geçiyordu. "Yolun açık olsun Esra," diye mırıldanırken yakaladım kendimi.

Sanırım umduğundan daha çabuk bağışlayacaktım onu. Sonuçta, tam da söylediği gibi, birlikte geçirdiğimiz zamandan sadece güzel anılar kalmıştı üçümüze de. Ada onu hatırlayamazdı ama içinde eminim derin bir iz bırakmıştı Esra, tıpkı benim kalbimde bırakmış olduğu gibi!

Uçakta

Şangay'a geliş nedenim ömrümün son düğümü olsun!

Uçaktaki yerimi pencere kenarında ayırtmış babam.

"İstanbul'a inerken şehri kuş bakışı görebilmen için öyle yaptım, özlemişsindir şehrini," diye de mesaj atmış bana. Özlemedim! Öyle bir kabus yaşadım ki ben o şehirde, vardığımızda denize doğru alçalırken belki de sımsıkı yumarım gözlerimi çünkü penceremden bakacak olursam, büyülü ve eşsiz güzelliğine kapılmak elimde olmayabilir. İstanbul'a bir kere daha kaptırmamalıyım paçamı!

Şu anda, Şangay'ı geride bırakarak havalanırken, içim hem rahat hem yaralı. Rahat çünkü yalanımdan kurtuldum dün gece! Aylardır bir yalanın içinde yaşıyordum. Bana yakışanı yaptım, hiçbir mecburiyetim yokken, itirafta bulundum Hakan'a. Ben rahatladım, rahatlarken onu da, kendimi de yaraladım, hem de fena halde!

Beni asla bağışlamayacak Hakan ama yarası iyileşecek. Biliyorum, çünkü benimki iyileşti.

Bir daha hiçbir erkeğe güvenemem diyen ben, güvenilebilecek birini tanıdım örneğin... Ama bu kez de şartlar elvermedi... Olmazı, imkansızı düşünmemeyi beceririm ben, öyleyse at kafandan dün geceyi, başka şeyler düşün Esra!

Haydi, başka şeyler gelsin aklına!

Hakan'ın evinden, kızından, dün gece buralara niye geldiğini anlatırken onun gözlerine yerleşen şaşkınlıktan ve acıdan çok uzaklara gitsin düşüncelerin. Bu şehirde geçirdiğin güzel anları düşün!

Şangay'dan havalanırken, hava kararmıştı, bulutların rengi seçilmiyordu.

Oysa bu şehre bembeyaz bulutların içinden geçerek inmiştik. Ben koridor koltuğunda oturduğum için, dışarda bulutlardan başka bir şey göremiyordum, zaten. Ne kadar yanıltıcıydılar küçücük uçak pencerelerinin görüş alanından pamuk kümeleri gibi geçip giden ak bulutlar! Şangay'da kaldığım sürece beyaz bulut görmek pek az nasip oldu. Şehrin üzerini kaplayanlar, çoğu kez grinin tonlarındaydı. Şangay ne gamlı bir şehir demiştim o gün, şehre giden yolda güneşi kıvranırken gördüğümde!

Meğer son derece dinamik bir şehirmiş!

Parkları, binaları, caddeleri, sokaklarını renklendiren çiçek tasarımları, nehirlerin üzerindeki irili ufaklı tekneleriyle şehri çok iyi tanıdım da öğrencilerimin, Yazarlar Evi çalışanlarının ve Ma'nın dışında, insanlarını dil engeli yüzünden çok yakından tanıma fırsatım olmadı!

Çok neşeli insanlar değil Çinliler ama mutsuz da görünmüyorlar. Benim anladığım manadaki özgürlüğü hiç tatmamış olduklarından, bilmedikleri bir şey için hayıflanmaları mümkün değil, bu nedenle ifadelerinde son yıllarda bizim yüzlerimize sinen o tuhaf hüzün, yok!

Aralarında dünya ile iletişimi kurabilmiş, ya da eğitim nedeniyle yurt dışına çıkıp dönmüş olanlar var ve ancak onlar farkındalar yasaklı, sınırlı, kısıtlı yaşamanın aslında tam da yaşamak sayılmadığının. Onlar da kalplerini samimiyetle açamadan, içlerini dökemeden, vatanlarını hep bir savunma kalkanı ardına çekerek konuşuyorlar ve köşeye sıkıştıklarında sordukları soru, gerçek özgürlük hangi ülkede var ki, oluyor.

Bu soruyu ben de sık soruyorum kendime. Benim anladığım anlamda özgür ülke var mı sahiden? Varsa eğer, dinî, kamusal ve siyasi yapılanmalardan tutun, görsel ve yazılı basına kadar hiçbir kurumun, kişinin tesiri altında kalmayan bir idare her neredeyse, ben oraya gideyim!

Zaten şu anda tam da bu niyetle, hayatlarını benimle paylaşmak isteyen iki erkeğe hayır demiş olarak ve tüm yeryüzünü vatanım belleyerek, gönlüme, meşrebime uygun vatanı seçmek için, yeryüzünde görülmedik ülke bırakmamak üzere, bir bilinmeze doğru uçmaktayım.

İstanbul'da kısa bir duraklama yapacağım, valiz değiştireceğim, anneannemle, arkadaşlarımla vedalaşacağım ve ayrılacağım ülkemden, önce Afrika'da çalışmak, orada da hüsrana uğradımsa, yine yollara düşüp, Avrupa dışında kalan topraklarda kendime bir yurt bulmak için!

Avrupa kıtası, kendi şehrim de dahil olmak üzere, bana iyi gelmedi!

Yaşlı kıtada gezip görmediğim fazla bir yer kalmamıştı. Çocukluğumda annemle, anneannem ve dedemle, üniversite yıllarımda fakülte arkadaşlarımla dört döndük Avrupa'nın değişik noktalarında. Benim gözümde, hiçbir Avrupa ülkesinin bir diğerinden pek farkı olmadı zaten. Şehirleri mamur ve bakımlı, insanları bencil ve ikiyüzlü!

Hitler Almanya'sı ana tarafımın soyunu kurutmaya karar verdiğinde, diğer Avrupa devletleri bu vahşete boyun eğip, olup bitene seyirci kalmışlardı. Yaşananları ben sadece bir korku masalı gibi dinlemiş, okumuş, filmlerde izlemiştim, bir daha asla olmaz zannederek! Oysa doksanlı yıllarda dört yıl boyunca Bosna'da Müslümanların Sırplar, kimi zaman da Hırvatlar tarafından öldürülmesine de sessiz ve seyirci kaldı aynı Avrupa!

Bu yüzden, İngiltere'yi dışarda tutarak, bir çizgi çektim ben, kara Avrupası'nın üzerine.

Benim evim, bencil, ikiyüzlü Avrupa'da olmayacaktı!

Amerika, hele de bu gün iktidarda olan Başkanı ve bana pek tanıdık gelen iki yüzlü muhafazakarlığıyla, zıvanadan çıkmış dincileriyle zaten ilgi alanımın tamamen dışında!

Bir çizgi de Kuzey Amerika'ya çizdim mi? Çizdim!

Doğup büyüdüğüm ana vatanıma, yıllar var ki inancım kalmadı! Ülkemin yarı nüfusu benim gibi düşünen, benim gibi giyinen, benim gibi yaşayan vatandaşlarından nefret etmeye şartlandırılmışlarsa, mahalle baskısı giderek artıyor, her birimizi aynı formata sokmaya çalışıyorsa, adalet ve vicdandan eser kalmamışsa, bana vatanımda da yer yok!

Anneanne, biraz da bu yüzden, dizinin dibinde kalamayacağım, canım!

Diyeceksin ki, niye bunları beni gördüğünde söyleyeceğine, uçakta oturmuş içinden geçiriyorsun? Çünkü zaten, çoğu zaman söylemek istediklerimiz içimizde saklı kalıyor, fırsat olmuyor söylemeye ya da doğru zamanı yakalayamıyoruz.

Ne demiş Şair, "Ya sevmeyi az buldunuz, ya da vaktiniz olmadı..."

Bu yüzden ben sana düşüncelerimi yolluyorum şimdi.

Sen hissedersin, sen anlarsın, tıpkı Aguli'nin konuşmayı bilmediği halde beni, benim de onu anladığım gibi. Şunu da bil ayrıca, başıma gelen bunca şeyden sonra, bana yine benden habersiz Londra'da ayarladığın hastaneye bir süre için gidebilirdim, eğer Yeryüzü Doktorları'nın kabul formunu benden saklamasaydın!

Yok, sana dargın değilim.

Günlerce hesaplaştım kendimle ve sonunda seni anladım. Biliyor musun kim vesile oldu seni anlamama, inanmayacaksın ama, Aguli! Nasıl ki Aguli'nin yüzünden kendimi aniden Şangay'da bulup nefessiz kaldımsa, yine onun yüzünden nefes aldım. İpek teninin kokusu, çıkardığı tuhaf seslerin melodisi ve ondan bana esen sevgi... Kolay olmayacak ama ne demek istediğimi anlatmaya çalışayım... Onu her kucakladığımda, bana sanki bir güzel ışık, bir sevgi huzmesi geçiyordu o minicik çocuktan. Onun yanında mutsuz, umutsuz, kederli olunamıyordu. Bu şehirdeki ilk günlerimin karamsarlığı, Aguli'nin evine taşındıktan sonra geçti. Hayata yeniden bağlandım. İyileştim.

Hayret değil mi, benim doğurmadığım, kan bağım dahi olmayan, başıma çok dertler açmasına rağmen ve sadece birkaç aydır birlikte olduğum bu bebeciğe kötülük edebileceklere mani olmak için mesela, neler yapabilirdim? Düşündüm ve korktum kendimden. Sana yollamayı planladığım mektubu yazmaya, işte o yüzden elim varmadı, anneanne! Sevgi insanlara yanlışlıklar yaptırabilirmiş. Bunu öğrendiğimden beri, kızmıyorum artık sana! Her şeyi beni korumak için yaptığını anlıyorum ama izin ver de, senin koruyucu nefesini ensemde hissetmeden, kendi kanatlarımla uçayım artık!

Afrika'ya, Asya'ya, Japonya'ya gideyim. Nasıl ve nerede mutlu olacağıma, tek başıma karar vereyim! Diyeceksin ki, sana karışan mı oldu? Tarık'ı kendin bulmadın mı?

Haklısın, Tarık'ı kendim bulmuştum.

Hatalı seçim yapmışım!

Anneanne, bir kere daha deneyeyim. Hatta birkaç kez daha deneyeyim de, sakın ola ki başıma gelen olaylar atmasın beni kimsenin kollarına, çaresizliklerden doğan şartlar da atmasın, değerli büyüklerimizin yüreklerimizi ısıtan müşterek ülküleri de.

Sevgilimi ve yolumu yine kendim bulayım ama ne olur duanı esirgeme ki, bu seferki doğru kişi olsun, anneanne!

Doğru ülkede, doğru kişi olsun!

Dünya büyük! Ve dünya çok kalabalık! Yedi buçuk milyar kişinin yarısı erkekse eğer, üç milyar erkeğin arasında, birinin beni bekliyor olduğuna inanıyorum.

Onu bulduğumda, sen nerede olursun bilemiyorum.

İstanbul'daki evindeysen, kapına getireceğim. Gökyüzünden kolluyorsan beni, gözlerimi en beyaz, en güzel bulutlara çevirip, "Haydi bana bir işaret ver anneanne," diyeceğim, "onayladığını söyle!"

Biliyor musun, ötelerdeki büyüklerden onay beklemeyi de Aguli'nin babasından öğrendim. Şimdi beni duysan, niye istemedin o halde Aguli'nin babasını diye soracağından eminim, hele bir de doğa âşığı bir mimar olduğunu öğrendiysen.

Olmazdı, anneanne, yollarımız birbirinin içine akarak kesişmiş de olsa, Aguli'nin babası, onun annesinin kısmetiydi, benim değil! Zaten ben önce gerçeği saklayarak, sonra da belki hiç gereği yokken itiraf ederek, onu sonsuza kadar kaybettim. Olmayacak dualara amin dememeyi sen öğretmedin mi bana anneanne, bak tutuyorum öğütünü ve atıyorum aklımdan Aguli ile babasını... Atmaya çalışıyorum, en azından!

Gel biz devam edelim yolumuza... Bana tutulduğunu bilsen, benim için her şeyi yapmaya hazır yakışıklı Vural'ı niye geri çevirdiğimi de sorgulardın eminim. Ve sonuçta, yanıtım seni tatmin etmeyeceği için, ne istediğimi bilmediğime karar verirdin.

Oysa ben biliyorum ne istediğimi!

Ben insanların her anlamda özgürce yaşayabildiği, kimsenin kendi doğrusunu bir diğerine dayatmadığı, savaşın asla onaylanmayacağı, sevgi ve saygının hükmettiği bir toplumda yaşamak istiyorum.

Önce o yeri bulacağım, sonra da dünyaya benim gözlüklerimle bakabilen kişiyi!

İçimde bir umut var aradığımı şu anda penceremin önünden geçip duran bulutların çook uzağında, kara derili insanların ülkesinde bulacağıma dair.

Umudum gerçekleşirse, Afrika'da o ışıklı beyaz bulutu yakalayabilirsem, her zaman yaptığım gibi önce sana söylerim, annemle babama sen bildirirsin.

Sen şimdi benim iyiliğim için arkamdan iş çevirmeden uslu uslu otur, sadece benden haber bekle, benim için dua et ve bütün kalbinle dile ki anneanne, önümdeki yolculuk benim son durağım, Şangay'a kaçırılma nedenimse ömrümün son kördüğümü olsun!